污水资源化与污水灌溉技术研究

周振民　著

黄 河 水 利 出 版 社

内 容 提 要

本书是一本系统性研究区域污水资源化的专著。全书以开封市为例，结合开封市及其周边区域污水排放情况和综合开发利用状况，应用多学科理论，结合污水处理工程、市政工程、污水排放工程，对开封市污水资源化进行了系统性研究。全书共分9章，主要研究内容有：污水资源监测网络规划与污水资源监测技术；污水资源化系统优化规划设计研究；污水处理措施和污水资源化技术研究与推广应用；河流水质模拟信息管理系统软件开发与应用；水污染物总量控制和排污削减量计算与措施研究；污水灌溉技术试验研究；城市雨洪径流—用水—排水—水质数学模型研究；污水灌溉社会经济效益分析；污水资源化水质标准研究；重点污水处理工程设计研究；污水灌溉制度评价及土壤污染趋势预测；层次分析模型在污水资源化评价中的应用；污水回用水价理论研究等。

本书可供从事水利工程、水文水资源、水资源规划、城市规划与管理、城市水务、污水处理与水环境保护、农业污水灌溉、农业种植规划等学科研究的科研人员以及政府管理人员、决策者和有关技术人员参考，也可作为大专院校有关专业本科生、研究生的选修教材。

图书在版编目(CIP)数据

污水资源化与污水灌溉技术研究/周振民著.—郑州：黄河水利出版社，2007.1

ISBN 7-80734-154-8

Ⅰ.污… Ⅱ.周… Ⅲ.①城市污水-废水综合利用-研究-开封市②污水灌溉-研究-开封市 Ⅳ.X703

中国版本图书馆CIP数据核字(2006)第133117号

组稿编辑：王路平　电话：0371-66022212　E-mail：wlp@yrcp.com

出 版 社：黄河水利出版社

地址：河南省郑州市金水路11号　邮政编码：450003

发行单位：黄河水利出版社

发行部电话：0371-66026940　传真：0371-66022620

E-mail：hhslcbs@126.com

承印单位：河南省瑞光印务股份有限公司

开本：787 mm×1 092 mm　1/16

印张：13

字数：300千字　印数：1—2 600

版次：2007年1月第1版　印次：2007年1月第1次印刷

书号：ISBN 7-80734-154-8/X·26　定价：32.00元

前　言

“污水资源化与污水灌溉技术研究”是水利部“948”计划技术创新与推广转化项目(合同编号:CT200210)。本项研究选择河南省开封市为技术示范区,结合区域内污水资源排放、水资源工程分布、污水处理技术措施与污水资源化综合技术、污水灌溉作物种植结构与灌溉制度以及工农业生产发展趋势,应用多学科理论,开展了系统性研究。主要研究内容有:①开封市污水资源排放情况调查;②污水资源监测网络规划与污水资源监测技术;③污水资源化系统优化规划设计研究;④污水处理措施和污水资源化技术研究与推广应用;⑤河流水质模拟信息管理系统软件开发与应用;⑥水污染物总量控制和排污削减量计算与措施研究;⑦污水灌溉技术试验研究;⑧城市雨洪径流—用水—排水—水质数学模型研究,将系统优化理论应用于城市污水资源化优化规划与水环境承载能力研究;⑨污水灌溉社会经济效益分析;⑩污水资源化水质标准研究;⑪开封市重点污水处理工程设计研究;⑫开封市污灌制度评价及土壤污染趋势预测;⑬层次分析模型在污水资源化评价中的应用;⑭污水回用水价理论研究等。通过系统性研究,提出一套完整的与生产紧密结合的污水资源化技术、污水资源管理与开发利用理论技术和生产实用方案,促进当地工农业经济可持续发展,并在其他地区推广应用。

主要研究成果及创新点有:①基于非线性动力波汇流理论,提出了北方干旱地区城市雨水径流模型和雨水汇流模型,并将其成功地应用于城市雨洪资源计算,该项理论在国内外处于领先地位;②将系统优化理论应用于城市污水资源优化规划与水环境承载能力研究,为城市建设发展提供了技术支持,该项成果在国内处于领先地位;③开发了河流水质模拟信息管理系统计算机软件,它是目前较为成熟的、具有重要推广应用价值的水质模拟信息管理工具软件;④污水灌溉区土壤污染趋势预测理论技术,首次提出了重金属对土壤的污染趋势预报方案,在国内处于领先地位;⑤污水灌溉试验分析结果发现,污灌区土壤重金属含量在空间上与其包气带岩性结构剖面相对应,呈现出明显的峰值分布特征,表层(耕作层)是重金属的主要富集区,由此而可能造成粮食污染,这一结论在国内外属于创新性发现;⑥层次分析模型在污水资源化评价中的应用是本项研究的一个创新点;⑦首次提出了污水资源价格理论,对于我国城市污水资源的开发利用具有重要意义;⑧给出了污水灌溉对于人体健康影响的定量计算方法和计算结果,该项成果属国内创新。

研究成果在开封市推广应用取得的主要经济效益指标:①实现污水灌溉,农业产量平均增加16.4%,污灌区平均每年增加1 152万元;②增加了土地的肥力,平均单方污水增加0.05元,土地年增肥效益250万元;③减少居民疾病损失效益,单方水效益为0.504元,年效益为2 520万元;④工业回用水效益1.2元/m^3,年效益为2 400万元;⑤市政回用水效益1.2元/m^3,年效益为1 200万元;⑥减少常规水资源开发利用的工程投资5 000万元,按30年折旧计,平均每年170万元。以上平均年经济效益合计7 692万元。

污水资源化与污水灌溉技术研究是一项跨学科的庞大复杂的系统工程,涉及学科广泛,因素众多,研究难度大。本项研究由于时间紧、任务重,加之经费有限,虽然经过课题组全体研究人员两年来的艰苦工作,取得了一些有重要理论及生产实际应用价值的成果,但是由于种种因素的制约,还存在许多不足之处,例如,对于多种作物的污水灌溉试验问题、不同水质的轮灌问题、最大限度地减小污水灌溉对作物和土壤负面影响的试验研究问题、河流水质模拟信息管理系统计算机软件功能和精度的进一步完善、污水资源的污染成分及污染机理分析、适宜小型分散式污水处理技术研究等,都需要在今后的实践中进一步探索、研究及推广应用。

参加本项目研究的单位和人员有:华北水利水电学院孟闻远、刘增进教授,许拯民、李秀琴、刘月老师;河南省豫东水利工程管理局惠北试验站冯跃华、石建平、马培培、张子敬;河南省开封水文水资源局宋铁岭、荣晓明、陈顺胜、胡风起等。华北水利水电学院吴昊、杨明庆、梁士奎、王铁虎、王桂宾、刘荻、王利艳、王学超、赵红菲等在本项目的实验、资料分析、绘图等项工作中做出了重要贡献,在此一并表示感谢。

中国工程院院士茆智教授和中国灌溉排水委员会主席许志方教授对本项目研究成果进行了全面审查,提出了许多宝贵意见。水利部黄河水利委员会总工程师薛松贵教授级高工针对本项目中的许多技术措施提出了十分重要的改进意见。在此表示衷心的感谢。水利部黄河水利委员会原副总工程师常炳炎教授级高工、中国农业科学院农田灌溉研究所黄宝全研究员、河南省水文水资源局王有振教授级高工等,在本项目的评价、改进以及今后的研究方向上都给予了极大的帮助。没有他们的帮助,是不可能圆满完成本项目的。在此一并表示感谢。

由于本项目要求时间紧,区域污水资源化研究牵涉因素复杂,涉及学科理论广泛,且受当地各种因素的影响,加之本人水平所限,书中不足之处在所难免。对于书中出现的疏忽遗漏甚至是谬误本人负完全责任。

作　者

2006 年 9 月 4 日

目　录

第1章　引　言

1.1　国内外水资源概况

1.1.1　世界水资源状况分析

水是人类赖以生存的基本条件，全球水的总储量为 $13.86\times10^9\text{km}^3$，其中 96.5% 存在海洋中，约覆盖地球表面总面积的 71%，在陆地上、大气和生物体中的水只占很少一部分，可供人类利用的淡水资源所占比例极小，约为 2.5%，且其中 87%储存于两极冰盖、高山冰川、冰冻地带和深度 750m 以上的地下层。包括河流、湖泊及浅层地下水在内的淡水资源仅占地球水总储量的约 0.26%。陆地上通过全球水文循环的多年平均年径流量有 4.7 万 km^3，其中有 40%分布于适合人类生存的地区。全球年降水总量约为 500 万 km^3，约 100 万 km^3 降落在陆地上，其中约有 65 万 km^3 通过蒸发返回大气中，约有 35 万 km^3 存留在河流、湖泊、水库、湿地或渗入地下。

随着人类社会的进步和经济的发展，工业、农业、城市的日益扩展，特别是世界人口急剧增多，加之人类活动失控，造成水资源污染和严重浪费，使世界水资源日趋匮乏。据联合国教科文组织统计，按全球人口为 50 亿～60 亿人计算，人均占有水量为 8 000～10 000m^3。1997 年"第一届世界水论坛"报告说，由于世界水资源消费量急剧增加，人均水资源占有量已降到 4 800m^3(1995 年为 7 300m^3)。据统计，20 世纪初，全球水消耗量为 $5\,000\times10^9\text{m}^3/\text{a}$，到 20 世纪末，已增长为 $50\,000\times10^9\text{m}^3/\text{a}$，其中，69%为农业用水，23%为工业用水，生活用水占 8%，亚洲、非洲和南美洲以农业用水为主，欧洲、北美和中美以工业用水为主，水资源消费结构很不平衡。

世界水资源分布很不平衡，亚马孙河流域、南亚和东南亚暴雨多水，而中东、北非、中亚北部和大洋洲中部却雨水很少。60%～65%的淡水集中分布在 9～10 个国家，例如俄罗斯、美国、加拿大、印度尼西亚、哥伦比亚等，其中奥地利每年有 840 亿 t 水，可满足欧盟 3.7 亿人口的用水需求，而占世界人口总量 40%的 80 多个国家却为水资源匮乏的国家，其中有近 30 个国家为严重缺水国，非洲占 19 个，像马尔他人均淡水占有量仅 82m^3，科威特为 95m^3，利比亚为 111m^3，卡塔尔为 91m^3，成为世界上 4 大缺水国；而几个富水国，水资源消费急剧上升，1954～1994 年美洲大陆用水量增加 100%，非洲大陆增加 300%以上，欧洲大陆增加 500%，亚洲大陆增长幅度更高。地下水开采量为 $5\,500\times10^9\text{m}^3/\text{a}$(20 世纪 80～90 年代)，其中大于 $100\times10^9\text{m}^3/\text{a}$ 的有十余个国家，占总开采量的 8.5%。美国纽约人均日耗水量为 600～800L，日本大阪为 575L，法国巴黎为 443L，意大利罗马为 435L，相差极为悬殊。

1.1.2 中国水资源状况

我国地域辽阔，地形复杂，绝大部分处于季风气候区，受热带、太平洋低纬度上温暖而潮湿气团的影响以及西南印度洋和东北鄂霍次克海水蒸气的影响，我国水资源总量丰富，而人均水资源占有量相对不足，且时空分布不均。

1.1.2.1 中国水资源供需形势分析

据统计，我国多年平均降水量约 6 190km^3，折合降水深度 648mm，而全球平均降水深度为 834mm，亚洲为 740mm，我国的年平均降水明显低于世界和亚洲年平均值。我国多年平均水资源总量约为 $2.812\ 4\times10^{12}$ m^3，占世界水资源总量的 6%，河川径流量为 $2.711\ 5\times10^{12}$m^3，少于巴西、俄罗斯、加拿大、美国和印度尼西亚，居世界第 6 位。由于地表径流量巨大的时空变化，地下水资源也是我国大部分地区重要的供水水源，尤其是北方地区。我国矿化度小于 2g/L、与降水和地表水有直接水力联系的浅层地下水资源量为 6 762亿 m^3，其中 97.6%转化为河川基流。

据 2002 年水资源公报，全国平均年降水量 660mm，折合降水总量 62 610 亿 m^3，全国地表水资源量 27 243 亿 m^3，折合径流深 287mm，北方缺水地区(5 个流域片，包括松辽河、海河、黄河、淮河和黑龙江流域片)地表水资源量比常年偏少 27.5%(其中海河片比常年偏少 72.4%)，在各省行政区域中，地表水资源比常年偏少的有 15 个省(区、直辖市)，其中偏少 50%以上的有 6 个省(区、直辖市)。2002 年从国外流入我国境内的水量为 278 亿 m^3，从国内流出国境及流入国际界河的水量有 6 705 亿 m^3，入海水量为 17 693 亿 m^3。2002 年全国地下水资源量 8 697 亿 m^3，大部分与地表水资源量重复，不重复的只有 1 012 亿 m^3，将地表水资源量与地下水资源量中的不重复部分相加，2002 年全国水资源总量为 $2.825\ 5\times10^{12}$m^3，其中北方 5 个流域片水资源总量 4 158 亿 m^3，比常年偏少 22.4%，全国产水总量占降水量的 45%，平均每平方公里产水量 29.8 万 m^3。

从我国水资源总量上来说，同世界相比并不算少，位居世界第 6 位，然而由于人口众多，以 13 亿人计，我国人均占有水资源量仅 2 173m^3，约为世界人均占有水资源量的 1/4，相当于美国的 1/6，相当于加拿大的 1/44，居世界第 100～117 位，单位耕地面积占有水量仅为世界平均水平的 80%，是世界上 13 个贫水国家之一。又由于我国水资源主要来源于降水，降水遭受大气环流、海陆位置以及地形、地势等因素的影响，使得降水量在时空分布上极不均匀，总格局是南方多北方少、东南多西北少，大多数降水集中在夏季 7、8、9 月 3 个月，我国西北、华北以及沿海缺水地区的工农业经济发展受到了水资源匮乏的严重影响。

随着人口的增长，预测到 2030 年我国人口将增长至 16 亿人，人均水资源量将降到 1 760m^3，按国际上一般承认的标准，人均年拥有水量在 1 000～2 000m^3 时，会出现缺水现象，少于 1 000m^3 时，会出现严重缺水的水荒局面。海河、淮河和黄河片人均年占有水资源量在 350～750m^3 之间，松辽河片人均也只有 1 700m^3。人均占有水资源量的不足，使我国大部分地区的用水紧张情况将长期存在，而且若不采取措施，水资源供需矛盾将会更加尖锐。

一方面我国人均水量远远低于世界平均水平，另一方面，又是用水量最多的国家。据

2002 年水资源公报，全国总供水量 5 497 亿 m^3，其中地表水资源供水量占 80.1%，地下水源供水量占 19.5%，其他水源供水量(指污水处理再利用量和集雨工程供水量)占 0.4%，另外海水直接利用量为 216 亿 m^3。2002 年全国总用水量为 5 497 亿 m^3，其中城镇生活用水(包括全部建制市、建制镇和具有集中供水设施的非建制镇的居民用水及公共设施用水)占 5.8%，农村生活用水(包括农村居民和牲畜用水)占 5.4%，工业用水占 20.8%，农田灌溉用水占 61.4%，林、牧、渔用水占 6.6%。全国人均综合用水量为 428m^3，万元国内生产总值(当年价)用水量为 537m^3，城镇人均生活用水量为 219L/d，农村人均生活用水量为 94L/d，农田灌溉亩均用水量为 465m^3。在农业用水中，北方缺水地区农业用水量占总用水量的大部分，松辽河片农业用水量占总用水量的 72.1%，海河片农业用水量占 71.6%，黄河片农业用水量占 76.9%，淮河片农业用水量占 73.1%，内陆河片农业用水量占 93.9%。

进入 21 世纪，我国水资源矛盾又将进一步加剧，预测到 2010 年，全国总供水量为 6 400 $\times 10^8$ ～6 670 $\times 10^8 m^3$，相应的总需水量将达 6 633 $\times 10^8$ ～6 988 $\times 10^8 m^3$，供需缺水 233 亿～318 亿 m^3。21 世纪我国城市生活用水、工业用水量将大大增加。预测我国用水高峰期将在 2030 年前后出现，全国用水总量将达到 8 000 亿 m^3，水资源供需矛盾将更加突出。

1.1.2.2 水资源与工农业经济发展之矛盾分析

我国南方水多地少，水资源量占全国的 80%，而耕地占全国的 35% ，人口占全国的 53%。北方水少地多，人口占全国的 47%，耕地占全国的 65%，而水资源量只占全国的 20%。从各流域来看，这种不平衡性表现得更明显。如表 1-1 所示。

表 1-1 中国水资源量分布状况

流域片	流域面积占全国的百分比(%)	水资源总量($\times 10^8 m^3$)	耕地(万 hm^2)	人口数(亿人)	人均水量(m^3/人)	亩[1] 均水量(m^3/亩)
内陆河片	35.3	1 303.9	553.3	0.35	3 725	1 470
黑龙江流域片	9.5	1 351.8	1 240.2	0.69	1 959	679
松辽河流域片	3.6	576.7	639.2	0.64	901	558
海河流域片	3.3	421.1	1 039.9	1.28	329	251
黄河流域片	8.3	743.6	1 211.6	1.09	682	382
淮河流域片	3.5	961.0	1 421.5	2.0	481	421
北方五片合计	28.2	4 054.2	5 552.4	5.7	711	454
长江流域片	19.0	9 613.4	4.13	2 289.6	2 328	2 620
珠江流域片	6.1	4 708.1	1.46	648.7	3 225	4 530
东南诸河片	2.5	2 591.7	0.75	324.4	3 456	4 920
西南诸河片	8.9	5 853.1	0.28	171.7	20 904	21 800
南方四片合计	36.5	22 766.3	3 434.4	6.62	3 439	4 130
全国	100	28 124.4	9 540.1	12.67	2 219.7	1 870

[1] 1 亩 = 1/15hm^2，下同。

20 世纪 90 年代中期,全国人均水资源占有量为 2 219.7m^3,亩均耕地水资源量约为 1 870m^3,北方五片(包括黑龙江流域、松辽河流域、海河流域、黄河流域和淮河流域)人均水资源占有量仅为 711m^3,不到全国平均水平的 1/3,亩均耕地水资源量为 454 m^3,约为全国平均水平的 1/4。特别是海河流域,人均水资源量只有 329m^3,亩均耕地水资源量 251m^3,分别是全国平均水平的 1/6 和 1/8,是我国水资源最为紧张的地区。与此相反,南方四片(包括长江流域、珠江流域、东南诸河和西南诸河)水资源则较为丰富,总面积占全国的 36.5%,耕地占全国的 36%,但水资源量占全国水资源总量的 81%,人均占有量 3 439m^3,亩均耕地水资源量 4 130m^3,分别是全国平均水平的 1.5 倍和 2.2 倍。地质矿产资源分布也反映了这种不平衡性,按照所探明的 49 种主要矿产资源的潜在价值估算,华北地区矿产资源约占全国的 41.2%,水资源量仅占全国的 4.7%;长江中下游及以南地区的矿产资源只占全国的 10.2%,但水资源量占到全国的 42.6%。

水资源的时空分布不均匀性,水资源的分布与人口分布、经济发展程度的不匹配,加剧了我国水资源的供需矛盾,给我国工农业生产发展带来了极大的困难,并成为制约 21 世纪中国社会经济持续发展的重要因素。因此,认识中国水资源特点,有效地加以控制,以促进水资源与环境、人口、经济的协调发展,是解决 21 世纪中国水问题的关键。

1.2 国内外水资源污染状况分析

1.2.1 国外地表水资源污染状况

目前全球范围的水体污染已经到了比较严重的程度。据报道,全世界每年有 4 000 亿 m^3 的污水排入江河湖泊,污染了全球径流总量的 21.4%以上。

在法国巴黎郊区有 3 个水厂从不同的河流取水,供巴黎市区 400 多万市民饮用水,水质自 20 世纪 60 年代末开始严重恶化,水中含有大量的有机物和氨。塞纳河、瓦慈河和马思河都不同程度地受到工业和城市污水以及农业污染。它们的总有机碳(TOC)均在 5mg/L 以上,氨氮含量在 0.3~0.8mg/L 之间。三氯甲烷、邻苯二甲酸酯、四氯乙烯等微量有机物含量较高,超过了饮用水标准,致使水厂不得不在水净化处理中增加各种深度处理工艺,强化对污染物的控制。

在英国苏格兰北部 Calder 地区的 Clyde 河、伦敦郊区的 Lee 河和英格兰中部的 Thames 河,由于工厂排放不合格的污水,水体产生了污染,水质监测结果发现,氰化物、六六六及氯丹、DDT 等含量都超过了饮用水标准。苏格兰高原地区的两条饮用水河流(Etive 河和 Allt Eigheach 河),受工业排放物的污染(硫化物及含氮化合物),水质逐渐酸化,1985 年水的 pH 值测定为 4~5,其他超标物也大量存在,致使这两个饮用水源遭到彻底破坏。

德国的慕尼黑水厂以鲁尔河为水源,自 20 世纪 70 年代以来,河道上游污染物排放没有得到较好的控制,水源水质严重恶化,水厂进水溶解氧有机碳(DOC)高达 3.6~5.0 mg/L,氨氮(NH_3-N)为 4~6mg/L,水厂采用的折点加氯工艺耗氯量高至 10~50 mg/L,致使出厂水中产生了大量的卤化有机物,检出的挥发性溶解有机氯(DOCl)为 203

μg/L，比原水提高了 15～20 倍。穿越德国境内的莱茵河，20 世纪 50 年代以前水质较好，河水经堤岸过滤后即可饮用，但 50 年代后，河水不断受到各种化学物质的污染，河水经堤岸过滤后需进一步深度处理（臭氧－活性炭）才能饮用，70 年代的调查结果表明，水中的污染物含量逐年增加，COD_{Cr} 为 16～22mg/L，硫化物为 50～100mg/L，铁为 0.5～1.0 mg/L，磷为 0.7～2.0mg/L。

在荷兰阿姆斯特丹的莱茵河段，自 20 世纪 70 年代以来，因受水体周围的土壤污染，水中有机物含量不断上升，水中检测出来各种氯代乙烷、氯硝基苯、三卤甲烷、四氯化碳、氯代异丙基醚以及多种有机氯杀虫剂。该市水厂的进水中，三卤甲烷含量高达 20～100mg/L。

西班牙的 Lobregat 河，因受粪便污水的污染，河水 COD_{Cr} 有时高达 100mg/L 左右，NH_3-N 达 5～9mg/L，大肠杆菌数目严重超标，每 100mL 水中含有 2×10^5～4×10^5 个。

印度的 Mahalon 湖和 Jalinahal 湖是其国内的两个较大的饮用水水源，近几年来因环境污染，各种有机氯杀虫剂不断流失到湖泊中，在 1985～1986 年的调查中，测出湖水中含有六六六、环氧七氯、氯丹、DDT、DDE、DDD 等数种杀虫剂，各种污染物浓度在 20～50μg/L，水质的恶化严重地危及了用水居民的身体健康。

在美国，作为水源的地下水和地表水同样受到污染。费城以特拉华河（Delaware）为饮用水水源，河水受到工业废水和城市净化后的污水的污染。麻省理工学院在 1977～1978 年对该河的水质调查中发现有近百种有机化合物，其中双醚的含量在 0.4～0.5 μg/L。这些有机化合物与专门的工业工厂排放物有明显的相关关系，尤其是增塑剂、四甘醇和乙二醇。依阿华州的达文波特水厂以密西西比河为饮用水水源，1978 年 10 月测得该河水质中总三卤甲烷为 12μg/L，其中三氯甲烷达 10μg/L。宾夕法尼亚的约克水厂以 Codorus Creek 河水作为水源，1973 年 12 月水厂出水带有轻微的黄绿色和气味，分析表明是由水中生长的合尾藻和锥囊藻引起的，为解决这一问题，向水中投加 100mg/L 的粉末活性炭，仍没有完全解决色、味问题。该水中的硝酸盐氮含量也达 10～15mg/L。

1958～1965 年，美国对 Breidenbach 等地饮用水水源进行了广泛的调查，发现农药的浓度分别为：艾氏剂 0.001～0.006μg/L，环氧七氯 0.000 1～0.144μg/L，DDT 0.008～0.014 4μg/L。美国环保局对 30 个可能会含有农药的水源水进行取样测试分析，结果发现多数水中含有氯丹、环氧七氯等有机污染物，在对 68 个水样的分析中有 15％的水样含有艾氏剂，含量为 0.014～0.02μg/L。

据美国 1989 年报道，美国 37 个州的地表水源中的各类化学物质的浓度不断上升，19 个州约 10 460km 长的河流遭受到有毒化学物质的严重污染。

1.2.2　我国水资源污染状况

据 2002 年中国水资源公报，全国废污水排放量 631 亿 m^3。其中，工业废水占 61.5％，生活污水占 38.5％；在评价的 24 个湖泊中，有 12 个湖泊水污染严重；在评价的 146 座水库中，水污染极为严重的超Ⅴ类水库有 8 座；在 12.3 万 km 评价河长中，Ⅳ类水河长占 12.2％，Ⅴ类水河长占 5.6％。据 2001 年 4 月全国水环境通报，全国 126 个重点水质监测点的监测结果表明，全国水质达标河段率为 59％，其中黄河流域多个干流河段氨氮超标,水质均为Ⅳ类,尤其是支流河段,水质超标更为严重。黄河流域8个支流测报河段水污染极为严重,湟水入黄口河段水质为Ⅴ类,其余河段的水质均为超Ⅴ类。其中,污染最重的汾河太原段氨氮超标高达231倍,其入黄口河津段高锰酸盐指数、五日生化需氧量及挥发酚超标分别高达240倍、280倍和2 519倍。

目前全国每年废污水的排放量在不断增加,例如,1997年全国废污水排放量为416亿 m^3, 到2002年,全国工业和城市生活废污水排放总量已达到631亿 m^3, 同1997年相比,全国废污水排放量5年内增加了200多亿 m^3,平均每年以40多亿 m^3 的速度增加。大量废污水排入城市附近水体,使全国近90%的城镇饮用水水源受到污染,约有50%重点城镇的饮用水水源不符合取水标准,有的甚至取用Ⅴ类水源作饮用水水源。由于污染对工农业生产和农作物安全造成的经济损失一般占GDP的1.5%~3.0%。

乡镇工业的迅速发展,也导致了大量的废污水排放。乡镇工业排污的特点是分散、浓度高和处理率低。据1985年统计,全国乡镇工业主要污染行业的废水排放总量为27.2亿t,占全国废水排放总量的8.5%,其中COD排放量为117万t,占全国工业COD排放量的11.96%。1989年,乡镇工业外排废污水达标率仅为14.8%。1990年废污水排放量为21.1亿t。1994年全国乡镇工业废水排放总量为43亿t,占全国废水排放总量的16.6%,比1989年增长1倍多。乡镇工业废水污染,在一些局部地区造成了严重的危害,如淮河近几年由于中上游乡镇企业排放了高浓度废水导致大面积污染。

农业生产活动中所使用的农药、化肥以及用未经处理的污水农灌是造成地表径流水质污染的一个重要原因。

据统计,我国有1亿 hm^2 的耕地和220万 hm^2 的草原,每年使用农药110.49万t(其中有机氮农药86.23万t,有机磷农药24.26万t),平均使用农药10.8kg/hm^2。一般来讲,只有10%~20%的农药附着在农作物上,而80%~90%则流失在土壤、空气和水体中,在灌水与降水等淋溶作用下污染地下水,如许多城市郊区因化肥引起地下水硝酸盐等氮污染。另外,我国有污水灌溉农田近133万 hm^2,其中以城市为中心形成的污灌区就有30多个,在农作物生长季节的污灌量相当于全国污水排放总量的20%。这在缓和水资源紧张、扩大农药肥源和净化城市污水方面起了积极作用。但农灌污水大部分未经处理,有70%~80%的污水不符合农灌水质要求,而且多是生活污水和工业废水的混合水,其成分复杂,含有大量有毒有害的有机物和重金属。据统计,每年由于污水灌溉而渗漏的污水量高达331t,直接污染地下水,使污灌区75%左右的地下水遭受污染。

1.3 国内外污水资源化现状及开展污水资源化的可行性分析

1.3.1 国内外污水资源化现状

应当指出的是,在各种解决水资源危机的措施中,城市污水资源化是一个具体可行的重要措施。此措施既开辟了新的水源,又减少了对水环境的污染和水生态的破坏,可产生巨大的经济效益和环境效益，是解决“水危机”问题的战略性举措。一个明显的事实是西欧、北美等的发达国家，由于水资源和水污染问题日益突出，针对城市污水回用问题采取了大量有效措施，已普遍达到了总用水量逐年增加，但新鲜水的总取水量逐年减少的良性循环局面。其基本特点是污水回用率逐步提高。以美国为例，总用水量从1975年的18 992万 m^3/d 增加到2000年的45 302 m^3/d，但同期内总新鲜水的取水量有所递减，即从1975年的总取水量13 729万 m^3/d 减为2000年的12 526万 m^3/d，相应污水排出量从1975年的9 253万 m^3/d 下降到2000年的6 909万 m^3/d，水的循环利用率从1975年的51.3%提高到2000年的84.8%（未计算不可避免的损失，如蒸发、进入产品的水分等，实际回用率要更大一些）。事实表明，污水回用大有可为。在我国城市污水再生率与回用率都还很低的现实情况下，城市污水回用潜力还很大，比远距离取水更为经济有效。

我国在近十多年来，随着城市水荒的加剧，各级领导对水的问题越来越关注，认识到21世纪不是能源危机，而是“水的危机”，这已不是一句耸人听闻的口号，而是迫在眉睫的问题。不少城市频频告急，改革之城深圳深受缺水之苦，沿海城市大连每年因缺水减少工业产值10亿元以上，京津缺水，辽南、山西缺水，内蒙古、新疆也是视水如油。由于水的制约，影响到我国经济的顺利腾飞。在解决水资源短缺问题时，人们自然把目光转向了城市污水资源。我国政府和社会各界高度重视污水回用，许多专家、学者为污水回用做了大量的研究工作，现在已到了把污水回用从倡导转到落实推广的时候了。

20世纪80年代以来，不少城市开展了污水回用的试验研究，国家“七五”、“八五”期间，污水回用都作为一个大课题列入攻关计划，已经取得了初步成果，提出了相应的污水资源化技术。在“八五”期间，一批城市污水处理厂陆续建设，一些污水处理厂的建设中包含了污水回用内容。国家“八五”科技攻关项目“城市污水回用技术”也对A/O、A/A/O及常规二级处理等工艺技术进行了深化研究和工程化实践，为不同环境和水质条件下的污水回用提供了投资较省、运行费用较低、效率高、处理效果较好的污水二级净化成套技术，处理出水水质指标达到或超过国家城市污水综合排放标准，解决了低温、低C/N比、生物除磷脱氮技术等关键问题；“八五”攻关推进了北京、天津等十余个城市重点开展污水回用事业；我国第一个城市污水回用于工业的示范工程在大连早已建成投产；污水回用这一新技术和新概念已经在我国缺水地区得到高度重视。可以预见，随着我国经济的持续不断发展和污水处理规模的不断扩大，作为解决水污染和水资源短缺的污水回用事业，必将得到更好的应用与发展。

从国内外的大量实践看，污水回用，将污水资源化的经济可行性是十分明显的，但目前我国的情况整体上是污水回用进展较缓慢，其主要原因是对污水回用的思想认识不足和资金投入不多。如有的地方对本地区水资源规划缺乏长远性，没有从战略眼光看待污水回用的重要作用，忽视了身边廉价的水源；有些部门对污水回用技术了解不全面，轻易否定在一些行业采用污水回用；有些地方本来就很缺水，却过分强调排江、排海而未积极回用等。围绕资金投入问题，涉及因素是多方面的，需要国家有关部门形成具体的战略对策，从污水回用立法、健全有关管理机制等方面使污水回用得到落实。

1.3.2 污水资源化可行性分析

1.3.2.1 技术可行性

专家指出,与用水量几乎相当的城市污水中只有0.1%的污染物质,是完全可以经处理后再利用的。国家"七五"、"八五"科技攻关计划都把污水回用作为重大课题加以研究和推广。1992年全国第一个城市污水回用于工业的示范工程在大连建成,并已成功运行了14年。目前,北京、大连、天津、太原等大城市和一批中小城市在进行城市污水回用,解决水荒上已初见成效。《污水回用设计规范》(GB1996—8)已颁布实施,全国几十个大、中型污水回用工程正在建设之中,2000年全国城市处理污水回用率约达20%,对缓解北方和沿海城市缺水起到了一定作用。

1.3.2.2 经济效益可行性

城市污水处理厂一般建在城市周围,在许多城市中,城市污水经二级处理后可就近回用于城市和大部分工农业部门,无需支付再生费用,以二级处理出水为原水的工业净水厂的制水成本一般低于甚至远低于以自然水为原水的自来水厂,这是因为取水距离大大缩短,节省了水资源费、远距离输水费和基建费。例如,将城市污水处理到可以回用作杂用水的程度的基建费用,与从15~30km外引水的费用相当;若处理到可回用作更高要求的工艺用水,其投资相当于从40~60km外引水。而污水处理与净化的费用只占上述所节省费用的小部分。另外,城市污水回用要比海水淡化经济,污水中所含的杂质少于0.1%,而且可用深度处理方法加以去除;而海水则含3.5%的溶解盐和有机物,其杂质含量为污水二级处理出水的35倍以上。因此,无论基建费或运行成本,海水淡化费用都超过污水回用的处理费用,城市污水回用在经济上具有较明显的优势。

1.3.2.3 环境可行性

城市污水具有量大、集中、水质水量稳定等特点,适用于工业用水量变化小的特点。污水进行适度处理后回用于工业生产,可使占城市用水量50%左右的工业用水的自然取水量大大减少,使城市自然水耗量减少30%以上,这将大大缓解水资源的不足,同时减少向水域的排污量,在带来可观的经济效益的同时也带来很大的环境效益。

1.3.2.4 污水资源化回用目标可行性

多项研究结果表明,污水资源化的最经济利用目标是农业灌溉,其次是工业生产。污水回用往往将农业灌溉推为首选对象,其理由主要有两点:① 农业灌溉需要的水量很大,全球淡水总量中有60%~80%用于农业,污水回用农业有广阔的天地;② 污水灌溉对农业和污水处理都有好处,能够方便地将水和肥源同时供应到农田,又可通过土地处理改善水质。在我国当前污水回用于农业,还存在水质、长年利用和管理三方面的问题需要解决。从每个城市用水量和排水量看,工业都是大户。但是,面对清水日缺、水价渐涨的现实,工业除了尽力将本厂废水循环利用,以提高水的重复利用率之外,对城市污水再用于工业,也日渐重视。工业用水根据用途的不同,对水质的要求差异很大,水质要求越高,水处理的费用也越大。理想的回用对象应该是回用量较大且对处理要求不高的部门。符合这种条件的对象包括:① 间接冷却用水,其对水质的要求,如碱度、硬度、氯化物以及锰含量等,城市污水的二级处理出水均能满足,其对水量的要求很大,考虑循环使用之外,补充用水量就占工业总取水量的50%左右,所以间接冷却用水应作为城市污水工业回用的首选对象;② 工艺用水,工艺用水包括洗涤、冲灰、除尘、致冷、锅炉补给水、产品用水等,其用水量占到工业总用水量的20%~40%,其中许多用途如冲灰、除尘等要求水质较低,污水可以简单处理后回用,原料加工过程用水、锅炉补给水等高质用水,需要不同水质要求,要进行相应的高级处理。除了污水资源化后用于农业、工业外,还可以用于城市生活,但是城市生活用水量比工业用水量小,且水质要求比较高。世界上大多数地区对生活饮用水水源控制严格,例如美国环保局认为,除非别无水源可用,尽可能不以再生污水作为饮用水水源。现今再生污水可再用于城市生活的对象一般限于两方面:① 市政用水,即浇洒、绿化、景观、消防、补充河湖等用水;② 杂用水,即冲洗汽车、建筑施工以及公共建筑和居民住宅的冲洗厕所用水等。除此之外,污水还可以回用于油田开发地下水回注,补充地层水以免地陷,注入含水层防止海水倒灌等。

污水处理后的利用方式与当地地理、气候、经济等条件有关。在以农业生产为主的地区,污水处理后用于农业灌溉是其主要出路,也是较为经济的。而由于工业用水或城市生活用水要求水质条件较高,所以要完全达到工业或城市生活用水标准,从经济的观点来讲是不合理的。

1.4 污水资源化新技术及其应用分析

污水资源化是一项系统工程,它包括城市污水的收集系统、污水再生系统、输配水系统、用水技术和监测系统等,污水再生系统是污水资源化的关键所在。污水资源化的目的不同,水质标准和污水深度处理的工艺也不同。水处理技术按其机理可分为物理法、化学法、物理化学法和生物化学法等。通常污水资源化技术需要多种工艺的合理组合,即各种水处理方法结合起来对污水进行深度处理,单一的某种水处理工艺很难达到回用水水质要求。目前,我国城市污水深度处理或三级处理,已在应用的有混凝、沉淀、过滤等常规工艺,微絮凝过滤法以及生物接触氧化后纤维球过滤、生物炭过滤等方法。国外深度处理方法很多,主要有混凝澄清过滤法、活性炭吸附过滤法、超滤膜法、半透膜法、微絮凝过滤法、接触氧化过滤法、生物快滤池法、流动床生物氧化硝化法,离子交换、反渗透、臭氧氧化、氯吹脱、折点加氯等工艺。对于中水回用,一般可用能单独收集的清洁杂排水、生活污水或城市污水为原水进行处理。

无论哪种污水,其处理工艺首先都应经过预处理和初级处理,其后续处理工艺一般分3类:第一类为先生化后物化再消毒;第二类是只物化和消毒;第三类是物理处理及消毒。

污水资源化在国外已有丰富的经验,对缓解当地水资源供需矛盾起到了非常重要的作用,促进了当地社会经济效益的提高。

西欧、北美是世界上采用污水再生利用较早的发达地区,20世纪70年代初,美国开始大规模建设二级污水处理厂,并注意回用污水。目前,美国有357个城市回用污水,再生回用点536个。全国城市污水回用总量约为 $9.4\times10^9 m^3/a$,其中包括污灌用水、景观用水、工艺用水、工业冷却水、锅炉补给水以及回灌地下水和娱乐养鱼等多种用途。其中,灌溉用水约为 $5.8\times10^9 m^3/a$,占总回用水量的60%,工业用水占总回用水量的30%,城市生活等其他方面用水占总回用水量的不足10%。美国污水回用实例较多,比较有名的是美国洛杉矶地区奥伦治县(Orange County)的21世纪水厂,它的成品水由56 775m^3/d的回收水、18 925m^3/d的反渗透脱盐水和22 710m^3/d的深井水混合而成,通过23口多点回灌井注入含水层,形成防海水入侵的水力挡水墙,同时补给了奥伦治县供水量70%的地下水库。该工程基建费用(1972年)为1 200万美元,运行费0.1美元/m^3。佛罗里达州的圣彼得斯堡,1978年开始将再生水回用于生活杂用水,目前已能够向7 000多户家庭提供再生水;伯利恒钢铁厂每天将$4\times10^5m^3$污水回用于工业生产和工艺冷却用水;圣迭戈市每天有18.5万m^3再生水作为饮用原水;全美最大的核电站——派洛浮弟核电站,将生物膜法处理后的出水经电站深度处理后作为冷却水使用,水的循环次数达15次,二级处理水价为0.001 62美元/m^3,若从科罗拉多河取水则为0.016 2~0.024 3美元/m^3,回用污水的经济效益相当明显。1992年美国国家环保局制定的《水再生利用导则》中列举了大量的示范工程,并制定了相应的政策、法规和标准,以便更好地推广此项节水回用措施。前面提到,美国20世纪70年代初以来的30年间,尽管总用水量增加约1.4倍,但总取水量反而减少,污水回用率稳步提高,使代表世界先进工业大国和农业大国的美国水工业基本走上良性循环的轨道。这种总用水量逐步增大和总新鲜水取水量逐步减少的骄人业绩,在日本、法国和以色列等许多发达国家是普遍存在的,他们的经验值得我们借鉴。

作为缓解水危机的途径之一,日本早在1962年就开始回用污水,20世纪70年代已初见规模。随着回用技术的不断更新和发展,再生成本不断下降、水质不断提高,逐渐成为缓解水资源短缺的重要措施之一。日本的福冈地区由于没有大的河流而且没有充足的地下水源,所以水资源一直是影响当地经济发展的一个重要因素,从1980年开始,一些公共和私人的建筑物开始将污水深度处理之后加以回用,主要用于冲洗和绿化,到1995年,污水的回用量已达到4 500m^3/d。东京还将污水厂的深度处理出水回用于恢复一条已经干涸的小河,收到了良好的社会效益和环境效益。20世纪90年代初,日本在全国范围内进行了污水再生回用的调查研究与工艺设计,对污水回用在日本的可行性进行深入的研究和工程示范,在严重缺水的地区广泛推广污水回用技术,使日本近年来的取水量逐年减少,节水已初见成效。濑户内海地区污水回用量已达到该地区淡水总用量的2/3,新鲜水取水量仅为淡水用量的1/3,大大缓解了濑户内海地区的水资源严重短缺问题。经过大量示范工程后,在1991年日本的"造水计划"中明确将污水再生回用技术作为最主要的开发研究内容加以资助,开发了很多污水深度处理工艺,在新型脱氮、除磷技术,膜分离技术,膜生物反应器技术等方面取得很大进展的同时,对传统的活性污泥法、生物膜法进行不同水体的试验,建立起以濑户内海地区为首的许多"水再生工厂"。

俄罗斯地处水资源比较丰富的地区,但他们的污水回用规模也很大。莫斯科东南区设有专用的工业回用污水系统,有36家工厂用处理后的城市污水,每日回用水量达$5.5\times10^5m^3$,库里扬诺夫污水厂将36.5万m^3/d的污水处理后回用于工业企业,年获利很大。

以色列地处西亚干旱地区,污水是该国重要的水资源,据报道,该国100%的生活污水及72%的城市污水已经回用,一般回用工程规模为5 000~10 000m^3/d,最小规模仅达27m^3/d,最大规模可达20万m^3/d。处理后的污水42%用于农灌,30%用于地下水回灌,进而与地下水混合作饮用水水源，其余用于工业及市政等回用。该国建有127座污水库，其中地表污水库123座，污水库与其他水源联合调控、统一使用。污水回用处理工艺因用户的不同而异，有厌氧塘—兼性塘—好氧塘系统、二级生物处理—深度处理系统、二级生物处理—土地快速渗滤系统、塘系统—化学法—土地快速渗滤系统等。

纳米比亚于1968年建起了世界上第一个合格的再生饮用水工厂，日产水6 200m^3，水质达到当时世界卫生组织和美国环保局公布的标准。此后，纳米比亚首都温得和克市污水经二级处理后进入熟化塘，然后除藻、加氯、活性炭吸附与水库水混合后作为该城市自来水水源，经卫生评价证明水质是合格的。

除以上几个国家和地区之外，世界其他一些国家如阿根廷、巴西、智利、墨西哥、科威特、沙特阿拉伯等，它们在污水回用中也做了许多工作，处理程度为一级、二级、三级不等，再生水用于灌溉农田等多种用途。

国外城市污水回用的事实表明，发达国家的污水回用明显比发展中国家做得好，污水回用与经济发展存在一些相互制约的关系，发达国家污水处理与回用进程也需与各国自身的经济基础与经济发展进程相适应。大体而言，20世纪70年代以前各国对城市污水是以一级处理为主，处理水以农业回用和土地处理结合以减轻对环境的污染为主。而70年代以后逐步变为以二级处理为主，处理水综合回用于工农业生产和城市生活，对水质要求逐步提高。无论发展中国家还是发达国家，城市污水回用的主要对象都是农业，这除了与农业需水量大有关外，更重要的是，农业回用污水与土地处理污水相结合的方式，能经济有效地利用水资源和处理污水。

近年来，我国在引进国外先进污水处理技术的条件下，结合我国具体情况，在各地开展了多种污水回用研究，并取得了重要的成果，积累了一定的经验。国家“七五”、“八五”期间完成的重大科技攻关项目“城市污水资源化研究”，针对我国北方地区在经济发展中水资源的紧缺情况，研究开发出适用于部分缺水城市的污水回用成套技术、水质指标及回用途径，完成了规划方法和政策法规等基础性工作，对促进我国污水资源化工作起到了积极的作用，有不少成果值得进一步推广，但部分成果尚需要进一步完善。概括来说，我国传统的污水处理方法有如下几种：

(1)污水经二级处理后，出水直接回用。

(2)污水经二级处理后，再经过滤供用水单位回用。

(3)污水经二级处理后，再经混凝、沉淀、过滤后回用。

(4)污水经二级处理后，经混凝、沉淀、过滤、活性炭吸附后回用。

(5)污水经二级处理后，改造A/O法，经混凝、沉淀、过滤后回用。

常用的污水资源化技术如表1-2和表1-3所示。

由表1-2、表1-3可见，二级出水进行传统混凝、沉淀处理后，可除浊度73%～88%、SS 60%～70%、色度40%～50%、$BOD_5$31%～77%、COD 25%～40%、总磷29%～90%。研究表明，混凝－过滤法去除可生物降解的有机物比不易生物降解的有机物更多，可使二级出水的浊度由6～14NTU降至0.12NTU，总磷由1.3～2.6mg/L降至小于0.1mg/L，BOD由7～13mg/L降至1～2.5mg/L，TOC由10～11mg/L降至4.2～4.5mg/L，而不能去除氨氮。

表 1-2　污水资源化技术统计简表(Ⅰ)

项目	一级处理			二级处理			高级处理		
	预处理	自然沉淀	混凝沉淀	氧化塘	常规生化	兼除N、P	(一)	(二)	(三)
处理工艺	粗格栅、细格栅、沉沙池	预处理出水—沉淀—出水(消毒)	预处理出水—投药混凝—沉淀—出水(消毒)	预处理出水—厌氧塘—兼氧塘—好氧塘—出水(消毒)	一沉池出水(或预处理)—好氧活性污泥—二沉池—出水(消毒)	一沉池出水(或预处理)—厌氧塘—好氧塘(除P脱N生化工艺)—二沉池—出水(消毒)	(1)二级出水—砂滤—消毒—出水 (2)二级出水—混凝—沉淀—砂滤—消毒—出水	(1)二级出水—微滤—活性炭吸附—臭氧消毒—出水 (2)二级出水—混凝—沉淀—微滤—活性炭吸附—臭氧消毒—出水	(1)二级出水—微滤—臭氧消毒—活性炭吸附—膜分离(纳滤)—出水 (2)二级出水—混凝—沉淀—微滤—臭氧消毒—活性炭吸附—膜分离(反渗滤)回用
水质(mg/L)	去除垃圾、漂浮物、泥沙	去除率:SS 50%~70%,BOD_5 25%~35%	去除率:SS>80%,BOD_5>50%,COD_{Cr}>55%	去除率:SS<50% BOD_5<30% 保留大部分营养元素	去除率:SS<20% BOD_5<20% N:20~30 P:2~3	去除率:SS<20% BOD_5<20% N<15 P<1	去除率:SS<10% BOD_5<10% SS<5 BOD_5<5	浊度:<0.5NTU;去除微量重金属、病原菌、病毒	浊度:<0.1NTU;水质达到城市自来水水质标准,去除重金属、部分低分子有机污染物

表 1-3　污水资源化技术统计简表(Ⅱ)

项目		一级处理			二级处理			高级处理		
		预处理	自然沉淀	混凝沉淀	氧化塘	常规生化	兼除N、P	(一)	(二)	(三)
回用部门		有限制的林业灌溉、人工湿地处理	林业灌溉、有限制的纤维类作物灌溉、消毒后作带壳去皮熟食作物灌溉,排海	有限制的农业灌溉,消毒后作工业冷却水、低质工艺用水、绿化浇洒用水,排海	有限制的农业灌溉。在缺水城市、城镇把氧化塘与蓄水塘结合,出水作农业回用与污水土地深度处理,排放	加消毒后作农业灌溉用水、工业循环冷却水、低质工艺用水、部分生活杂用水,排放	加消毒后作农业灌溉用水、工业循环冷却水、低质工艺用水、部分生活杂用水,排放	不受限制的农业灌溉,作工业循环冷却水、工艺用水、城市生活杂用水、景观娱乐用水,回注地层后补充地下水	除饮用水外的直接接触用水、注入地层后并入水网用水等	缺水城市作居民饮用水、与自来水并网供作饮用水、作锅炉补给水等
费用比	工程	0.25~0.30		0.30~0.35	0.30~0.35	1.0	1.1~1.2	1.4~1.8	3.0~4.0	5.0~7.0
	运行	0.25~0.30		0.50~0.80	0.30~0.35	1.0	1.1~1.2	1.4~1.8	3.0~4.0	4.0~6.0

注:费用比是以常规二级污水处理厂的费用为1作对比。

活性炭具有巨大的比表面积，活性炭吸附在水的深度处理中是应用最广泛和最有效的方法。活性炭可有效地去除色度、臭味，能除去水中大多数的有机污染物和某些无机物，包括某些有毒的重金属。活性炭能有效吸附氯代烃、有机磷和氨基甲酸酯类(THMS)杀虫剂，还能吸附苯醚、正硝基氯苯、萘、乙烯、二甲苯酚、苯酚、DDT、艾氏剂、烷基苯磺酸及许多酯类和芳烃化合物。二级出水中也含有不被活性炭吸附的有机物，例如蛋白质的中间降解物，比原有的有机物更难以被活性炭吸附。活性炭对有毒物的去除能力较低，仅达到 23%～60%。

臭氧可多方面去除污染，有效地改善水质。由于臭氧能氧化分解水中各种杂质，包括显色有机物(如有机磷、有机染料等)，因此能有效地去除水中杂质所造成的色、嗅、味，其脱色效果比氮和活性炭都好。臭氧能降低出水浊度，起到良好的絮凝作用，提高过滤滤速或延长过滤周期。预臭氧加传统处理可除去 45% 的有毒物前体、55% 的 UV 消光值、55%的色度。臭氧可除去二级出水中 80% 的 ABS 和 80% 的 COD，由于二级出水成分复杂，存在许多难以被臭氧氧化的有机物，而且臭氧直接氧化具有高度的选择性，与某些有机物的反应速度太慢或难以反应，在不加任何催化剂的条件下，用臭氧直接氧化二级出水时，臭氧投量大、COD 下降较少，每除去 1×10^{-6} COD 消耗臭氧$(0.7\sim3.0)\times10^{6}$，此时，COD 可降至小于 15×10^{-6}。而在臭氧氧化的同时向水中投加 H_2O_2，可大大有利于氧化反应。臭氧氧化使芳烃化合物部分或全部消失，不饱和脂肪酸减少或消失，对长链饱和脂肪酸无效，醛与短链饱和脂肪酸出现或增加，色度、浊度、嗅味改善明显，所有细菌被杀死，水中溶解氧含量高。尽管 COD 减少，但 UV 消光值和 TOC 变化趋势未发生明显改变。

随着制造工艺的提高和市场的发展，一度被认为昂贵的膜分离技术正变得越来越经济，具有越来越强的竞争力，膜分离技术在污水深度处理中的应用越来越广泛。膜分离可有效地脱除地下水的色度，而且可降低生成有毒物的潜在能力。微过滤可除去沉淀不能除去的包括细菌、病毒和寄生生物在内的悬浮物，还可降低水中的磷酸盐含量。反渗透已被用于降低矿化度和去除总溶解固体(TDS)，而超滤已被用于除去大分子，如腐殖酸和富里酸。用反渗透和超滤处理二级出水不仅能除去悬浮固体及有机物，而且能除去溶解的盐类和病原菌等得到高级的再生水，可作工业用水、杂用水、灌溉用水、建筑用水等。膜分离方法在这个领域的应用已达到实用阶段。反渗透对二级出水的脱盐率达 90% 以上，水的回收率 75% 左右，COD 和 BOD 的去除率 85% 左右，细菌去除率 90% 以上。反渗透对含氯化合物、氮化物和磷也有优良的脱除性能。超滤对二级出水的 COD 和 BOD 去除率大于 50%。新一代膜材料——纳米过滤膜具有更强的经济竞争性，可处理低含量的总溶解固体(TDS)。纳米过滤介于反渗透和超滤之间，综合了二者的优点，能阻碍大分子通过又不需较高的操作压力，通常只需在低压(138～827kPa)下操作，产水量也较大，如在 827kPa 时，达 1 020L/($m^2\cdot d$)，并可阻挡分子量大于 200 的分子。纳米过滤可直接除去一切病毒、细菌和寄生虫，同时大幅度减低溶解有机物(消毒副产物的前体)，它可去除 90%～95%的有毒物、85%～95%的硬度和大于 70%的一价离子(在操作压力为 482～689kPa 时)，在软化水的同时减少总溶解固体(TDS)，而传统处理即使加上软化工艺也不能除去总溶解固体，对溶解的有机物也去除得很少。由于纳米过滤操作压力低而产水量又大，运行费用大为减少(远比反渗透便宜，它只用反渗透 1/4～1/3 的压力，可产 2～3 倍的水量)。纳米过滤对一价阳离子及分子量低于150的有机物的去除率较低,对二价和高价阳离子及分子量大于200的有机物质的选择性较强,可完全阻挡分子直径在1nm或更大尺寸的分子。纳米过滤可除去二级出水中2/3的盐度、4/5的硬度、超过90%的溶解碳和有毒物前体,出水完全符合美国1986年安全饮用水法律对优先污染物的规定。目前在美国,纳米过滤水厂的总资本投资低于220美元/(m^3·d),运行费0.08～0.14美元/m^3。为减少消毒副产物(DBPS)和除去溶解有机碳(DOC),用纳米过滤比传统处理加臭氧和活性炭更便宜。当水厂水量下降时,膜工艺的费用优点更明显。研究表明,对小规模处理厂(<2万t/d),所有的膜分离技术的单位体积水处理费用均和传统处理工艺相当或者更便宜一些。因此,在建造新的小型水厂时,对膜分离技术应给予足够的重视与考虑。膜分离技术的发展将对未来的供水产生巨大的影响。

土地渗滤也叫土壤含水层处理,它使源水通过堤岸过滤或沙丘渗透,以利用土壤中生长的大量微生物对水中污染物质进行降解,从而达到净化水质的目的。它是近20年来由于世界性的能源危机而迅速发展起来的一种水处理方法。由于污染物经过表土层及下包气带时产生一系列的物理、化学和生物作用,许多微生物和化学物质通过吸附、分解、沉积、离子交换、氧化、还原及其他化学反应(在土壤表层)被去除,这些过程延迟了某些化学物质进入地下水的速度,使一些污染物质降解为无毒无害的成分,一些污染物质由于过滤吸附和沉淀而截留在土壤中,还有一些被植物吸收或合成到微生物里,使污染物浓度降低。土壤含水层处理系统寿命很长,处理费用相当便宜(主要费用是用泵抽水或用其他方法从含水层排水),在美国为2.5～25美元/1 000t。它不需地表贮存设施,最终打破了仅在厂内直接循环的管对管的污水处理回用系统,使水参与水文循环,缓解了饮用水和其他都市污水回用的心理障碍。该方法投资少、处理效果好,对有机物尤其是对有机氮化物和氨氮有较好的去除效果;缺点是占地大,不易管理。

随着人类社会的不断进步、人民生活水平的不断提高,对污水资源化的要求越来越高。在发达国家已经将一些污水深度处理技术如微滤、吸附、超滤等用于污水处理上。在国内,尽管近年来污水资源化工作有很大发展,但是许多技术还处于初级阶段,需要进一步推广应用,需要进一步总结经验,使污水资源化技术在我国工农业发展、生态环境平衡以及解决水资源供需矛盾中起到更加重要的作用。

第2章　开封市区域概况分析

2.1　自然地理概况

2.1.1　自然地理位置

开封市位于东经113°52′15″～115°15′42″、北纬34°11′45″～35°01′20″。地处河南省中东部，黄河下游南岸，东西长125km，南北长87.5km，总面积6 444km^2。其西部和郑州市所辖的新郑、中牟县接壤；南部与许昌市的长葛，周口市的扶沟、太康等县相连；东部和商丘市的睢县、民权县相接；东北部和山东省的曹县、东明县搭界；北靠黄河，与新乡市的长垣县、封丘县隔河相望(见附图　)。

2.1.2　地形地貌

开封市位于黄河冲积平原的中部。地形平坦，地势由西北向东南倾斜，海拔53～78m，平均坡降为1/2 000～1/5 000。由于黄河在历史上多次决口和改道，加上长期风力作用，平原区微地貌变得比较复杂。一方面形成了大致平行的数条由西北向东南的河流；另一方面除地势平坦的泛淤平地外，还形成局部沙丘起伏，丘间洼地，黄河古河槽、古河道滩地，背河洼地以及古冲积平原残留的黄土岗、条形风沙岗等微地貌景观。

2.1.3　地质地层

该区地层松软，土层厚度达数千米。地层主要由第三系泥岩、沙泥质砾岩和第四系黏地沙及松散岩构成。该区土壤多为沙壤土和轻壤土，还有部分沙沣地、盐碱地。经多年淤灌排涝、植树造林，本区土壤已有所改良，适合多种植物生长，作物复种指数大大提高，本区植被覆盖率高，地质结构稳定。自公元965年至今有80余次有感地震波及，但没有发生过5级以上地震。

2.1.4　土地面积

开封市总面积为6 444km^2，其中市区面积359km^2，市区内建成区面积41.6km^2，农村可耕地面积37.1万hm^2，占全市总面积的57.6%，人均耕地0.089hm^2。开封市水域面积3.42万hm^2，牧草地面积8万hm^2，果树面积0.78万hm^2。

2.2　水文气象条件

开封市属暖温带大陆性气候，四季分明，春季温和多风，夏季炎热、降雨集中，秋季晴朗、凉爽、多雨,冬季干旱少雪。年平均气温14℃。历年极端最高温度42.9℃(1966年7月19日),历年极端最低温度-16℃(1971年12月27日),平均湿度为70%~80%,多年平均降水量由东南向西北递减,由650mm降至600mm,最大年降水量为1 180.0mm,最小年降水量为179.2mm,最大日降水量为254.4mm。年降水量分布不均,7~9月降水量占全年降水量的70%以上。与年降水量地域分布相反,年平均蒸发量则是由东南向西北递增,由1 600mm增至2 000mm,5月和6月两个月蒸发量最大,占全年蒸发量的25%~30%,12月和1月两个月的蒸发量共占全年蒸发量的5%~10%。全年无霜期212天。春季多风,平均风速3.5~4.5m/s,历年最大风速为28m/s。

2.3 社会经济概况

2.3.1 行政区划及人口情况

开封市位于豫东平原,地处黄河下游的南岸,是一座历史悠久、驰名中外的古城,国务院首批公布的历史文化名城之一。开封市为省辖市,下辖5县5区,即兰考县、杞县、通许县、尉氏县和开封县5个县,以及龙亭区、顺河区、鼓楼区、南关区和郊区5个区。所辖5县共有85个乡(镇)政府,2 089个村民委员会。所辖5区共有22个街道办事处,214个居民委员会,郊区下辖8个乡级政府,150个村民委员会。开封市人口分布情况见表2-1。

表2-1 开封市人口分布情况 (单位:人)

项 目	2000年	2001年	2002年
年末总人口	4 676 975	4 705 692	4 737 151
农业人口	3 774 611	3 788 684	3 802 777
非农业人口	902 364	917 008	934 374
非农业人口占总人口的百分数(%)	19.3	19.5	19.7
人口自然增长率(‰)	6.6	5.5	5.1
开封市区人口合计		780 858	787 525
市区非农业人口		587 565	594 887
五县合计		3 924 834	3 949 626
杞 县		1 027 679	1 033 345
通许县		585 182	589 815
尉氏县		845 706	848 968
开封县		723 583	729 343
兰考县		742 684	748 155

由表2-1可见,2002年开封市总人口为4 737 151人,其中农业人口为3 802 777人,非农业人口为934 374人,非农业人口占总人口的19.7%。人口自然增长率2000年为

6.6‰,2002 年为 5.1‰,人口自然增长率总的来说呈下降趋势。开封市区非农业人口 2002 年为 594 887 人,同 2001 年相比,市区非农业人口自然增长率为 12.5‰,说明城市化的进程在加快。

2.3.2 经济结构和发展现状

新中国成立后,经过 40 多年的努力,特别是党的十一届三中全会以来,开封市的经济建设有了很大的发展,现在开封市已成为门类齐全、初具规模、综合发展的城市。开封市有悠久的历史,文物古迹遍布全市,这为开封市旅游业的发展提供了得天独厚的条件,近年来旅游业给开封市带来了越来越大的经济效益。围绕旅游业的发展,一批轻工业及各类服务业也随之发展,服务行业中,尤以饮食业为发展之首。市区企业有重工、轻工、纺织、化工、医药、烟草 6 个工业部门,有毛纺、化肥、制药、日用化工、空分、阀门、仪表、卷烟、电力等 10 大主要行业。2002 年全部工业总产值为 288.9 亿元。其中,国有及国有控股企业 189 个,工业总产值为 59.56 亿元;集体企业 1 788 个,工业总产值为 88.51 亿元。农、林、牧、渔业总产值为 139.02 亿元。2000～2002 年开封市国民经济生产情况见表 2-2。

表 2-2 开封市国民经济生产主要指标统计表

项目	单位	2000 年	2001 年	2002 年
国内生产总值	万元	2 262 409	2 523 545	2 698 982
第一产业	万元	724 859	803 035	820 261
第二产业	万元	801 865	904 619	970 059
第三产业	万元	735 685	815 891	908 662
人均国内生产总值	元	4 876	5 379	5 718
农、林、牧、渔业总产值	万元	1 245 766	1 361 724	1 390 244
粮食产量	t	2 024 726	2 118 986	2 074 810
棉花产量	t	82 327	89 620	90 214
油料产量	t	375 798	382 357	370 579
全部工业产值	万元	2 459 989	2 658 319	2 888 998
年末总人口	人	4 676 975	4 705 692	4 737 151
农民人均纯收入	元	2 096	2 176	2 233
城市居民人均可支配收入	元	4 418	5 383	5 821
在岗职工平均工资	元		6 496	7 007

开封市郊和所辖 5 县是传统的农业耕作区,地势平坦、气候适宜,十分有利于农作物生长。主要农作物有小麦、水稻、棉花、花生等。2000～2002 年开封市农作物种植面积及主要农产品产量见表 2-3。

表 2-3　开封市主要农作物种植面积和产量统计表

项目	2000 年		2001 年		2002 年	
	面积（万 hm^2）	产量（t）	面积（万 hm^2）	产量（t）	面积（万 hm^2）	产量（t）
农作物播种面积	71.78		73.84		73.95	
一、粮食作物	40.66	2 024 726	40.55	2 118 986	40.13	2 074 810
1. 夏收粮食	27.74	1 410 982	27.79	1 405 230	27.44	1 356 834
小麦	27.74	1 410 982	27.79	1 405 230	27.44	1 356 834
2. 秋收粮食	12.66	613 744	12.76	713 756	12.69	717 976
稻谷	0.95	74 420	0.97	77 112	1.00	73 823
玉米	6.95	351 293	7.24	448 190	7.70	472 468
大豆	2.21	57 117	2.26	60 068	1.83	47 423
二、油料	10.53	375 798	10.32	382 357	10.11	370 579
花生	9.93	364 756	9.48	366 510	9.17	353 473
油菜籽	0.46	9 323	0.73	14 167	0.85	15 686
芝麻	0.14	1 719	0.11	1 550	0.09	1 420
三、棉花	7.53	82 327	7.79	89 620	7.99	90 214
四、蔬菜瓜果	13.06	5 044 711	15.18	5 911 741	15.72	6 263 923

由表 2-3 可见，2002 年全市农作物播种面积为 73.95 万 hm^2，复种指数为 1.95。其中粮食作物 40.13 万 hm^2。经济作物 18.10 万 hm^2，瓜菜 15.72 万 hm^2。2002 年粮食总产量 207.48 万 t，蔬菜总产量 177.78 万 t，棉花总产量 9.02 万 t，油料总产量 37.06 万 t。2002 年全市农、林、牧、渔业总产值 139.02 亿元。

2.4　水资源条件分析

2.4.1　河流水系分布

开封市河流基本上分属淮河、黄河两大流域。以黄河大堤为流域分界。黄河在开封市境内 83km，流域面积 263.76km^2，约占全市总面积的 4%；淮河流域面积 5 913.106km^2，约占全市总面积的 92%。见附图一。

黄河流经开封市的面积虽小，但它位于开封市水资源系统上游，而且流量大、地势高，黄河水资源被用于引水引沙灌淤、农田灌溉并供应城市生活用水，对保证本市工农业发展和居民生活具有十分重要的意义。

黄河大堤以南均属淮河流域，在开封辖区内淮河流域河流分属颍河、涡河、红卫河 3 大水系。颍河水系在本区内主要河道是贾鲁河，贾鲁河发源于嵩山山区，经郑州市、中牟县入开封尉氏县境内,在本辖区内河流长度 45km,流出开封辖区后进入扶沟县。由于贾鲁河河床较高,在尉氏县境内既没有工业废水排入也没有河流汇入。尉氏县境内主要河流为康沟河,康沟河经鄢陵县在扶沟县境内汇入贾鲁河。涡河水系是开封市辖区内较大水系。涡河起源于开封县西部,流经本辖区内开封县、尉氏县、通许县。在本辖区内涡河长度为 72.6km,境内先后汇入开封县运粮河,通许县孙城河、惠贾渠、百邸沟等河流。惠济河是涡河一大支流,它起源于开封市,在开封市先后有黄汴河、东护城河、南关泵站、药厂河、东郊沟汇入,在开封县太平岗附近有马家河、在杞县李岗有淤泥河汇入,在开封市辖区内惠济河长度 65.9km。

惠济河是开封市辖区内污染严重的河流,每年通过各支流承纳了开封市区排放的 8 000多万吨工业废水和大量生活污水,使惠济河从上游起就成为一条污染严重的河流。惠济河进入县区后主要用于农灌,所以它是一条具有纳污及农灌双重功能的河流。开封市所辖兰考县境内的河流向东流入山东境内,属淮河流域南四湖红卫河水系。

在开封辖区内现有流域面积在 100km^2 以上的河流 33 条,其中属于颍河水系的河流有 7 条,属于涡河水系的河流有 23 条,属红卫河(东鱼河)水系的河流有 3 条;流域面积在 30～100km^2 的河流有 45 条;流域面积在 10～30km^2 的河流有 68 条。

20 世纪 50 年代以来,党和政府领导人民进行了大规模的水利建设,使开封市水利工程初步形成了较完整的体系。截至 1998 年,全市农村共打机电井 78 180 眼,其中配套 85%以上,保证率 75%,可提取浅层地下水 10.08 亿 m^3,是开封市农业的主要水源工程,大多数为浅水井,主要用于农业灌溉、人畜吃水和村办企业用水及部分工业用水。提水水泵一般为潜水电泵和离心泵,少数为轴流泵。灌溉形式多以漫灌为主,也有少量的喷灌、滴灌和渗灌等,单井出水量一般为 40～100m^3/h。另外,开封市目前已建成主要引黄工程 4 处,设计引黄能力为 615m^3/s, 年平均引黄量 4.3 亿 m^3。在惠济河、涡河等河流域范围内引黄渠道上建立了固定提灌站 253 处,建有流动提灌站 1 214 台机组,主要提取河水和引黄退水进行灌溉和补源。

开封市水域面积较广,共计 45 438.2hm^2,其中河流水面占 32.1%,湖泊水面占 22.9%,坑塘水面占 7.1%,滩涂面积占 25.1%,沟渠面积占 6.7%,其他占 6.1%。黄河水源直接影响着开封市社会经济的发展,以市区内潘杨湖、包公湖为代表的湖泊使开封市享有“北方水城”的美称,纵横交错的引黄沟渠推动了开封市农业的大力发展,水产养殖业发展迅速,而且有很大的优势与发展潜力,1999 年与 1986 年相比,滩涂面积增加了 561hm^2, 滩涂资源有待于进一步开发。目前开封市仍存在着天然沟渠被废弃、引黄渠道淤积严重、水利工程老化失修现象,开封市现有未利用土地面积 10 302.8hm^2,主要是盐碱地、沙地和沙荒地,开封市 2000～2002 年农田水利建设基本情况见表 2-4。

表 2-4 开封市农田水利建设基本情况 (单位:×10^3 hm^2)

年份	有效灌溉面积	旱涝保收面积	机电排灌面积
2000	322.78	250.85	308.80
2001	326.07	254.98	307.52
2002	326.15	253.95	304.42

2.4.2 天然水资源分析

据统计,开封市 1998～2002 年年平均降水量 638.9mm,折合降水总量 43.75 亿 m^3,其中 2000 年降水量 790.2mm,高于多年平均降水量 17.5%,2001 年降水量最小,为 522.7mm, 比上年减少 33.9%, 比多年平均值减少 15.6%, 属偏枯水年。经过降水径流分析,2002 年全市地表水资源量 2.374 0 亿 m^3,地下水资源量 6.902 6 亿 m^3,扣除地表水与地下水之间的重复计算量 0.744 6 亿 m^3,全市水资源总量为 8.532 0 亿 m^3。开封市 2002 年各县(区)水资源总量见表 2-5。

表 2-5 开封市 2002 年各县(区)水资源总量计算成果

(单位:水量,万 m^3;模数,万 m^3/km^2)

县(区)名称	地表水资源量	地下水资源量	重复计算量	水资源总量	产水系数	产水模数
市　郊	1 317.7	3 720.6	402.7	4 635.6	0.34	12.9
杞　县	4 569.7	12 902.8	1 396.6	16 075.9	0.26	12.9
通许县	2 815.2	7 949.0	860.4	9 903.8	0.21	12.9
尉氏县	4 510.4	16 005.6	1 020.4	19 495.6	0.26	15.5
开封县	5 272.5	15 018.1	1 754.3	18 536.3	0.25	12.8
兰考县	5 254.2	13 430.0	2 011.5	16 672.7	0.25	12.2
全　市	23 739.7	69 026.1	7 445.9	85 319.9	0.25	13.2

2002 年全市水资源总量比上年增加 0.369 2 亿 m^3,偏多 4.5%,比多年水资源总量均值(12.202 0 亿 m^3)少 3.670 0 亿 m^3,偏少 30.1%。

2.5 水质环境分析

2.5.1 地表水水质分析

开封市有工业企业 1 000 多家,工业废水处理率低,仅占全市废水总量的 11.5%,工厂排放的废水达标率也很低,仅占总量的 12.6%,绝大多数废水未经处理直接排放到附近的河道中,最终通过支流汇入惠济河。

开封市西工业区及陇海铁路以北、城墙以南地区的工业废水大部分排入黄汴河。西工业区铁路以南的工业废水大多排入药厂河。东工业区、化肥厂以西大部分工厂的废水都排入东城河,少数工厂的废水直接排入惠济河,河南大学泵站将市内废污水提到东护城河。化肥厂及其附近的炼锌厂、磷厂等厂家的废水排入东郊沟。城内龙亭以北、以东地区工厂的废水排入北支河。城内其他废水排入现已变成暗河的东支河和西支河中。开封市的湖泊中,黑池、柳池没有污水流入;龙亭湖、包公湖、西北湖以及铁塔湖,除有少量生活污水进入外，基本没有工业废水排入。开封市区污水排放情况见附图一。由于大量工业废水和生活污水直接排入地面水体，地面水严重污染，根据历年地表水水质监测资料得知，开封市地表水以有机污染为主。依据《地表水环境质量标准》(GB3838—88)对开封市各地表水体用概率统计方法进行评价，选用有机污染项目高锰酸盐指数、5日生化需氧量BOD_5和挥发酚类为评价项目，对具有农田灌溉的河流适当增加了砷、汞、镉、铅、氰化物进行评价，其结果见表2-6和表2-7。

表2-6　开封市地面水环境质量评价

河流名称	项目	Ⅴ类达标概率(%)	Ⅳ类达标概率(%)	Ⅲ类达标概率(%)	最高值超Ⅴ类标准倍数	平均值超Ⅴ类标准倍数
黄汴河	高锰酸盐指数	2	0	0	56.1	16.4
	BOD_5	1	0	0	49.1	16.7
	挥发酚	8	4	2	15.4	6.3
北支河	高锰酸盐指数	2	0	0	15.6	4.1
	BOD_5	5	0	0	35.3	10.3
	挥发酚	80	42	36	1.4	(达标)
东护城河	高锰酸盐指数	1	0	0	15.8	4.2
	BOD_5	1	0	0	15.8	7.2
	挥发酚	75	7	5	1.8	(达标)
药厂河	高锰酸盐指数	0	0	0	77	11.5
	BOD_5	0	0	0	72.8	30.9
	挥发酚	48	8	5	9	0.7
东郊沟(化肥厂)	高锰酸盐指数	64	44	24	4.2	0.2
	BOD_5	74	47	30	4.4	(达标)
	挥发酚	86.5	58	45	1	(达标)
	氰化物	82.5	82.5	73	2	(达标)
	砷	74	74	60	6.3	0.07
	汞	77	77	46	6.3	(达标)
	镉	56	20	20	9	1.0
	铅	82	52	52	0.7	(达标)
惠济河(汪屯桥河段)	高锰酸盐指数	0	0	0	22.2	0.8
	BOD_5	1	0	0	24.2	11.6
	挥发酚	18	5	2	13.1	2.8
	氰化物	100	100	91	(达标)	(达标)
	砷	85	85	76	3.7	(达标)
	汞	84	84	57.7	1.8	(达标)
	铅	95	82	82	0.8	(达标)
	镉	82	60	60	6.8	(达标)
惠济河(大王庙河段)	高锰酸盐指数	26	22	14	9.4	1.4
	BOD_5	32	24	10	8.4	1.6
	挥发酚	76	52	34	3.0	(达标)

表 2-7　开封市湖泊水质评价表

湖泊名称	项目	Ⅴ类达标概率(%)	Ⅳ类达标概率(%)	Ⅲ类达标概率(%)	最高值超Ⅴ类标准倍数	平均值超Ⅴ类标准倍数
龙亭湖	高锰酸盐指数	2	0	0	15.6	4.1
	BOD_5	5	0	0	35.2	10.3
	挥发酚	80	42	36	1.4	(达标)
包公湖	高锰酸盐指数	2	0	0	3.1	1.87
	BOD_5	18	10	8	4.9	2.85
	挥发酚	93.5	77	68	31.4	2

由以上评价资料可知,开封市各河流有机污染严重,达到Ⅴ类水质标准的概率很小,河流水质基本上常年处于超Ⅴ类水质标准的状态,最高值的超标相当高,其中以黄汴河、药厂河、惠济河汪屯桥河段尤为突出。市内湖泊水质相对好一些,但龙亭湖、包公湖水质均达不到Ⅴ类水质标准。只有一小部分水质能够达到饮用水源的标准要求,因此污水资源化的任务十分艰巨。需要采取科学的方法,从系统大局的观点出发,对各用水户的排污与污水治理作出统一的规划,按照污水资源化的不同标准和要求,采取符合实际的污水处理措施,从根本上对不同污水来源进行治理,使水资源得到最大程度的开发利用,实现当地工农业经济的可持续发展。

2.5.2　地下水水质分析

据2002年对开封市布设的地下水观测井进行常规与污染监测,并用饮用水标准和灌溉用水标准进行评价,开封市市区及县城浅层地下水均已受到严重污染,已失去饮用水供水功能;局部中深层地下水也受到不同程度的污染。尤其是市内几条主要河流的两岸地区地下水污染严重,据调查,仍有个别地方还作为饮用水水源。

通过对开封市17眼地下水观测井常规监测,符合饮用水标准的井占25%,不符合饮用水标准的井占75%,符合灌溉用水标准的井占100%。

2.6　水资源开发利用分析

2.6.1　供水量分析

供水量是指各种供水工程为用户提供的包括输水损失在内的毛供水量。主要分地表水、地下水两种水源。地表水包括引黄供水、当地河流供水等。

2002年开封市总供水量14.569 6亿m^3,其中地表水源供水4.660 0亿m^3,占32.0%;地下水源供水9.909 6亿m^3,占68.0%。在地表水源供水中引水工程和提水工程分别占93.4%和6.6%。在地下水源供水中,浅层地下水和深层地下水分别占89.3%

和 10.7%。与 2001 年比较,总供水量增加 0.005 亿 m^3,增幅为 0.03%。其中地表水源比 2001 年减少 0.061 5 亿 m^3;地下水源比 2001 年增加 0.066 5 亿 m^3,增幅为 0.67%。

2000 年开封市各县(区)不同供水水源情况见表 2-8。

表 2-8　2000 年开封市各县(区)不同供水水源情况统计表　(单位:万 m^3)

县(区)名称	地表水工程供水			地下水开采量			总供水量
	引水	提水	合计	浅层水	深层水	合计	
市　郊	7 628		7 628	6 220	5 365	10 776	18 404
杞　县	7 077	760	7 837	21 761	2 664	22 103	29 940
通许县	6 076		6 076	14 325	710	15 124	21 200
尉氏县	7 485	1 300	8 785	19 585	415	18 903	27 688
开封县	9 999		9 999	13 396	1 060	17 231	27 230
兰考县	5 275	1 000	6 275	13 190	241	14 959	21 234
全　市	43 540	3 060	46 600	88 477	10 455	99 096	145 696

由表 2-8 可以看出,开封市供水以地下水供水为主,引黄工程供水也对开封市的工业、农业及居民生活用水发挥了明显的效益,缓解了开封市水资源不足的局面。

2.6.2　用水量

用水量是指用户取用包括输水损失在内的毛用水量,按农田灌溉、林牧渔、国有限额以上工业、限额以下工业、城镇生活、农村生活 6 类进行统计。农田灌溉包括水稻田、水浇地和菜田用水;林牧渔用水包括林果灌溉和鱼塘补水用水;国有限额以上工业用水包括火电、全部国有工业及年销售额 500 万元以上的非国有工业用水;限额以下工业用水是指年销售额 500 万元以下的非国有工业用水;城镇生活用水包括城市、县城居民生活用水和公共用水;农村生活用水包括县城以外的乡(镇)和农村的村民生活用水及牲畜用水。工业用水为取用的新鲜水量,不包括企业内部的重复利用水量。

据统计分析,2002 年全市总用水量 14.569 5 亿 m^3,其中农业用水 11.832 9 亿 m^3(农田灌溉占 96.0%),占总用水量的 81.2%;工业用水 1.120 9 亿 m^3(国有限额以上工业占 59.7%),占总用水量的 7.7%;生活用水 1.615 7 亿 m^3(城镇生活占 32.6%),占总用水量的 11.1%。按城乡划分,农业用水(农田灌溉用水,林、牧、渔用水,限额以下工业用水和农村生活用水之和)13.374 1 亿 m^3,城镇用水(国有限额以上工业用水与城镇生活用水之和)1.195 4 亿 m^3,分别占总用水量的 91.8% 和 8.2%。2002 年开封市各县(区)用水量分布情况见表 2-9。

2.6.3　耗水量分析

2002 年全市用水消耗量 10.195 0 亿 m^3,占总用水量的 70.0%。其中,农业用水消耗量占用水消耗总量的 85.7%,工业用水消耗量占 2.6%,生活用水消耗量占 11.7%。

按城乡分,农村耗水 9.741 2 亿 m^3,城镇耗水 0.453 9 亿 m^3,占耗水总量的比例分别为 95.5%和 4.5%。

表 2-9 2002 年开封市各县(区)用水量分布情况统计表 (单位:万 m^3)

县(区)名称	农田灌溉		林、牧、渔		国有限额以上工业		限额以下工业		城镇生活		农村生活		总用水量	
	用水量	其中地下水	用水量	其中地下水	用水量	其中地下水	用水量	其中地下水	用水量	其中地下水	用水量	其中地下水	用水量	其中地下水
市 郊	4 746	2 474	1 075	1 075	6 098	3 931	2 010	1 656	4 289	1 454	186	186	18 404	10 776
杞 县	25 595	17 758	433	433	140	140	700	700	168	168	2 904	2 904	29 940	22 103
通许县	18 038	11 963	1 067	1 067	92	92	315	315	355	355	1 332	1 332	21 199	15 124
尉氏县	23 657	14 873	1 200	1 200	160	160	310	310	164	164	2 196	2 196	27 687	18 903
开封县	23 974	13 974	620	620	94	94	270	270	134	134	2 139	2 139	27 231	17 231
兰考县	17 539	11 285	385	385	105	84	915	915	155	155	2 135	2 135	21 234	14 959
全 市	113 549	72 327	4 780	4 780	6 689	4 501	4 520	4 166	5 265	2 430	10 892	10 892	145 695	99 096

由于各类用户的需水特性和用水方式差异,其耗水量占用水量的百分比(以下简称耗水率)差别较大。农业、工业、城镇生活、农村生活的耗水率分别为 74.4%、23.1%、20.0%、100%。各县(区)分项耗水量、耗水率见表 2-10。

表 2-10 2002 年开封市各县(区)分项耗水量、耗水率统计表 (单位:万 m^3)

县(区)名称	农田灌溉		林牧渔		国有限额以上工业		限额以下工业		城镇生活		农村生活		总计	
	耗水率	耗水量	耗水率	耗水量	耗水率	耗水量	耗水率	耗水量	耗水率	耗水量	耗水率	耗水量	耗水率	耗水量
市 郊	0.72	3 421	0.37	394	0.22	1 342	0.25	503	0.2	858	1.0	186	0.36	6 704
杞 县	0.77	19 640	0.37	159	0.22	31	0.25	175	0.2	34	1.0	2 904	0.77	22 943
通许县	0.76	13 692	0.61	652	0.22	20	0.25	79	0.2	71	1.0	1 332	0.75	15 846
尉氏县	0.75	17 737	0.37	440	0.22	35	0.25	78	0.2	33	1.0	2 196	0.74	20 519
开封县	0.74	17 677	0.37	227	0.22	21	0.25	68	0.2	27	1.0	2 139	0.74	20 159
兰考县	0.75	13 220	0.37	141	0.22	23	0.25	229	0.2	31	1.0	2 135	0.74	15 779
全 市	0.75	85 387	0.42	2 013	0.22	1 472	0.25	1 132	0.2	1 054	1.0	10 892	0.70	101 950

2.6.4 用水指标分析

2002 年开封市人均年用水量为 307.6m^3,万元 GDP(当年价)用水量 539.8m^3,农田灌溉亩均用水量 242.4m^3,万元工业产值(当年价)用水量含火电为 45.3m^3、不含火电为 39.9m^3,人均生活用水城市每人每日 149.9L、县城镇每人每日 120.5L、农村每人每日 74.6L(含牲畜用水)。2002 年开封市各县(区)各项用水指标见表 2-11。

表 2-11　2002 年开封市各县(区)各项用水指标统计表

县(区)名称	综合人均年用水量(m³)	万元 GDP 用水量(m³)	灌溉亩均用水量(m³)	万元工业产值用水量(m³)		城市人均日用水量(L)	县城镇人均日用水量(L)	农村人均(含牲畜)日用水量(L)
				含火电	不含火电			
市　郊	233.7	252.8	372.3	117.4	100.3	149.9	—	74.6
杞　县	289.8	663.0	247.4	20.8	20.8	—	96.7	74.6
通许县	359.4	655.7	259.7	16.2	16.2	—	255.9	74.6
尉氏县	326.1	607.2	225.1	9.1	9.1	—	132.2	74.6
开封县	373.4	709.4	251.3	12.1	12.1	—	87.4	74.6
兰考县	283.8	595.8	213.2	33.3	33.3	—	70.8	74.6
全　市	307.6	539.8	242.4	45.3	39.9	149.9	120.5	74.6

第3章　开封市城市污水资源量计算与水质特性分析

3.1　开封市城市污水来源分析

开封市城市污水按来源可分为生活污水、工业污水和城市雨洪污水。生活污水主要来自家庭、机关、商业和城市公用设施,其中主要是粪便和洗涤污水,其水量水质明显具有昼夜周期性和季节周期性变化的特点。工业污水来自工业生产过程中排出的废水,包括工艺过程用水、机器设备冷却水、烟气洗涤水、设备和场地清洗水等。由于各种工业生产的工艺、原材料、使用设备的用水条件等的不同,工业污水的性质相差很大,其中往往含有腐蚀性、有毒、有害、难以生物降解的污染物。因此,工业污水一般经预处理后,达到符合城市下水道水质标准后方能进入城市下水道管网系统。城市径流污水是雨雪淋洗城市大气污染物和冲洗建筑物、地面、废渣、垃圾而形成的。这种污水具有季节变化和成分复杂的特点,在降雨初期污水所含污染物甚至会高出生活污水数倍。另外,城市污水根据下水道施工质量的优劣及地下水位的高低,下水道有一定的渗入或渗出,一般不考虑渗出量,必需时可按具体情况考虑渗入量。

开封市是一个工业门类比较齐全的城市。在全国工业普查划定的工业企业40多个主行业中,开封市占有32个主行业。从工业总产值分析,起主导作用的行业有纺织工业、缝纫工业、食品饮料工业、机械电子工业、化学工业、冶金建材工业、电力工业、仪器仪表工业和医药工业等。工业废水排放的主要行业有造纸及纸制品业、化学工业、纺织工业、医药工业、食品饮料工业等。

开封市污废水的排放主要来源于市区工业废水和城市生活用水,其主要污染物的排放来源于工业废水。全市工业废水排污大户主要有新新造纸厂等15家企业,这15家企业累计污染负荷比可达到84.63%,所排放的主要污染物是COD_{Cr},其次是挥发酚、悬浮物、石油类和氰化物等。开封市15家主要工业废水污染源见表3-1。

表3-1　开封市工业废水主要污染源统计表

序号	单位名称	COD_{Cr}日排放量(kg/d)	等标污染指数	等标污染负荷(万m^3/d)	污染负荷比(%)	污染排序	累计污染负荷比(%)	说明
1	开封新新造纸厂	16 043.8	5.64	8.024	38.06	1	38.06	
2	开封化肥厂	3 844.1	0.29	1.922	9.35	2	47.41	
3	开封制药厂	1 419.0	6.45	0.710	7.61	3	55.02	
4	开封卷烟厂	3 081.2	10.25	1.540	6.46	4	61.48	

续表 3-1

序号	单位名称	COD_{Cr} 日排放量（kg/d）	等标污染指数	等标污染负荷（万 m^3/d）	污染负荷比（%）	污染排序	累计污染负荷比（%）	说明
5	开封幽兰味精厂	656.0	15.00	0.828	3.47	5	64.95	
6	开封凤城造纸厂	1 571.6	7.59	0.786	3.30	6	68.25	汪屯桥以上入惠济河
7	河南第一毛纺厂	1 086.7	2.12	0.544	2.50	7	70.75	
8	开封抗生素厂	1 034.0	3.27	0.517	2.17	8	72.92	
9	开封振兴造纸厂	1 029.7	5.19	0.515	2.16	9	75.08	汪屯桥以上入惠济河
10	开封啤酒厂	906.4	1.98	0.453	1.95	10	77.03	
11	开封印染厂	428.7	3.23	0.215	1.76	11	78.79	
12	杞县第二化肥厂	804.0	1.00	0.402	1.69	12	80.48	入小蟒河
13	开封酒厂	675.4	6.19	0.338	1.42	13	81.90	汪屯桥以上入惠济河
14	红旗造纸厂	666.5	4.59	0.334	1.40	14	83.30	
15	开封染料化工厂	632.5	4.08	0.317	1.33	15	84.63	

3.2 污水资源量计算

3.2.1 污水资源量计算方法研究

3.2.1.1 生活污水资源量计算方法

生活污水是人们日常生活过程中排出的污水。它是从住户、公共设施(饭店、宾馆、影剧院、体育场、机关、学校、商店等)和工厂的厨房、卫生间、浴室及洗衣房等生活设施中排出的水。按照用水目的不同,生活污水又可以分为居住区生活污水和商业公共设施生活污水。为了便于推广应用,本项目采用理论计算方法和实测相结合的方法,以便相互验证。

1)居住区生活污水量计算方法

a.根据生活污水排水定额计算

居住区生活污水与居民用水量有直接关系,所以在计算居民生活污水之前,有必要对居民用水进行计算。城镇居住区居民日常生活所需的饮用、洗涤和冲洗便器等用水量与居民住房的类型、卫生设备、沐浴设施、不同城市、不同地区等有关,其差别十分悬殊。

根据《室外给水设计规范》(GBJ13—1986),我国城市人均生活用水量结构可归纳为表 3-2。表中所列南北方大致以淮河、秦岭为界。从表 3-2 中可以看出,我国城市生活用水量南北方有较大的差异,而大城市和小城市之间也有很大的差别。

表 3-2　我国城市人均生活用水量结构统计表　　(单位:L/(人·d))

城市类别(人口数)	城市生活用水		居民住宅用水		公共市政用水	
	北方	南方	北方	南方	北方	南方
特大城市(>100 万人)	177.1	260.8	102.9	160.8	74.2	94.0
大城市(50 万～100 万人)	179.2	204.0	98.8	103.0	80.4	101.0
中等城市(20 万～50 万人)	136.7	208.0	96.8	148.9	39.9	59.1
小城市(<20 万人)	138.0	187.6	79.3	148.5	58.7	39.1

国外部分城市人均生活用水量情况见表 3-3。国外城市人均用水主要与当地水资源条件和采取的节水措施以及生活水平有关。表 3-4 为我国一些城市居民住宅用水结构情况。

表 3-3　国外部分城市人均生活用水量统计表

城市名称	人口数(万人)	人均生活用水量(L/(人·d))	城市名称	人口数(万人)	人均生活用水量(L/(人·d))
曼谷	562.1	172.6	索非亚	122.2	186.4
汉城	1 090.5	181.2	马德里	301.0	193.0
布加勒斯特	239.4	200.3	开罗	652.9	275.9
布达佩斯	201.8	117.1	瓦哈那	209.6	299.9
贝尔格莱德	117.1	243.9	基辅	257.2	329.6
华沙	165.6	263.5	莫斯科	887.6	494.5

表 3-4　我国一些城市居民住宅用水结构统计表　　(%)

用水类别	公共水栓	有给水无排水设施	有给排水设施、公厕	有给排水无沐浴设施	有给排水、沐浴设施	有给排水、浴室、集中供热
冲洗卫生间				38	32.6	19.5
洗澡或洗漱	35.7	39.7	24	14.8	27.2	35.8
洗衣	20.1	15.9	24	14.8	12.8	7.6
烹调、洗碗	35.7	28.4	34.2	18.1	18.1	10.8
饮食	8.5	6.8	4.1	2.5	2.1	1.3
清扫卫生、浇园、洗车			8.2	5.1	4.3	2.6
其他损失		9.2	5.5	6.7	2.9	22.4
日用水量(L/(人·d))	78	53	75～90	130～145	140～165	230

居民住宅用水与住宅内的设备条件有很大关系,例如,使用公共水栓时,平均日用水量为 78L/(人·d),当有给排水、浴室、集中供热条件时,人均日用水量增加到 230 L/(人·d)。所以,在计算居民用水量时,应当根据当地实际条件,分类计算出准确的人均用水量,据此计算所排出的污水量。

表 3-5 为英国、美国等国家居民住宅用水结构情况，可作为对我国城市生活污水排放量的计算参考标准。

表 3-5 国外居民住宅用水结构统计表 （%）

用水类别	英国	美国	挪威	日本
冲洗卫生间	23.8	41	17.7	16
洗澡	20.8	37	23.8	20
洗衣	7.7	4	14.6	12
洗碗、烹调	6.5	6	11.5	12
饮食	4.8	5		18
清扫卫生、浇洒庭院		4		15
洗车	9.5	3	4.6	7
其他损失	26.9		27.8	
日用水量(L/(人·d))	168	195	130	250

居住区生活污水量与这一地区的用水量、城市污水管网、地质情况等有关，若这些资料不齐时可按 80% 的生活用水量确定污水量，也可按《室外排水设计规范》(GBJ14—1987)规定的居住区生活污水的排水定额确定污水量，见表 3-6。

表 3-6 居住区生活污水排水定额 （单位：L/(人·d)）

卫生设备情况	分区				
	一	二	三	四	五
室内有给排水设备但无沐浴设备	55～90	60～95	65～100	65～100	55～90
室内有给排水设备和沐浴设备	90～125	100～140	110～150	120～160	100～140
室内有给排水设备并有沐浴和集中热水供给	130～170	140～180	145～185	150～190	140～180

注：1. 表列数值已包括居住区内小型公共建筑的污水量。但高层建筑和商业、旅游业等第三产业以及文教卫生单位的污水量未包括在内。

2. 在选用表列各项水量时，应按所在地的分区考虑当地气候、居住区规模、生活习惯及其他因素。

3. 分区情况如下：第一分区包括黑龙江、吉林、内蒙古的全部，辽宁的大部分，河北、山西、陕西的偏北一小部分，宁夏偏东的一部分；第二分区包括北京、天津、河北、山东、山西、陕西的大部分，甘肃、宁夏、辽宁的南部，河南的北部，青海偏东和江苏偏北的一小部分；第三分区包括上海、浙江的全部，江西、安徽、江苏的大部分，福建的北部，湖南、湖北的东部，河南的南部；第四分区包括广东、台湾的全部，广西的大部分，福建、云南的南部；第五分区包括贵州的全部，四川、云南的大部分，湖南、湖北的西部，陕西和甘肃在秦岭以南的地区，广西偏北的一小部分。

4. 其他地区和特殊地区的生活污水排水定额，可根据当地气候和居民生活习惯等具体情况或参照相似地区的定额确定。

b. 人均生活污水排放系数法

根据城市人均生活用水量统计，采用产污系数法，计算城市生活排污量，计算公式如下：

$$Q_{w1} = \beta_1 Q_1 \tag{3-1}$$

式中：β_1 为人均生活用水量产污系数；Q_{w1} 为不同年份废污水排放量，m^3/a；Q_1 为不同年份生活用水量，m^3/a。

2）商业、公共设施污水量计算方法

商业、公共设施用水量和污水量是随着地区、气候与设施类型而变化的。根据《建筑给水排水设计规范》（GBJ15—1988），集体宿舍、旅馆、医院、公共浴室、理发室、洗衣房、公共食堂、幼儿园、菜市场、办公楼、学校、影剧院、体育场和游泳池的生活用水量情况见表 3-7。

表 3-7　商业、公共设施用水量计算定额

序号	建筑物名称	设施情况	单位	生活用水定额（L）	说明
1	集体宿舍	有洗室 有洗室和浴室	每人每日 每人每日	50～100 100～200	1. 高等学校、幼儿园、托儿所为生活用水综合指标； 2. 集体宿舍、普通旅馆、招待所、办公楼、中小学校均不包括食堂洗衣房的用水； 3. 医院、疗养院、休养所、门诊部所用的水量不包括医疗装备、制药、厨房、洗衣房以及医院职工和病人陪同人员的生活用水
2	普通旅馆、招待所	有洗室 有洗室和浴室	每床每日 每床每日	50～100 100～200	
3	宾馆	客房	每床每日	400～500	
4	医院、疗养院、休养所	集中厕所、盥洗 病房设浴室、厕所	每病床每日 每病床每日	50～100 250～400	
5	门诊部、诊疗所	厕所、洗手池	每病人每日	15～25	
6	公共浴室	设有盆池	每顾客每次	80～170	
7	理发室		每顾客每次	10～25	
8	公共食堂	营业食堂 机关食堂	每顾客每次 每顾客每次	15～20 10～15	
9	幼儿园、托儿所	有住宿 无住宿	每儿童每次 每儿童每次	50～100 25～50	
10	菜市场	地面冲洗	每平方米每次	2～3	
11	办公楼		每人每班	30～50	
12	中小学学校	无住宿	每学生每日	30～50	
13	高等学校	有住宿	每学生每日	100～200	
14	电影院、剧院		每观众每场	3～8	
15	体育场	运动员沐浴 观众	每人每次 每人每场	50 3	
16	游泳池		每日占水池容积	10%～15%	
17	商店	洗刷/冲洗厕所	每人每日	20～30	

另外，在《综合医院建筑设计规范》(JGJ49—1988)、《旅馆建筑设计规范》(JGJ62—1990)和《商店建筑设计规范》(JGJ48—1988)中也有医院、旅馆及商店的生活用水量统计标准。表3-8是我国城市用水结构的统计情况。

表3-8　我国城市生活用水结构统计表　(%)

城市类别	居民住宅用水量/城市生活用水量		公共市政用水量/城市生活用水量	
	北方	南方	北方	南方
特大城市	58	62	42	38
大城市	55	50	45	50
中等城市	71	72	29	38
小城市	57	79	43	21

3.2.1.2　城市工业污水资源量计算方法

1)分类统计法

工业污水是在工厂生产过程中排出的污水，工业污水资源量随着工业的类型和规模、管理水平、生产工艺及污染控制措施而变化，对于城市规划区内的工业污水量可按排放流域内不同行业、不同分布状况及其万元产值、工业废水排放量等进行预测。如区内没有大量的用水工厂，可按500m³/(km²·d)来估算工业区污水量，对于已建成的区域，应先收集区域内各工业行业的实际排水量，再汇总得出区域内的污水排放量，对于已知工业类型和企业数量，而又不能取得实测数据的，可按《污水综合排放标准》(GB8978—1996)中规定的排水量进行预测。

2)产污系数计算法

在已知工业用水量的情况下，可按工业用水产污系数计算。计算公式如下：

$$Q_{w2} = \beta_2 Q_2 \tag{3-2}$$

式中：Q_{w2}为城市工业污水排放量；β_2为城市工业污水排放系数；Q_2为城市工业用水量。

本方法的关键在于精确计算出工业用水总量。大中城市的工业用水主要为大型工矿企业，工业产值所占比重较大。但是近几年乡镇工业迅速发展，使大、中城市工业产值比重有所下降。据统计，目前大中城市工业产值比重下降到45%左右。根据企业的规模和地区的分布特征，一般可分为大城市工业、中等城市工业、县级工业、乡镇企业几个等级进行用水分析。

据对黄河流域大中城市县乡工业总产值和用水量分析，黄河流域15座大城市(西宁、兰州、银川、包头、呼和浩特、太原、西安、咸阳、宝鸡、洛阳、郑州、开封、济南、东营、新乡)工业总产值占该区工业产值的48.6%，工业用水量占全区工业用水量的39.5%，平均重复利用率79.3%，万元产值综合取水定额284m³，不计电力行业万元产值综合取用水定额245m³，按行业分，冶金、机械、电力、化工、造纸等行业用水比重最大，这5个行业的产值和用水量分别占15个大城市工业产值的70%和用水量的78%。

县级市和部分工业规模较小的地级市称为中等工业城市，据对黄河流域25个中等城市工业总产值和工业用水量分析，分别占该区工业总产值和总用水量的11.5%和

13.1%，平均万元产值用水量399m³。由于各市工业生产结构，管理、技术水平高低不同，因此万元产值综合取水量差别也很大，最高和最低相差达7倍以上。

据对黄河流域20个典型县工业用水量调查，万元工业产值综合用水量一般不超过400m³，由于地区经济发展水平不一致，产品结构、生产水平、管理经验的不同，所以高低参差不齐，同时由于企业和产品变更快，生产波动大，万元产值综合取水量可能出现忽高忽低的变化现象。如山东省梁山县1985年乡镇工业万元产值综合取水量为310m³，而到了1989年则上升为695m³，但是河南省开封市尉氏县2002年万元产值工业用水量仅为9.1m³。

由于乡镇工业发展没有进入一个成熟的发展阶段，所以万元产值综合用水量起伏不定，相应的用水重复率也有变化。如山西省兴县重复利用率为30%，而多数的乡镇工业用水重复率为零，平均重复率为7%。

考虑到不同行业之间用水的差别，在大中城市工业用水中划分冶金、机械、电力、建材、化工、煤炭、纺织、造纸、食品加工和其他等10个行业分别统计分析。2002年开封市工业分行业用水量见表3-9。

表3-9　2002年开封市工业分行业用水量统计表

项目	单位	冶金	机械	电力	建材	化工	纺织	造纸	食品	其他	合计
总产值	万元	19 880	689 815	133 231	144 244	453 940	527 781	89 960	211 460	618 687	2 888 998
用水量	万m³	93	647	1 915	348	5 210	1 106	914	290	686	11 209
其中：地下水	万m³	71	500	1 481	270	4 028	855	707	224	531	8 667
万元产值用水定额	m³/万元	46.8	9.4	143.7	24.1	114.8	21.0	101.6	13.7	11.1	38.8
重复利用率	%	11.0	27.0	91.6	35.7	73.5	26.2	23.5	68.5	58.0	77.2

由表3-9可知，各行业之间用水量差别很大，从万元产值用水量来看，最大的电力行业为每万元产值用水量143.7m³，而最小的机械行业每万元工业产值用水量9.4m³。按开封市工业总产值和总用水量计算，每万元工业产值用水量为38.8m³。近十多年来，由于采取节水措施，开封市工业用水效益增长迅速。例如，据“黄河流域水资源经济模型研究”成果，1989年开封市工业万元产值用水定额分别为524m³/万元（含电力）和456m³/万元（不含电力），用水效益提高10倍以上。

有了上述对各行业的万元产值用水定额，即可根据不同行业的工业产值来计算其用水量。据分析，开封市工业综合排污系数为0.6，根据用水量和排污系数，即可计算出各个不同行业的排污资源量。需要指出的是，这种计算方法不仅对计算城市工业排污量具有指导意义，更重要的是，这种计算方法对于城市污水处理措施规划具有重要的参考价值，在进行污水资源开发利用规划时，可根据不同污水种类采取相应的污水处理措施。

3.2.1.3 雨水和渗流污水计算方法

1)雨水污水量计算方法

城市降水对城市工业与生活垃圾的露天堆放物有冲洗淋滤作用。降水流经垃圾堆放物时,携带其中的无机物与有毒物形成垃圾淋滤液,最终进入城市附近的水体。因此,降水淋滤和城市内垃圾物露天堆放的相互作用是造成雨水污染的主要原因。大气降水一方面是降水淋洗和冲刷地表各种污染物而形成的一种面状污染,另外也是地面二次污染源。这种类型的污染由于污染负荷可能很高且难以控制,因此成为日益受到重视的环境问题。城市大气中污染物和有机有毒物质会随大气降水进入地表水体,另外,由降水引起的地表径流流经城市工业区也会带来由工业产品等引起的毒物污染,其污染性质与工业企业的性质有密切关系。城市道路汽车轮胎的粉尘也会随着径流排入河流。由此可见,城市地面径流的污染水质成分是复杂的,尤其是初期雨水的污染是相当严重的。

据美国研究,美国河流的水质污染成分有50%以上来自各种径流,城市下游有82%为地面径流所控制,美国河流长度的30%受城市径流污染。

城市雨水形成的污水水质情况可以根据降雨时期对城市排水口的监测来确定。而城市雨水资源量要用城市雨水径流模型计算。

城市雨水径流模型(简称CSYJM),根据城市雨水径流的特点分为地表径流和管内汇流两个阶段。降雨经过地面径流从雨水口进入雨水管网,模型可以计算出雨水入口流量过程线,并作为管网的输入。在管网各雨水口输入已知的条件下,采用非线性动力波演算管网的汇流过程。现将本项目研究的城市雨水径流模型计算过程与方法介绍如下。

a.降雨

可以采用实测降雨过程线和合成设计降雨过程线作为输入,该模型没有均匀降雨的假设,可以根据计算精度确定计算时段长度。

b.扣损

该模型允许用户选择扣损方法,包括加权平均径流系数、变径流系数、初损后损方法和Horton入渗方程法,并可以采用实测入渗率的方法。

c.净雨过程线

根据降雨过程线和所选定的扣损方法,模型可以计算出净雨过程线,当入渗率大于降雨强度时,模型假设净雨强度为零。

d.雨水口流量过程线

模型选用瞬时单位线法生成雨水口流量过程线。可根据典型区域的实测降雨径流资料计算瞬时单位线参数 N 与 K。在无当地瞬时单位线参数时,模型建议 $N=0.7\sim1.0$、$K=7.0\sim15.0$(min)。该模型也可以选择等流时线法计算雨水口流量过程线。

e.管网汇流

模型采用非线性运动波演算方法模拟管网汇流过程。

Ⅰ.非线性运动波方程

城市雨水管网内的水流应视为非恒定流,可以根据明渠非恒定流偏微分方程组(又称圣维南方程组)计算水力学参数。

$$\frac{\partial A}{\partial t}+\frac{\partial Q}{\partial x}=q \tag{3-3}$$

$$\frac{1}{gA}\frac{\partial Q}{\partial x}+\frac{1}{gA}\frac{\partial}{\partial x}\left(\frac{Q^2}{A}\right)+\frac{\partial h}{\partial x}-(S_0-S_f)=0 \tag{3-4}$$

式中:A 为过水断面面积,m^2;Q 为流量,m^3/s;t 为时间,s;x 为沿管道方向的长度,m;q 为单位长度旁侧入流量,m^3/s;g 为重力加速度,$g=9.81m/s^2$;h 为水深,m;S_0 为管道底坡;S_f 为阻力坡度。

对于城市雨水管道只有接点入流而无旁侧入流,所以 $q=0$,则连续方程(3-3)可写成:

$$\frac{\partial A}{\partial t}+\frac{\partial Q}{\partial x}=0 \tag{3-5}$$

当忽略方程(3-4)中的时间加速度项和位置加速度项后,可写成:

$$S_0-S_f=0 \tag{3-6}$$

联立式(3-5)、式(3-6)的求解过程,国外一般称为运动解,把式(3-6)代入曼宁公式,有:

$$Q=\frac{1}{n}S_0^{1/2}AR^{2/3} \tag{3-7}$$

联立式(3-5)、式(3-7),一般条件下也很难求得解析解,通常采用数值解法。

Ⅱ.圆形管道非线性运动波偏微分方程

雨水管道在实际输送雨水径流时,大部分时间处于非满流状态,对于部分充满管道有:

$$A=\frac{D^2}{8}(\varphi-\sin\varphi) \tag{3-8}$$

$$R=\frac{D}{4}(1-\frac{\sin\varphi}{\varphi}) \tag{3-9}$$

$$B=D\sin\frac{\varphi}{2} \tag{3-10}$$

$$h=\frac{D}{2}(1-\cos\frac{\varphi}{2}) \tag{3-11}$$

$$\varphi=2\arccos(1-\frac{2h}{D}) \tag{3-12}$$

$$Q=\frac{0.049\,5}{n}D^{8/3}S_0^{1/2}(1-\frac{\sin\varphi}{\varphi})^{2/3}(\varphi-\sin\varphi) \tag{3-13}$$

式中:D 为管径,m;A 为过水断面面积,m^2;R 为水力半径,m;B 为水面宽度,m;φ 为圆心角。

取水深为变量,根据式(3-5)有:

$$\frac{\partial A}{\partial h}\frac{\partial h}{\partial t}+\frac{\partial Q}{\partial h}\frac{\partial h}{\partial x}=0 \tag{3-14}$$

令:

$$\left.\begin{aligned} B(h) &= \frac{\partial A}{\partial h} \\ G(h) &= \frac{\partial Q}{\partial h} \end{aligned}\right\} \tag{3-15}$$

有：

$$\left.\begin{aligned} B(h) &= D\sin\frac{\varphi}{2} \\ G(h) &= \frac{0.132\,3}{n}D^{5/3}S_0^{1/2}\left(1-\frac{\sin\varphi}{\varphi}\right)^{2/3}\left[5\sin\frac{\varphi}{2}-\frac{D}{\sin(\varphi/2)}\left(1-\frac{\sin\varphi}{\varphi}\right)\right] \end{aligned}\right\} \tag{3-16}$$

则式(3-14)可写成：

$$B(h)\frac{\partial h}{\partial t}+G(h)\frac{\partial h}{\partial x}=0 \tag{3-17}$$

联立式(3-17)、式(3-13)即组成非线性运动波偏微分方程组。该方程组可以用数值计算方法求解。

Ⅲ.非线性运动波有限差分解法

根据雨水管网的特点，已知上游边界条件 $h_{1,j}$ $(j=1,2,\cdots)$，初始条件 $h_{i,1}=\Delta h$ $(i=1,2,\cdots)$，设 $\Delta x=L$（设计管段长度），采用四点非中心隐式有限差分格式，则可根据 $h_{i,j}$、$h_{i,j+1}$、$h_{i+1,j}$ 推求 $h_{i+1,j+1}$。

令：

$$\left.\begin{aligned} \frac{\partial h}{\partial t} &= \frac{1}{2\Delta t}(h_{i,j+1}+h_{i+1,j+1}-h_{i,j}-h_{i+1,j}) \\ \frac{\partial h}{\partial x} &= \frac{1}{\Delta x}(h_{i+1,j+1}-h_{i,j+1}) \end{aligned}\right\} \tag{3-18}$$

$$\left.\begin{aligned} B &= 0.5(B_{i,j+1}+B_{i+1,j+1}) \\ G &= 0.5(G_{i,j+1}+G_{i+1,j+1}) \end{aligned}\right\} \tag{3-19}$$

根据式(3-17)可写出四点非中心隐式有限差分格式：

$$\frac{1}{2\Delta t}[(B_{i,j+1}+B_{i+1,j+1})(h_{i,j+1}+h_{i+1,j+1}-h_{i,j}-h_{i+1,j})] + \frac{1}{\Delta x}[(G_{i,j+1}+G_{i+1,j+1})(h_{i+1,j+1}-h_{i,j+1})]=0 \tag{3-20}$$

根据式(3-20)，采用牛顿迭代逼近法求解 $h_{i+1,j+1}$，把 h 代入式(3-12)求得 φ 后，代入式(3-13)计算出 $Q(t)$ 的值。

Ⅳ.牛顿迭代逼近技术求解有限差方程

根据牛顿迭代逼近法，有：

$$x_{n+1}=x_n-\frac{f(x)}{f'(x_n)} \tag{3-21}$$

设：

$$f(h_{i+1,j+1})=\frac{1}{2\Delta t}[(B_{i,j+1}+B_{i+1,j+1})(h_{i,j+1}+h_{i+1,j+1}-h_{i,j}-h_{i+1,j})] + \frac{1}{L}[(G_{i,j+1}+G_{i+1,j+1})(h_{i+1,j+1}-h_{i,j+1})] \tag{3-22}$$

则：

$$f'(h_{i+1,j+1}) = \frac{1}{2\Delta t}[(h_{i,j+1} + h_{i+1,j+1} - h_{i,j} - h_{i+1,j})B'_{i+1,j+1} + (B_{i,j+1} + B_{i+1,j+1})]$$

$$+ \frac{1}{L}[(h_{i+1,j+1} - h_{i,j+1})G'_{i+1,j+1} + (G_{i,j+1} + G_{i+1,j+1})] \tag{3-23}$$

考虑到：

$$B'(h) = \frac{\partial}{\partial h}[B(h)] = (D - 2h)(Dh - h^2)^{-1/2} \tag{3-24}$$

$$G'(h) = \frac{\partial}{\partial h}[G(H)] = \frac{0.132\ 3}{n}S_0^{1/2}D^{3/5}(1 - \varphi^{-1}\sin\varphi)^{2/3}\{\frac{2}{3}(1 - \varphi^{-1}\sin\varphi)^{-1}$$

$$(\varphi^{-2}\sin\varphi - \varphi^{-1}\cos\varphi)[5\sin\frac{\varphi}{2} + D\sin^{-1}\frac{\varphi}{2}(\varphi^{-1}\sin\varphi - 1)\varphi + [\frac{5}{2}\cos\frac{\varphi}{2} - \frac{D}{2}\sin^{-2}\frac{\varphi}{2}\cos\frac{\varphi}{2}$$

$$(\varphi^{-1}\sin\varphi - 1) + D\sin^{-1}\frac{\varphi}{2}(\varphi^{-1}\cos\varphi - \varphi^{-2}\sin\varphi)]\}\varphi' \tag{3-25}$$

$$\cos\varphi = 2\left(1 - \frac{2h}{D}\right)^2 - 1 \tag{3-26}$$

$$\varphi' = \frac{\partial}{\partial h}\left[2\arccos\left(1 - \frac{2h}{D}\right)\right] = \frac{2}{\sqrt{\mathrm{d}h - h^2}} \tag{3-27}$$

设：

$$\sin\varphi = x_1; 1 - \varphi^{-1}\sin\varphi = x_2; \sin\frac{\varphi}{2} = y_1$$

则：

$$B'_{i+1,j+1} = (D - 2h_{i+1,j+1})(Dh_{i+1,j+1} - h_{i+1,j+1}^2)^{-1/2} \tag{3-28}$$

$$G'_{i+1,j+1} = \frac{0.132\ 3}{n}S_0^{1/2}D^{5/3}\frac{x_2^{2/3}}{\sqrt{Dh_{i+1,j+1} - h_{i+1,j+1}^2}}$$

$$\left\{\frac{2}{3}x_2^{-1}\left[\varphi^{-2}x_1 - \varphi^{-1}\left(2\left(1 - \frac{2h_{i+1,j+1}}{D}\right)^2 - 1\right)\right](5y_1 - D_{y_1}^{-1}x_2) + \left[\frac{5}{2}\left(1 - \frac{2h_{i+1,j+1}}{D}\right)\right] + \frac{D}{2}y_1^{-2}x_2\right\}$$

$$\left\{\left[\left(1 - \frac{2h_{i+1,j+1}}{D}\right) + D_{y_1}^{-1}\left(\varphi^{-1}2\left(1 - \frac{2h_{i+1,j+1}}{D}\right)^2 - 1\right) - \varphi^{-2}x_1\right]\right\} \tag{3-29}$$

其中 x_1、x_2、y_1 和 φ 均为$h_{i+1,j+1}$的函数。

令：

$$\left.\begin{aligned} h_{i+1,j+1}^{(1)} &= h_{i+1,j} \\ h_{i+1,j+1}^{(n+1)} &= h_{i+1,j+1}^{(n)} - \frac{f(h_{i+1,j+1}^{(n)})}{f'(h_{i+1,j+1}^{(n)})} \end{aligned}\right\} \tag{3-30}$$

并确定一个计算精度，即可根据 $h_{i,j}$、$h_{i+1,j}$、$h_{i,j+1}$，用式(3-30)求解 $h_{i+1,j+1}$。

Ⅴ.模型检验

为了确保模型计算的精度，上述模型计算的结果要用实测资料进行检验。按照水文计算规范规定的计算值与实测值误差范围，若计算误差在一定范围内，则可将计算结果用于生产实际。本项研究选用了开封市 11 场洪水来检验计算精度，结果表明，该模型具有较高的精度。其洪峰流量相对误差在 6% 以内，最大绝对误差＜15m^3/s。水深相对误差在5%以内,最大绝对误差<30mm,洪峰发生时间误差<5min。实践证明,该模型在小区域的模拟计算结果与实测值非常接近。

2)渗流污水量计算方法

地下水的渗流量取决于污水管道的长度、流域面积、土壤和地形条件、管线材料、管线施工质量及使用年限等,计算时可按管线的长度和管道直径考虑。为方便计算,一般将渗流量取值范围定为0.009 4~0.94m^3/(d·km)。

3.2.2 开封市污水资源量计算

城市污水资源包括城市生活污水、工业污水和雨水及渗流污水之和。城市生活污水可根据现状、未来人口发展情况与上述计算方法进行计算,工业污水可根据现状及未来工业发展规划与上述计算方法计算,而雨水及渗流污水量可根据不同降水年型和不同保证率降水量结合城市管理情况计算。

3.2.2.1 城市生活污水资源量计算

1)用水人口和工业产值预测

根据2002年开封市统计资料,2002年开封市总人口为473.72万人,其中市区总人口78.75万人,市区非农业人口59.49万人,2002年全市工业总产值为288.9亿元,比上年增长9.2%,根据开封市国民经济和社会发展规划,在未来10年内,人口平均自然增长率控制在5‰以内,工业总产值平均每年增长8.5%。开封市2002~2010年人口、工业总产值规划结果如表3-10所示。

表3-10 开封市2002~2010年人口、工业产值规划结果

项目	2002年	2005年	2010年
总人口(万人)	473.72	480.83	492.85
城市人口(万人)	78.75	80.00	82.00
工业总产值(亿元)	288.9	362.6	516.7
其中:			
大型工业产值(亿元)	134.42	168.70	240.40
高用水量工业生产总值(亿元)	67.71	84.98	121.10

注:高用水量工业指万元产值用水量在100m^3以上的工业。

2)城市生活用水量计算

在城市人口现状规模和预测规模已知的情况下,城市生活用水量包括城市居民日常生活用水和公共设施用水,其中居民生活用水指的是维持日常生活的家庭和个人用水。城市公共设施用水一般包括机关、学校、医院、饭店、宾馆、商店、影剧院、消防、市政工程用水等,其用水量统计计算方法可参见3.2节内容。根据开封市节水办编写的《城市节水十年规划(1999~2000)》中提供的资料,参考国内大城市用水标准,开封市城市生活用水结构见表3-11。

表3-11 开封市城市生活用水结构

城市生活用水	居民住宅用水	公共市政用水
50.0%	27.6%	22.4%

随着经济建设的高速发展和“一高一低”战略思想的提出,在未来城市规模和人口预测规模已知的情况下,如何确定生活用水量的定额是预测城市需水量的关键。根据开封市节水办对城市生活用水历史资料和现状调查数据的分析,参考城建部门的城市发展规划、居民住宅结构的变化、不同类型的生活用水户在取水总量中的比例变化等因素,对不同阶段的人均生活用水量进行了多种方法预测,开封市城市生活用水定额和用水量计算结果见表 3-12。

表 3-12　开封市城市生活用水定额和用水量计算结果

年份	人口 (万人)	城市生活用水+居民住宅用水		公共市政用水 (万 m^3)	城市用水量合计 (万 m^3)
		用水定额 (L/(人·d))	用水量 (万 m^3)		
2002	78.75	232.6	6 685.8	1 929.9	8 615.7
2005	80.00	247.3	7 221.2	2 084.5	9 305.7
2010	82.00	261.2	7 817.7	2 256.7	10 074.4

3)城市生活污水资源量计算

生活污水资源量的计算准确程度决定了采取何种污水处理措施以及污水处理措施的深度和工作量大小。一般来说,污水量计算是以城市生活及市政用水多少为依据。开封市现有城市人口已经超过 70 万人,近年来,城市居民区设施不断发展,住宅区室内有给排水设施的占大多数,一部分住宅已经开始有热水供应和沐浴设备,随着住宅区条件的改善,一方面城市生活用水量在不断增加,另一方面,城市生活污水量也在增加,所以城市生活污水资源量的计算应当考虑到现状住宅条件和用水条件以及未来不同时期住宅条件的改善和用水条件的变化,由此才能准确地确定所应采取的污水处理措施和污水资源利用的方向。本项目研究考虑了现状、近期和未来 3 个不同的发展时期。另外,随着城市生活条件的改善,市政用水也占城市生活用水相当大的比例,在本项研究中也给予考虑。城市生活、居民住宅(包括洗涤、卫生等)以及市政用水共同组成了除城市工业用水之外的城市用水。为了便于验证,本项目研究分别用排污系数法和《室外排水设计规范》(GBJ14—1987)规定的居住区生活污水的排水定额并按不同的发展水平年确定污水量,计算结果见表 3-13。

表 3-13　开封市城市生活与居民住宅污水量计算结果

计算方法	2002 年			2005 年			2010 年		
	人口 (万人)	用水量 (万 m^3)	污水量 (万 m^3)	人口 (万人)	用水量 (万 m^3)	污水量 (万 m^3)	人口 (万人)	用水量 (万 m^3)	污水量 (万 m^3)
按《室外排水设计规范》(GBJ14—1987)	78.75	6 685.8	3 449.3	80.00	7 221.2	3 504.0	82.00	7 817.7	3 591.6
用排污系数计算 (β=0.6)	78.75	6 685.8	4 011.5	80.00	7 221.2	4 332.7	82.00	7 817.7	4 690.6

考虑到市政公共用水量及其排污量，则开封市城市生活、居民住宅和公共市政污水量计算结果如表3-14所示。

表3-14 开封市城市生活、居民住宅和公共市政污水量计算结果 （单位：万 m^3）

计算方法	2002年			2005年			2010年		
	居民生活	公共市政	合计	居民生活	公共市政	合计	居民生活	公共市政	合计
按《室外排水设计规范》(GBJ14—1987)	3 449.3	1 552.2	5 001.5	3 504.0	1 576.8	5 080.8	3 591.6	1 616.2	5 207.8
用排污系数计算（$\beta=0.6$）	4 011.5	1 085.2	5 096.7	4 332.7	1 949.7	6 282.4	4 690.6	2 110.8	6 801.4

3.2.2.2 **工业污水资源量计算**

1）工业用水量计算

根据本章前面所研究的计算方法，为了提高工业用水量的计算精度以及便于相互检验，本项目研究分别用水量平衡计算方法和万元工业产值耗水量计算方法计算。工业用水量水量平衡计算公式如下：

$$W_{工业} = W_{总} - W_{灌溉} - W_{林牧渔} - W_{城镇生活} - W_{农村生活} \quad (3\text{-}31)$$

式中：$W_{工业}$为工业用水量，万 m^3；$W_{总}$ 为总用水量，万 m^3；$W_{灌溉}$为农田灌溉用水量，万 m^3；$W_{林牧渔}$为林牧渔用水量，万 m^3；$W_{城镇生活}$为城镇生活用水量，万 m^3；$W_{农村生活}$为农村生活用水量，万 m^3。

水量平衡方程计算方法的优点在于可以进行总体验证用水量，而且用水总量一般有实测资料，它可以弥补根据各行业产品产量或工业万元产值计算工业用水量的不足。依据行业产品或万元产值统计的工业用水量，由于统计方法与口径不同，可能会产生较大的误差。水量平衡计算方法的缺点在于它不便于对未来情况进行预测，而且对供水量的观测误差也会对计算结果产生影响。

考虑到开封市工业的发展计划和用水水平以及节水技术的提高，本项目研究对不同发展水平年进行了预测，以便为当地工业用水和城市污水资源化提供科学依据。开封市不同水平年工业用水量计算结果见表3-15。

表3-15 开封市不同水平年工业用水量计算结果

计算方法	2002年		2005年		2010年	
	工业产值（亿元）	用水量（万 m^3）	工业产值（亿元）	用水量（万 m^3）	工业产值（亿元）	用水量（万 m^3）
水量平衡计算法	288.9	11 209	362.6	13 891	516.7	19 794
工业万元产值耗水量计算法	288.9	11 353	362.6	14 069	516.7	20 048
		11 209（实际）				

在上述工业产值计算中，根据开封市国民经济发展预测，工业增长值2002～2005年按8.5%、2005～2010年按10%考虑。实际用水量按开封市水文局提供的检测数据。

2）工业污水资源量计算

为了便于比较，本项目研究根据不同行业生产情况，分别按《污水综合排放标准》（GB8978—1996）和工业万元产值耗水量排污系数进行计算，计算结果见表3-16。

表3-16 开封市不同水平年工业污水排放量计算结果 （单位：万 m^3）

计算方法	2002年		2005年		2010年	
	用水量	污水量	用水量	污水量	用水量	污水量
按《污水综合排放标准》（GB8978—1996）	11 209	7 286	13 891	9 029	19 794	12 866
用工业万元产值耗水量排污系数计算	11 353	7 947	14 069	9 848	20 048	14 034
	11 209（实际）	7 845（实际）				

注：表中污水量按工业用水量排污系数0.83计。

计算结果表明，按工业万元产值耗水量排污系数法计算的工业污水量比按《污水综合排放标准》（GB8978—1996）计算的污水量偏高。但是，根据2002年的实测资料，实测的工业污水量要比按工业万元产值计算用水量及由此计算的污水量偏低。

3.2.2.3 城市雨洪污水量计算

首先选取不同的频率年型计算降水量，根据降水量，考虑到城市区域面积计算城市雨洪资源总量。本次计算采用1952～1995年共44年的雨量系列，多年平均降水量和不同频率降水量计算结果如表3-17所示。

表3-17 开封市市区降水量计算结果

频率 P(%)		5	25	50	75	95
降水量(mm)	654.9（多年平均）	945	760	645	542	416

开封市城市区域面积为359km²（包括郊区面积），考虑到城市区域面积，可以将降水量深度换算为降水资源量，计算结果如表3-18所示。

表3-18 开封市市区不同保证率降水资源量计算结果

频率 P(%)		5	25	50	75	95
降水资源量（万 m^3）	23 510.9（多年平均）	33 925.5	27 284.0	23 155.5	19 457.8	14 934.4

前面对城市雨水径流模型进行了研究，城市雨洪污水量的计算首要解决的问题是计

算城市雨洪资源量，根据城市雨水径流的特点分为地表径流和管内汇流两个阶段。大多数城市径流模型的基本组成见图 3-1。

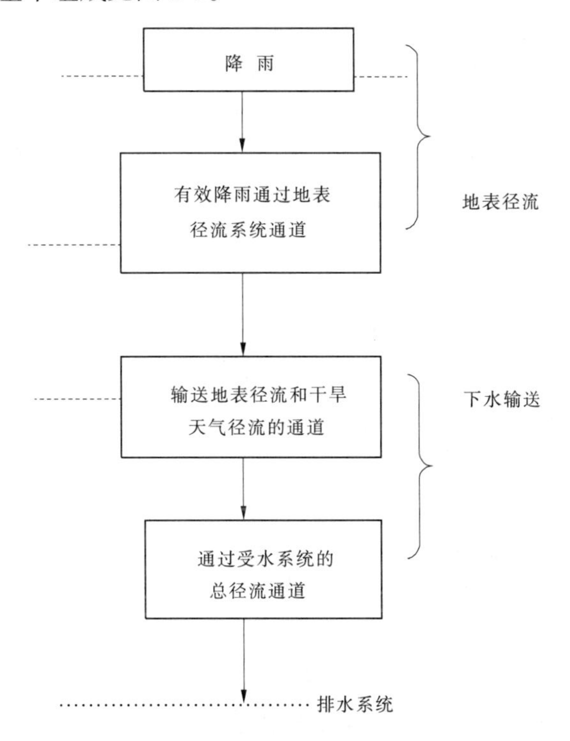

图 3-1 城市径流模型基本组成

城市雨洪计算可用下式表示：

$$S = KQ \tag{3-32}$$

式中：S 为储水量；K 为储水系数（或水量时间调数）；Q 为出流量。

连续方程为：

$$I - Q = \mathrm{d}S/\mathrm{d}t \tag{3-33}$$

式中：I 为有效降水量；t 为计算时段。

把式（3-33）代入式（3-32），并假定在 $t=0$ 时，$Q=0$，得到方程：

$$Q = I(1 - \mathrm{e}^{-t/K}) \tag{3-34}$$

假定有效降雨在径流开始后的 t_1 时刻停止了，那么任一时刻 $t > t_1$ 的出流量可以由下式计算：

$$Q_\tau = Q_1 \mathrm{e}^{-\tau/K} \tag{3-35}$$

式中：$\tau = t - t_1$ 为降雨停止后时段。

在式（3-34）、式（3-35）中，若取计算时段为 1h（或任何一个时间单位），即 $t=1$，并且用 Q_{max} 取代公式中的 Q_1，我们得到：

$$Q_{max} = I(1 - \mathrm{e}^{1/K}) \tag{3-36}$$

$$Q_\tau = Q_{max} \mathrm{e}^{-\tau/K} \tag{3-37}$$

式中：$\tau = t - 1$。

由于有效降雨或净雨理论上必须等于径流总量，损失必须从降雨总量中扣除，对于不透水的城市区域来说，基本的损失是填洼，它呈现指数衰减型函数。

对填洼总水量的要求是满足整个区域平均 D 的要求，假定 D 为一个常数，只有在降雨强度超过下渗强度时才能产生填洼的水量，因此有效降雨强度 $i(t)$为：

$$i(t) = r(t) - f(t) - d(t) - e(t) \tag{3-38}$$

式中：$r(t)$为降雨强度；$f(t)$为下渗率；$d(t)$为填洼率；$e(t)$为蒸发率。

进入管道的流量过程是通过一个净雨输入所产生的脉冲响应而形成的，脉冲响应 u 由下式给出：

$$u(0,t) = t_0 \exp(-t/t_0) \tag{3-39}$$

式中：t_0 为滞后时间，一个单位的脉冲响应为：

$$u(1,t) = \int_{-1}^{t} u(0,\tau)\mathrm{d}\tau_0 \tag{3-40}$$

进入管道的进水过程线的纵坐标值为：

$$q(t) = \int_{0}^{t} i(t-\tau)u(1,\tau)\mathrm{d}\tau_0 \tag{3-41}$$

当城市面积为 A_i 时，进入管道的总流量过程线如下：

$$Q(t) = \sum_{i=1}^{n} qi(t)A_i \tag{3-42}$$

前面对开封市的降水量进行了计算，但是降水量并不等于雨洪资源量，还要经过填洼、城市堆积物质的淋滤、下渗、蒸发等地表作用过程，以及经过汇流后才能到达城市排水管道，应用前面所研究的城市雨洪径流模型计算，最后得出城市雨洪污水出流过程。开封市雨洪污水资源量分不同年型进行计算，计算结果如表 3-19 所示。

表 3-19 开封市市区(包括郊区)雨洪污水资源量计算结果

频率 P(%)		5	25	50	75	95
雨洪污水资源量(万 m^3)	2 294.4(多年平均)	8 402.8	3 605.4	2 205.0	1 695.4	1 340.9

应用前面所研究的城市污水出流模型，选择不同分布类型的降雨过程，经计算后可求得城市雨洪污水出流过程。这对于城市排水规划是很有用的。但是对于污水资源化规划来说，有了一定时段内的污水资源量，就可以满足要求了。

3.2.2.4 城市污水资源总量计算

城市污水资源总量包括城市生活污水、市政商业污水、工业污水和雨洪污水等联合造成的污水量。开封市是一个以旅游为主兼有各类轻工业生产的城市，考虑到开封市未来经济建设发展水平、节水水平以及工业生产用水水平和城市居民生活水平的提高，为了便于更好地进行污水资源开发利用规划，本项目研究计算了开封市不同水平年的污水资源总量，计算结果见表 3-20。其中工业污水按万元产值耗水量计算，城市生活和公共市政污水分别按《污水综合排放标准》(GB8978—1996)和排污系数法进行计算，城市雨洪污水量按平均年型计算。

表 3-20　开封市不同水平年污水资源总量计算结果　（单位：万 m^3）

水平年	按《污水综合排放标准》(GB8978—1996)				按排污系数法计算			
	工业	生活	雨洪	污水总量	工业	生活	雨洪	污水总量
2002	7 286	5 001.5	2 294.4	14 581.9	7 947	5 096.7	2 294.4	15 338.1
2005	9 029	5 080.8	2 294.4	16 404.2	9 848	6 282.4	2 294.4	18 424.8
2010	12 866	5 207.8	2 294.4	20 368.2	14 034	6 801.4	2 294.4	23 129.8
2002 年实测	7 845	3 525	1 850.5	13 220.5	7 845	3 525	1 850.5	13 220.5

由表 3-20 计算结果可见，随着工业生产的发展以及城市居民生活水平的提高，到 2010 年，开封市污水资源总量将达到 23 129.8 万 m^3，其中城市雨洪污水量为 2 294.4 万 m^3。同城市生活与工业用水量相比，按工业万元产值耗水量计算法，2010 年开封市城市居民生活与工业预测总用水量为 30 122 万 m^3。由此可见，实现污水资源化，从水资源需求量上解决开封市水资源供需矛盾，是一条十分可行的途径。而城市雨洪资源开发利用和城市雨洪污水资源化也对解决当地水资源供需矛盾具有十分重要的意义。

3.3　城市污水水质特性分析

3.3.1　城市污水一般特性分析

城市污水的污染特性按其性质可分为物理特性和化学特性，物理特性是指污水的温度、颜色、气味等，化学特性主要是指污水的化学指标，其中包括 pH 值、碱度、生化需氧量（BOD）、化学需氧量（COD）、固体物质以及氨氮含量等。现将城市污水的一般化学特性、物理特性和城市污水的典型水质分述如下。

3.3.1.1　城市污水的物理特性

1）温度

由于住户和某些工业的热水排入污水系统，因而污水的温度常常高于给水的温度，由于城市下水道系统是在地下，因此城市污水的水温具有相对稳定的特性，随着地理位置和季节的不同，一般在 10～20℃。

水体的温度对水生生物、化学和生化反应速率以及水的使用价值都有影响。例如，水温升高后，会使生长在受纳水体中的鱼的种类改变。氧在水中的溶解度是随温度的升高而下降的，水温升高时，生化反应速率也随之加快，在夏季常常会导致地表水中严重缺氧，水体水质恶化，另外，水体水温的突然变化还可导致水生生物死亡率增大。

2）颜色

城市污水的正常颜色是灰褐色，但实际上其颜色通常变化不定，这取决于城市下水管道的状况和工业废水排入的情况。大的管网系统、维护不好的管网系统由于污水在下水道中停留时间长，化合物被细菌破坏，污水中的溶解氧降到很低，水体发生厌氧反应，污水就会变暗或为黑色。如污水变绿色、蓝色、橙色和白色等颜色，通常是由区域内的电镀、印染、造纸等工厂排放的废水造成的。

3)气味

正常新鲜的污水具有一种特殊的、有些令人讨厌的气味,而在下水道管网中停留时间比较长的污水则会产生一种恶臭味,这是由于污水已经腐化,发生厌氧反应,产生了硫化物。工业废水中可能含有产生气味的化合物,或经过生物反应或化学反应产生有气味的化合物。

令人讨厌的气味能使人食欲下降、饮水量减少、呼吸困难、恶心、呕吐,并在精神上受到干扰。多年来,人们试图将气味按其类型进行分类,几种主要的令人讨厌的气味和化合物列于表 3-21 中,这些化合物可以在污水中找到,或在污水中产生。

表 3-21　几种主要的令人讨厌的气味

化合物	典型分子式	气味特性
胺类	CH_3NH_2,$(CH_3)_3N$	鱼腥味
氨	NH_3	氨味
二胺	$NH_2(CH_2)_4NH_2$, $NH_2(CH_2)_5NH_2$	腐肉味
硫化氢	H_2S	臭鸡蛋味
硫醇	CH_3SH, $CH_3(CH_2)_3SH$	臭鼬味
有机硫化物	$(CH_3)_2S$, CH_3SSCH_3	烂白菜味
粪臭素	$C_8H_5NHCH_3$	粪便味

3.3.1.2　城市污水的化学特性

1)pH 值

pH 值对于天然水体和污水而言,都是重要的水质参数,城市污水的 pH 值呈中性,一般为 6.5~7.5。pH 值的微小降低可能是由于污水在污水管网中的反应,而酸雨地区,下雨时也会使城市污水的 pH 值降低,城市污水 pH 值突然大幅度的变化,通常是由某种工业废水的大量排入造成的。水体的 pH 值对生物的影响很大,适宜于大多数生物生存的 pH 值范围很窄,污水的生物处理对污水的 pH 值也有一定的要求。

2)碱度

污水的碱度是由钙、镁、钠、钾这些元素以及氨的氢氧化物、碳酸盐和碳酸氢盐构成的。其中,碳酸氢钙和碳酸氢镁最为常见。碱度反映了城市污水中和酸的能力,通常用碳酸钙含量(mg/L)表示。给水和生活应用过程中带进的碱性物质,都是污水碱度的来源,碱度较高的城市污水具有较强的缓冲能力,在城市污水处理的生化处理工序,可满足消化反应消耗碱度的要求,在污泥消化系统中还有缓解超负荷运行带来的酸化作用,有利消化过程稳定运行。

3)生化需氧量(BOD)

生化需氧量是在指定的温度和指定的时间段内,微生物在分解、氧化水中有机物的过程中所需要的氧的数量,生化需氧量的单位一般采用 mg/L。生化需氧量是衡量污水中有机污染物浓度的一个重要参数,完全的生物氧化的时间需上百天,这在实际应用中是不可行的。许多研究表明,生化反应速度开始很快,5 日时的生化需氧量就能达到完全分解时需氧量的 80%左右,因此在实际操作中常用 5 日生化需氧量(BOD_5)来衡量污水中有机污染物的浓度。

生化需氧量试验也有一些局限性:①测定时间长,测定条件较严格;②工业废水中往往含有生物抑制物,因此对一些有毒的工业废水需要预处理;③污水中难以生物降解的污染物含量高时误差大;④需要浓度高的、有活性的、被驯化的接种菌种。

4)化学需氧量(COD)

COD 的测定是将污水置于酸性条件下,用重铬酸钾或高锰酸钾强氧化剂氧化水中有机物时所消耗的氧量,单位为 mg/L。化学需氧量可以测定污水中的有机物,其测定时间短,一般几个小时,不受水质限制,可以测定含有对生物有毒的化合物的工业废水。但化学需氧量不像生化需氧量那样直接反映生化过程的需氧量,另外还有部分无机物也会被氧化,因此会产生一些误差。

污水的化学需氧量通常高于生化需氧量,因为可被化学氧化的有机化合物多于被生物分解氧化的有机化合物,对于许多种废水,可以找到化学需氧量与生化需氧量之间的关系,这种关系值是非常有用的,因为化学需氧量可以在几小时内测出,而生化需氧量却需 5 天的时间,一旦关系值被确定以后,在污水处理过程的控制和操作过程中,就可以利用化学需氧量代替生化需氧量,可在运行中测定 COD 值来控制运行情况。

化学需氧量和生化需氧量的差值可反映污水中难以被生物降解的有机物量的多少,在城市污水中,常用 BOD 与 COD 的比值来分析污水的可生化性,当 BOD/COD≥0.3 时,认为污水的可生化性较好,此种污水可采用常规的生化处理方法;当 BOD/COD<0.3 时,应考虑生化处理以外的污水处理技术,或对生化处理工艺进行改进,如在传统活性污泥法前后加一级水解—酸化过程。

5)总有机碳(TOC)

总有机碳的测定是向总有机碳仪的燃烧室内注入一定量的水样,在触媒的作用下,污水中的有机物在 900℃高温下分解成二氧化碳和水,用红外分析仪可对产生的二氧化碳做定时测定。为此,水样在测定前,先经酸化处理,然后曝气,以消除由无机碳引起的误差。

总有机碳试验是测定水中有机物的另一种方法,它特别适用于测定有机物含量较少的水样。总有机碳的测定非常迅速,正在成为比较普及的测定手段。然而,由于某些稳定的有机化合物在测定时可能不能氧化,所以测定出的总有机碳值比水样中实际含量略低一些,对于某些特定的污水,总有机碳值与 BOD、COD 值有一定的相关关系,而总有机碳测定仅需几分钟,预期将来总有机碳的测定会获得更广泛的应用。

6)固体物质(SS)

城市污水中的固体物质的测定是将污水过滤,把滞留在过滤材料上的物质,在 103~105℃下烘干,称量测得。城市污水中的固体物质,按其化学性质可分为有机物和无机物。

悬浮固体也称悬浮物,是污水的一项重要指标,悬浮物包括漂在水面的漂浮物,如塑料袋、油脂、木屑、果核、石油类等;悬浮于水中的悬浮物,如乳化油、生物体等。

7)总氮(TN)、氨氮

氮对生物生长是很重要的,是污水生化处理的营养物质,所以含氮量对于评价污水是否能采用生物方法处理是必不可少的。为使污水能进行生物处理,当污水中氮不足时,必须增加含氮量,但当污水中氮含量较高,超过了微生物的新陈代谢增殖所需的氮量时,多余的氮将随着污水排入水体中,在水中氮耗用水中的溶解氧,从而对环境造成一定的影响。因此,污水处理开始注重氮的去除。

新鲜污水中的氮主要存在于蛋白质与尿素中,它们可被细菌迅速分解,转化为氨,在好氧环境下,细菌能将氨氮氧化为亚硝酸盐和硝酸盐,在厌氧环境下,亚硝酸盐和硝酸盐能被反硝化成氮气。总氮是污水中各类有机氮和无机氮的总和,氨氮是无机氮的一种。

8)总磷(TP)

磷对于藻类和其他生物的生长很重要,水体中常见的有正磷酸盐、聚磷酸盐和有机磷酸盐。污水中的磷主要来自人畜的粪便、合成洗涤剂、农业、某些工业行业。水体中若磷过量,会使藻类大量生长。因此,目前对控制随生活污水、工业废水和地面径流而进入地表水中磷的数量十分关注,并采取措施减小排入水体中磷的含量。

9)硫

污水中的硫来源于大多数给水中和水的使用过程中,在好氧条件下,硫的化合物可被细菌氧化成硫酸根离子,在厌氧条件下,硫的化合物可被细菌还原为硫化氢,当污水中的硫化物的浓度超过一定值后,会对生物净化过程造成一定影响。

10)蛋白质

蛋白质是动物机体的主要组成部分,植物中蛋白质含量少一些。蛋白质有复杂的化学结构,而且不稳定,可发生不同形式的分解,有些蛋白质可溶于水,有些则不溶,蛋白质形成的化学过程就是许多种氨基酸化合或结合在一起的过程,蛋白质的分子量从 2 万到 2 000 万。

蛋白质中都含有碳、氢和氧。另外,在各种不同的蛋白质中还含有大约 16%的氮,在许多蛋白质中,还含有硫、磷和铁。尿素和蛋白质是污水中氮的主要来源,如果污水中蛋白质含量过高,蛋白质的分解往往使污水产生难闻的气味。

11)碳水化合物

碳水化合物广泛存在于自然界中,如糖、淀粉、纤维素和木质素,这些碳水化合物都能在污水中找到。碳水化合物中含有碳、氢和氧,有些碳水化合物如糖能溶于水,有些碳水化合物,如淀粉、纤维素,则不溶于水。糖可以分解,某些细菌的酶和酵母可以使碳水化合物发酵,产生酒精和二氧化碳。淀粉比较稳定,但它可被微生物转化为糖。纤维素是污水中重要的碳水化合物,纤维素在土壤中容易被破坏,这主要是由于各种真菌的作用,特别是在酸性条件下,纤维素更易于分解。

12)动植物油脂

各种脂肪和油类是甘油与脂肪酸形成的化合物。脂肪酸甘油脂在常温时是液态的称为油脂,是固态的称为脂肪。

生活污水中的脂肪和油脂来源于动植物油脂,动植物油脂属于最稳定的有机化合物,不易被细菌分解。然而,它可被无机酸分解,生成甘油和脂肪酸。遇有碱性物质时,例如氢氧化钠,甘油被析出,形成脂肪酸钠。

污水中的油脂会对污水管网和污水处理厂造成一定的影响,油脂排入水体会妨碍地表水中的生物活动,并生成一层漂浮物和油膜。

13)石油类

汽油、煤油、柴油、润滑油、重油、油渣都是由石油和煤焦油炼制而成的,都是碳氢化合物,这些油类以多种形式进入污水管网,虽然有一部分油会附着在沉淀下来的固体污泥里,但大部分仍漂浮在水面上,矿物油比动植物油更容易漂浮在水面上,从而妨碍水体中生物的活动。

14)表面活性剂

表面活性剂是一种有机物,它一般都有亲水基团和亲油基团,不同的亲水基团和亲油基团的表面活性剂在水中的溶解度是不同的,表面活性剂可分为阴离子型、阳离子型、非离子型和两性型,这些类型的表面活性剂在污水中都能找到。

阳离子表面活性剂中含基铵盐基团,一般具有一定的杀菌、抑菌能力,当污水中这些表面活性剂达到一定的浓度后,会对污水的生化处理产生一定的影响。阴离子表面活性剂(LAS)一般都具有发泡能力,污水中含有一定的阴离子表面活性剂时,曝气时会在污水表面形成一层较稳定的泡沫。

早期的用于洗涤作用的合成表面活性剂由于含有支链,生物降解性能较差,现在洗涤剂中的表面活性剂都是生物降解性能较好的直链结构。

15)酚

酚和其他一些微量有机化合物一样也是水体的一种重要污染物,酚能使饮用水带有异味,若是向水中加氯,味道更重。水体中的酚主要来自工业生产,通过工业废水的排放而进入水体,酚可被生物氧化的最高浓度为500mg/L。

16)农药和农用化学品

农药、除草剂和其他农用化学品对大多数生物都具有毒性,会对地表水造成严重污染。生活污水中通常不含这些物质,这些物质主要来自农药厂和农业生产过程,这些化学品浓度过高会使鱼死亡,或污染鱼肉,降低其食用价值,这些物质存在于水中会污染水源。

17)重金属

污水中的重金属,例如镍(Ni)、锰(Mn)、铅(Pb)、铬(Cr)、镉(Cd)、锌(Zn)、铜(Cu)、铁(Fe)和汞(Hg),在污水中的含量很低,但也是污水中污染物的重要组成成分。其中,某些金属元素对于生物生长是必要的,例如,多种金属元素在其含量不足时,就会抑制生物生长;有些是对生物生长不利的,其中危害较大的有汞、镉、铜、锌等。汞通过食物链,可以在人体内积累,引起疾病。镉易被生物富集,通过食物链,造成骨损伤症。铬通过食物链被人摄取,导致慢性中毒。铅大量进入人体,可引起急性中毒,长期微量进入人体,可产生慢性中毒。铜、铅、银、铬、砷和硼对于微生物都具有不同程度的毒性。在一些污水处理过程中,由于污水中有毒离子的破坏作用,达到杀死微生物而使处理中断的程度。例如,在污泥消化过程中,铜的有毒浓度为100mg/L,铬和镍的有毒浓度为500mg/L。

3.3.1.3 城市污水的典型水质

1)城市生活污水水质

决定城市生活污水水质的主要因素有:① 城市居民的生活习惯;②城市市政管理及卫生设备条件;③污水管网的分合流制及管网布局状态;④季节的变化与当地气候条件;⑤城市所处的地域等。常见的典型城市生活污水水质见表3-22。

表3-22 典型城市生活污水水质

序号	水质指标	浓度(mg/L)		
		高	中	低
1	总固体(TS)	1 200	720	350
2	溶解性总固体	850	500	250
3	非挥发性	525	300	145
4	挥发性 TDS	325	200	105
5	悬浮物(SS)	350	220	100
6	生化需氧量(BOD_5)	400	200	100
7	化学需氧量(COD)	1 000	400	250
8	总有机碳(TOC)	290	160	80
9	可生物溶解部分	750	300	200
10	总氮(TN)	85	40	20
11	总磷(TP)	15	8	4
12	氯化物(Cl^-)	200	100	60
13	碱度($CaCO_3$)	200	100	60
14	油脂	150	100	50

生活污水中的主要污染物有动植物油、悬浮物、碳水化合物、蛋白质、表面活性剂、氮和磷的化合物、微生物及无机盐等。生活污水中的有机污染物一般都比较容易生物降解,而且污水的BOD/COD值达到0.5~0.6。污水中含有氮、磷等营养物质,因此典型的生活污水的可生化性较好。

2)城市工业污水水质

建设城市污水处理厂对城市的生活污水和工业废水进行集中的合并处理是城市水污染防治的重要措施之一。生活污水与工业污水的合并处理有以下若干优点:有些工业污水的污染物单一,营养物不够或不平衡,生活污水中较丰富而且均衡的营养物可以弥补工业废水在生物处理时这方面的不足;工业废水的水质水量往往不如生活污水的稳定,而且工业废水中往往含有一些对生化处理有影响的污染物或是某一种污染物浓度高,工业污水和生活污水两者混合,能有效地调节水质水量,使生物处理进水负荷均匀,有利于生物处理的正常进行;集中式的合并处理比分散处理节省占地面积、节省投资、易于管理、降低运行费用、提高环保设施的正常运转率、保证出水水质。

工业污水中的污染物种类比生活污水中的污染物种类多,工业污水中有机物一般情况下生物降解性能比生活污水中的有机污染物的生物降解性能差,如我国北方一些工业城市污水处理厂的 BOD/COD 值为 0.3～0.5。含有工业废水的城市污水中常常含有较多种类的金属盐，在污水处理工艺与水回用时应注意这些金属盐的影响。

工业污水的水质变化非常大，有些工业污水可能具有强腐蚀性，可燃、可爆或含有对生化处理系统的微生物有毒的物质。因此，为了保障城市下水道设施不受损坏，保证城市污水处理厂的正常运行，保障养护管理人员的人身安全，对于进入城市下水道的工业污水，国家环保、市政及技术监督部门都制定了相关的污水排放标准。中华人民共和国建设部发布的《污水排入城市下水道水质标准》(CJ3028—1999)和中华人民共和国国家标准《污水综合排放标准》(GB8978—1996)中规定，对排入设置二级污水处理厂的城镇污水，执行三级标准。其有关内容见表 3-23～表 3-25。

表 3-23　污水排入城市下水道水质标准(CJ3028—1999)

序号	项目名称	单位	最高允许浓度	序号	项目名称	单位	最高允许浓度
1	pH 值		6.0～9.0	16	氯化物	mg/L	20.0
2	悬浮物	mg/L	150	17	总汞	mg/L	0.05
3	易沉固体	mg/L	10	18	总镉	mg/L	0.1
4	油脂	mg/L	100	19	总铅	mg/L	1.0
5	矿物油类	mg/L	20.0	20	总铜	mg/L	2.0
6	苯系物	mg/L	2.5	21	总锌	mg/L	5.0
7	氰化物	mg/L	0.5	22	总镍	mg/L	10
8	硫化物	mg/L	1.0	23	总铁	mg/L	10.0
9	挥发性酚	mg/L	1.0	24	总铬	mg/L	1.5
10	温度	℃	35	25	总硒	mg/L	2.0
11	BOD_5	mg/L	100	26	总砷	mg/L	0.5
12	COD	mg/L	150	27	硫酸盐	mg/L	600
13	溶解性固体	mg/L	2 000	28	LAS	mg/L	10.0
14	有机磷	mg/L	0.5	29	氨氮	mg/L	25.0
15	苯胺	mg/L	5.0	30	磷酸盐(P)	mg/L	1.0

表 3-24　第一类污染物最高允许排放浓度(GB8978—1996)

序号	污染物	最高允许排放浓度(mg/L)	序号	污染物	最高允许排放浓度(mg/L)
1	总汞	0.05	7	总铅	1.0
2	烷基汞	不得检出	8	总镍	1.0
3	总镉	0.1	9	苯并(α)芘	0.000 3
4	总铬	1.5	10	总银	0.5
5	六价铬	0.5	11	总 α 放射性	1Bq/L
6	总砷	0.512	12	总 β 放射性	10Bq/L

表 3-25　**第二类污染物最高允许排放浓度**(GB8978—1996)

(1998 年 1 月 1 日后建设的单位)　　(单位:mg/L)

序号	污染物	适用范围	一级标准	二级标准	三级标准
1	pH 值	一切排污单位	6～9	6～9	6～9
2	色度(度)	一切排污单位	50	80	—
3	悬浮物(SS)	采矿、选矿工业	70	300	—
		其他排污单位	70	150	400
4	生化需氧量(BOD_5)	制糖、酒精、味精等工业	20	100	600
		其他排污单位	20	30	300
5	化学需氧量(COD)	酒精、味精、医药等工业	100	300	1 000
		其他排污单位	100	150	500
6	石油类	一切排污单位	5	10	20
7	动植物油	一切排污单位	10	15	100
8	挥发酚	一切排污单位	0.5	0.5	2.0
9	总氰化物	一切排污单位	0.5	0.5	1.0
10	硫化物	一切排污单位	1.0	1.0	1.0
11	氨氮	医药、燃料等工业	15	50	—
		其他排污单位	15	25	—
12	氟化物	一切排污单位	10	10	20
13	磷酸盐(P)	一切排污单位	0.5	1.0	—
14	甲醛	一切排污单位	1.0	2.0	5.0
15	苯胺类	一切排污单位	1.0	2.0	5.0
16	硝基苯类	一切排污单位	2.0	3.0	5.0
17	阴离子表面活性剂(LAS)	一切排污单位	5.0	10	20
18	总铜	一切排污单位	0.5	1.0	2.0
19	总锌	一切排污单位	2.0	5.0	5.0
20	总硒	一切排污单位	0.1	0.2	0.5
21	总有机碳(TOC)	一切排污单位	20	30	—

3.3.2　开封市城市污水主要污染物分析

开封市城市污水主要由生活污水和城市工业污水组成,在工业污水中主要以轻工业为主。开封市是一个旅游城市,生活污水占有相当大的比例,由于城市管理水平不高,市政污水也占据相当的比例。

据监测统计,2002 年全市废污水排放量为 1.137 0 亿 m^3,其中工业废水占 69.0%,生活污水占 31.0%。工业废水日排放量 21.50 万 t,生活污水日排放量为 9.65 万 t。2002 年开封市废污水达标排放量为 3 120 万 t,达标排放率为 27.4%。对开封市 5 条主要河流进行水质监测,除黄河水质达到Ⅲ类外,其他河流均为Ⅴ类或超Ⅴ类。污废水中主要污染物有镉、六价铬、砷、铅、酚、氰化物、石油类、COD_{Cr}。

开封市代表性工业污水主要污染成分监测情况见表 3-26~表 3-28。

表 3-26　开封市化肥厂工业污水主要污染物监测情况　(单位:mg/L)

序号	采样时间(年-月)	监测项目										
		pH 值	COD_{Cr}	悬浮物(SS)	氰化物	挥发酚	氟化物	铜	油	砷	氨氮	硫化物
1	1999-08	7.30	102	4.0	0.39	0.001	2.20	0.004	0.5	3.78	88.1	1.1
2	2000-05	7.52	382	93	0.016	0.001	2.73	0.004	1.5	2.69	33.8	0.92
3	2001-09	8.02	391	44	0.002	0.001	5.61	0.403	3.3	7.78	154	0.20
4	2003-03	9.13	129	370	—	—	5.15	—	1.5	0.15	202	0.11

表 3-27　开封市制药厂工业污水主要污染物监测情况　(单位:mg/L)

序号	采样时间(年-月-日)	取样地点	监测项目				
			pH 值	COD_{Cr}	悬浮物(SS)	氟化物	监测使用标准
1	1998-05-28	1 号口	9.18	122	176	23.8	GB8978—1996
2	1998-05-28	2 号口	7.70	158	64	3.96	
3	2000-05-17	1 号口	7.57	87	179	13.8	GB8978—1996
4	2000-05-17	3 号口	6.23	310	580	1.78	
5	2001-04-19	1 号口	6.76	45.7	92	3.66	GB8978—1996
6	2001-04-19	3 号口	6.57	53.3	83	1.36	
7	2003-02-12	1 号口	7.65	74.1	86	1.71	GB8978—1996
8	2003-02-12	3 号口	7.92	155	86	1.73	
9	2003-06-24	1 号口	7.74	110	28	2.87	GB8978—1996
10	2003-06-24	3 号口	7.50	292	33	1.48	

表中监测使用标准如下:pH 值(GB6920—86),COD_{Cr}(GB11914—89),悬浮物(GB11901—89),油(GB/T16488—1996),氰化物(GB7486—87),氟化物(GB7484—87),硫化物(GB/T1689—1996),挥发酚(GB7490—87),氨氮(GB7479—87)。

表 3-28　开封市火电厂工业污水主要污染物监测情况(2003 年 4 月)（单位:mg/L）

取样地点	指标	监测项目						
		pH 值	悬浮物(SS)	COD_{Cr}	氟化物	硫化物	油	总砷
灰渣水排放口	最高值	8.50	50	31.64	3.95	0.60		—
	最低值	8,32	14	24.79				
	平均值	8.36	33.67	26.59				
	监测次数	3	3	3	1	1		1
	超标率	0	0	0	0			
厂区工业废水排放口	最高值	8.41	73	43.90	1.46	0.44	2.0	0
	最低值	8.09	41	32.12			1.6	0
	平均值	8.29	59	38.85			1.8	0
	监测次数	3	3	3	1	1	2	1
	超标率	0	0	0	0	0	0	0

从开封市化肥厂工业污水监测情况来看,一是各项污染指标不稳定,例如 pH 值在 2000 年前基本不超标,但是 2003 年监测结果为超标。氨氮一直处于超标状态,且氨氮排放指标起伏不稳,最小的为 33.8mg/L, 最大达到 202mg/L,且近年来有上升趋势。

开封市制药厂污水指标基本在规定的范围内,但是在 2000 年的排污水中有多项指标超标。其中 pH 值最高达 9.95 以上,超过规定的标准。部分时间排出的污水 COD 超过 300 mg/L,为二级污水排放标准。2003 年 11 月对开封市制药厂污水排放监测结果表明, 5 日生化需氧量为 348mg/L, 超过了二级污水排放标准。

开封市火电厂 1998 年对内部水处理系统进行了改建,污水综合治理工程包括工业污水综合处理站、生活污水处理、灰水回收利用等。提高了水的内部循环利用率,经监测证明,除了 pH 值偏大外,其他污水排放基本达一级排放标准。开封市城市生活污水水质监测情况见表 3-29。

表 3-29　开封市城市生活污水水质监测情况（单位:mg/L）

编号	采样地点	时间(年-月-日)	监测项目										
			pH 值	COD_{Cr}	BOD_5	SS	NH_3-N	TP	Pb	Cd	Cr	挥发酚	F^-
1	芦花岗	1998-07-13	7.17	290	105	155	23.8	3.34	0.015	0.000 5	0.002	0.006	1.67
2	芦花岗	1998-07-14	8.83	245	107	92	40.8	3.05	0.015	0.000 5	0.002	0.006	1.61
3	赵屯	1998-07-15	8.62	291	98.5	188	41.9	1.20	0.015	0.000 5	0.002	0.006	1.76
4	芦花岗	1996-03-20	6.90	313	114	217	42.0	3.58	0.015	0.000 5	0.002	0.138	
5	芦花岗	1996-03-21	7.83	297	104	198	39.5	3.20	0.015	0.000 5	0.002	0.076	
6	芦花岗	1995-08-31	7.28	289	151.6	103	18.8						

由表 3-29 可见,pH 值最高达 8.5 以上,平均在 7.8 左右,悬浮物最高达 217mg/L, COD_{Cr}最高达 313mg/L。对于污水中部分重金属的含量监测表明,各项实测值没有超标现象。与表 3-22 相对比,开封市生活污水水质除了 pH 值、化学需氧量(COD)、悬浮物

(SS)较高外,其他污水排放指标基本正常,若要将污水用于农田灌溉,污水处理的任务并非很重。这就给污水用于农业灌溉资源化提供了可行性。但是若将开封市城市生活污水直接用于农业灌溉,还需要对污水有害物质在土壤及农作物中的残留量以及有害物质在自然条件下的可降解程度进行观测,以达到开发非常规水源,保持生态系统良性循环和水资源可持续开发利用之目的。另外,城市污水管道的建设也相当重要,虽然生活污水便于农业灌溉利用,但是若将城市工业污水和生活污水混合排放,则污水水质将发生较大的变化,于是污水处理的任务将会随之加重。

3.4 开封市污水资源水质综合评价

3.4.1 评价因子的确定

通过对污染源调查,以城市废污水排放污染物特征为依据,选取能反映开封市河流水环境质量的主要污染指标为 COD_{Cr}、BOD_5、砷、汞、铅、氰化物、挥发酚。

3.4.2 水质参数值的确定

按照有关理论,用于评价水质的参数值应是通过取样、监测后,对监测数据经过统计检验,剔除了离群值后的 k 个监测数据的平均值(必要时应考虑方差),即 $c_i = \overline{c}_{ik}$。但在实际工作中,往往监测数据样本量较小,难以利用统计检验剔除离群值。这时,如果数据集的数值变化幅度甚大,应考虑高值的影响,宜取平均值与最大值的均方根作为评价参数值。即:

$$c_i = \left(\frac{c_{i\max}^2 + \overline{c}_{ik}^2}{2} \right)^{0.5} \tag{3-43}$$

式中:c_i 为 i 参数的评价质量浓度值;$\overline{c}_i$ 为 i 参数监测数据(共 i 个)的平均浓度值;$c_{i\max}$ 为 i 参数监测数据集中的最大值。

根据式(3-43),对所选的5个断面(涡河邸阁站、黄河黑岗口、黄汴河孙李唐、惠济河汗屯桥、惠济河大王庙)枯水期、平水期、汛期水样进行监测,并对监测数据进行分析,得出水质参数值如表3-30所示。

表3-30 2003年开封市水质参数值 (单位:mg/L)

断面名称	水期	COD_{Cr}	BOD_5	As	Hg	Pb	挥发酚	氰化物
涡河邸阁站	枯水期	137	26	0.003 5	0.000 025	0.005	0.053	0.026
	汛期	39.4	0.4	0.003 5	0.000 025	0.005	0.001	0.002
	平水期	57.6	12	0.008	0.000 025	0.005	0.043	0.006
	年平均	78	20.5	0.005	0.000 025	0.005	0.032	0.011
黄河黑岗口	枯水期	34.6	3.7	0.003 5	0.000 025	0.005	0.001	0.002
	汛期	29	29	0.003 5	0.000 18	0.005	0.034	0.002
	平水期	29	0.9	0.01	0.000 025	0.005	0.002	0.002
	年平均	30.9	22.0	0.005 7	0.000 08	0.005	0.026	0.002

续表 3-30

断面名称	水期	COD_{Cr}	BOD_5	As	Hg	Pb	挥发酚	氰化物
黄汴河孙李唐	枯水期	137	14.9	0.003 5	0.000 025	0.005	0.018	0.005
	汛期	38.3	0.8	0.003 5	0.000 025	0.005	0.001	0.002
	平水期	54.6	2.1	0.003 5	0.000 025	0.005	0.002	0.002
	年平均	76.6	11.3	0.003 5	0.000 025	0.005	0.007	0.003
惠济河汪屯桥	枯水期	230	62.4	0.003 5	0.000 025	0.022	0.032	0.065
	汛期	58	30.9	0.003 5	0.000 025	0.02	0.005	0.002
	平水期	96.8	52.2	0.003 5	0.000 025	0.005	0.086	0.017
	年平均	128.3	48.5	0.003 5	0.000 025	0.016	0.041	0.028
惠济河大王庙	枯水期	1 730	500	0.047	0.000 025	0.005	1.65	0.006
	汛期	354	54.2	0.025	0.000 025	0.005	0.06	0.002
	平水期	142	35.4	0.003 5	0.000 025	0.005	0.084	0.002
	年平均	742	196.5	0.025 2	0.000 025	0.005	1.241	0.003

3.4.3 水质参数评价

水质参数评价采用标准型指数单元，其公式为：

$$x_i = \frac{c_i}{s_i} \tag{3-44}$$

式中：x_i 为某一质量参数的标准型指数单元；c_i 为某一质量参数的监测统计浓度，例如某一污染物的年月平均质量浓度；s_i 为某一质量参数的评价标准，通常采用国家环境质量标准，在国家标准未作规定时采用国际标准或环境基准值。

如污染指数 $x_i > 1$，表明该水质超标。

3.4.4 评价结果

采用上述的方法对各断面水质中 7 种污染物进行评价，评价结果见表 3-31。

表 3-31　开封市地表水水质评价

断面名称	指标	COD_{Cr}	BOD_5	As	Hg	Pb	挥发酚	氰化物
涡河邸阁站	年平均污染指数	0.26	0.14	0.05	0.03	0.05	0.03	0.02
	最不利污染指数	0.46	0.17	0.04	0.03	0.05	0.05	0.05
黄河黑岗口	年平均污染指数	0.10	0.15	0.06	0.08	0.05	0.03	0.004
	最不利污染指数	0.12	0.02	0.04	0.03	0.05	0.001	0.004
黄汴河孙李唐	年平均污染指数	0.26	0.08	0.04	0.03	0.05	0.01	0.01
	最不利污染指数	0.46	0.10	0.04	0.03	0.05	0.02	0.01
惠济河汪屯桥	年平均污染指数	0.43	0.32	0.04	0.03	0.16	0.04	0.06
	最不利污染指数	0.77	0.42	0.04	0.03	0.22	0.03	0.13
惠济河大王庙	年平均污染指数	2.47	1.31	0.25	0.03	0.05	1.24	0.01
	最不利污染指数	5.77	3.33	0.47	0.03	0.05	1.65	0.01
农田灌溉水质标准		300	150	0.1	0.001	0.1	1.0	0.5

从表 3-31 可以看出，涡河邸阁站、黄河黑岗口、黄汴河孙李唐和惠济河汪屯桥断面水质较好，即使是枯水期也没有污染物超标，可用于农业灌溉。而在惠济河大王庙断面水质较差，其中 COD_{Cr}、BOD_5 和挥发酚年平均污染指数大于 1，在枯水期 COD_{Cr}、BOD_5 和挥发酚的污染指数高达 5.77、3.33 和 1.65。这是因为惠济河承纳了开封市区排放的大量工业废水和城市生活污水。

第4章　开封市污水资源监测技术与污水资源分布情况调查研究

4.1　监测网络设计基本原则

监测网络设计应符合以下基本原则。

4.1.1　满足水资源可持续开发利用的基本要求

为了达到开发污水资源的目的,监测站网的布设要求尽量与污水资源化规划相结合,要求与各水功能区相结合。及时掌握污水资源的时空变化规律,为水资源的可持续开发利用服务。

4.1.2　水量、水质并重的原则

水量和水质是两个相互影响的统一因素,没有一定的水量,水质就很难保证。只有水质而没有水量更是无法进行非常规水资源的开发利用。许多历史资料往往是因为不配套,而无法进行区域的系统性水资源合理规划。因此,水质的监测资料要求与水量同步进行,做到量、质结合。

4.1.3　以现有站网为基础,优化资源利用

监测站网的规划要以现有站网为基础,其中包括水质站、水文站等,避免重复建设,尽可能利用现有站网的历史资料,形成配套的水资源监测网络,其中包括地表水、地下水、引黄水、各类排水系统的监测站网。

4.1.4　为社会经济发展服务的原则

结合当地工农业经济发展规划,有目的地布设监测站网,使其更好地发挥社会经济效益。监测断面的布设要与各水资源功能区相配套。

4.1.5　结合生产实际,分步实施的原则

随着当地工农业经济的发展,不同时期对水质监测站的要求密度和目的不同,水环境监测站网也应分期进行,以优化利用不同时期的站网资源,提高监测资料的社会经济效益。

4.2 监测断面优化设计原则

监测断面优化设计原则如下:

(1)监测断面的布设应满足为监视区域环境质量服务的原则、为污染源管理服务的宗旨。监测断面应布设在水系出入口、排污口附近,以便对水量、水质的变化及时监控,也便于提高所测资料的精度。

(2)监测断面的数量应能反映开封市不同水体的分布与变化规律,但在监测断面规划时,要做好实地调查,力争用较少的断面监控较完整的区域水资源变化和水质分布状况。

(3)为了观测方便,监测断面应尽可能布设在方便观测以及交通便利的地方,从而使观测资料精度也能得到保障。如桥梁、过河建筑物等。

(4)为保持资料的完整性、一致性和系统性,水质监测断面应和国家水文部门的观测点的分布相配合,以便进行资料的一致性分析。

4.3 监测站点布设方案

根据上述水质监测网点的布设原则和监测断面的优化设计原则,对开封市水资源和水质监测站网进行了规划,成果见附图一。

4.3.1 饮用水源地水质监测断面

饮用水源地水质监测是关系到市民用水安全的大事,要求标准较高。黑池、柳池、清水河为开封市饮用水源地,也是容易受到污染的地方。为了用水安全,规划布设2个常年控制监测断面。

4.3.2 旅游区水体监测断面

开封市近年来旅游业发展很快,旅游人员流动性大,水体易受到污染。处于游览风景区的龙亭湖、包公湖、铁塔湖是开封市旅游胜地的主要水体。为了便于管理,除了继续保留原有龙亭湖、包公湖监测点外,规划新增设铁塔湖监测点。

4.3.3 惠济河水质监测断面

惠济河是豫东地区一条主要排水骨干河道,它发源于开封市济梁闸,流经开封(郊区、县)、杞县、睢县、柘城、鹿邑6县(市),于安徽亳州大刘庄入涡河,全长173.76km,在河南省境内166.5km,其中有堤段125km,柘城陈口以下47km为地下河段,河床宽深,排涝能力较大,历史上曾达到50~100年一遇标准。支流18条,其中:左岸有13条(从上往下是北郊沟、东郊沟、惠北泄水渠、柏慈沟、淤泥河、崔林河、茅草河、通惠河、申家河、废黄河、永安河、太平沟及明净沟),右岸有5条(从上往下是黄汴河、南郊沟、马家河、小蒋河及小洪河)。全流域呈柳叶形,面积4 130km^2(开封市为1 679.1 km^2,商丘市为2 141.9 km^2,周口市为309 km^2),人口300余万人,耕地450万亩,桥梁66座,涵闸97座。

惠济河水质监测对开封市农业用水以及环境治理具有十分重要的意义。水质断面监测布设情况如下。

4.3.3.1 对照断面

黄汴河是惠济河上游的主要支流，其上游河水主要来自农田灌溉退水、地面径流和干渠季节性放水。该断面设立在开封市城外西北部孙李唐桥处，位于市区工业区的上游，水样能如实反映进入市区前黄汴河水质初始状况。由于不受工业污染，可以代表黄汴河上游不同时间水质真实情况。该处设有水文部门巡测点，可提供可靠的水文资料和水质监测资料，这些资料相互配套，可进行水质、水量的综合性分析。

惠济河上游的其他支流，因河流太短，河流水量基本是由市区内排出的废污水组成，因此在上游均不设对照断面。

4.3.3.2 控制断面

考虑到开封市西区开发区的发展情况，马家河的纳污量将不断增加。为了监测惠济河接纳开封市城市污水的真实情况，将监测断面设在太平岗桥(1991 年前断面在汪屯桥)。市区内各支流因河流较短，所以原控制断面不变，仍在各汇流入口上游不远的地方。

马家河控制断面：马家河起源于开封县杏花营乡西北，它汇集了开封市西北部的农田退水，绕开封市向东在太平岗西汇入惠济河。马家河是主要接纳农田退水的河流。目前已有少量工业废水排入。随着开封市西区的开发和西区清污分流治理黄汴河污染计划的实施，马家河将会成为西区主要纳污河道。所以，对马家河水质状况进行监测，对于开封市工农业经济发展有十分重要的意义。因此，研究认为在马家河与开尉公路相交点芦花岗桥设置控制断面是合适的。该断面不仅采样方便，且能代表马家河排入惠济河之前的水质，是比较理想的。

淤泥河控制断面：淤泥河河水是由农田退水和泄洪构成的，每年径流量大于惠济河水量，属惠济河上游一大支流，水质较好，水清、无色、无臭味，对有机物污染严重的惠济河来讲有明显的稀释作用。为了开封市大环境服务，为了更全面地了解不同水体的水质情况，也为了污水资源化的需要，研究认为应当在该河流上设置控制断面。本河流控制断面设立在杞县徐庄。

4.3.3.3 削减观测断面

惠济河河水在开封市区受到污染，经过 65.9km 的流程，通过水体本身的自净作用，污染有所减轻。加之淤泥河、马家河水量的汇入，使污染物进一步稀释。因此，为了观测河流本身的自净作用对污染减轻的程度，应设立一些污染物降解状况观测断面，称之为河流污染物削减观测断面。

惠济河污染物削减观测断面设在杞县大王庙，该处设有水文站。由于李岗闸的存在，在枯水期，李岗闸关闭，大王庙断面断流。惠济河河水顺东风干渠向南流去。在丰水期，李岗闸开启，大王庙断面才能采到水样。鉴于以上情况，该削减观测断面采样视李岗闸开、闭变化而定，即当李岗闸关闭时，在东风干渠上采样，当李岗闸开启时，在大王庙断面采样。惠济河水质监测断面布设情况见表 4-1。

表 4-1　开封市污水资源化监测断面规划方案

水体名称	功能区		监测断面					主要监测项目	承担单位
	名称	类型	位置	宽度(m)	水深(m)	采样点数	监测频率		
涡河	黄汴河Ⅰ	Ⅲ	孙李唐桥	21.0	0.23	3	6	(1)BOD_5	开封市环保局
	黄汴河Ⅱ	Ⅴ	羊市桥	27.2	0.37	4	6	(2)COD_{Cr}	
	惠济河Ⅱ	Ⅴ	汪屯桥	39.6	0.53	4	6	(3)Hg	
	惠济河Ⅲ	Ⅳ	大王庙	56.7	0.68	5	6	(4)Cr	
	东护城河	Ⅴ	滨河路桥	8.5	0.3	3	6	(5)DO	
	药厂河	Ⅴ	蓝天饭店	7.5	0.5	3	6	(6)挥发酚	
	城市下水	Ⅴ	南关泵站	2.0	1.56	2	6	(7)高锰酸盐指数	
	东郊沟	Ⅴ	皮屯桥	15.0	0.65	3	6	(8)非离子氨	
	北支河	Ⅴ	入东护城河	4.5	0.24	2	6	(9)氰化物	
	马家河	Ⅴ	芦花岗桥	45.2	0.37	3	6		
	淤泥河	Ⅳ	杞县徐庄	61.0	0.46	3	6		
	涡河Ⅰ	Ⅲ	黑岗口	21.0	0.78	3	6		
	涡河Ⅱ	Ⅳ	通许邸阁	49.6	0.38	3	6		
	黑、柳池	Ⅱ	柳园口牛庄		3.0	3	6		
	清水河	Ⅱ	一水厂泵站	21.0	0.35	3	6		
	惠家渠	Ⅴ	入涡河口	28.6	0.22	3	3		
	小蒋河	Ⅴ	杞、睢县界	21.0	0.10	3	3		
	杜庄河	Ⅳ	入淤泥河口	27.0	0.10	3	3		
	柏慈河	Ⅳ	入惠济河口	32.0	0.15	3	3		
	惠北泄水渠	Ⅳ	入惠济河口	37.0	0.16	3	3		
颍河	贾鲁河Ⅰ	Ⅳ	尉氏杨村	49.0	0.86	3	6		
	贾鲁河Ⅱ	Ⅳ	尉氏后荣村	55.0	0.82	3	6		
	康沟河	Ⅴ	尉氏西黄庄	39.6	0.11	3	3		
湖泊	龙亭湖	Ⅲ	龙亭湖		1.5	4	6		
	包公湖	Ⅲ	包公湖		1.5	4	6		
	铁塔湖	Ⅲ	铁塔湖		1.0	4	6		

4.3.4　涡河水质监测断面

涡河发源于开封县徐口镇，东南流经通许、太康、柘城、鹿邑入皖境亳州，于怀远县入淮河。干流在河南省内长度为179.3km，流域面积为8 371km^2，拦河闸5座（裴庄闸、吴庄闸、魏湾闸、玄武闸、付桥闸），桥梁36座，支流29条，累计长度为1 255.36km。

涡河干流分别于1965、1966年进行了治理，治理长度为169.5km，开封县的徐口镇至通许县的西邸沟口，长37km，治理标准为防洪20年一遇，除涝3年一遇；从西邸沟口至王桥寨，长110.5km，治理标准为防洪10年一遇，除涝3年一遇的70%；从王桥寨至蒋营，长20km，治理标准为防洪10年一遇，除涝5年一遇。周口市建立了涡河管理处，各县建立了闸管所。

开封市位于涡河水系的上游，经调查研究，涡河水系开封市境内水质断面规划结果如下。

4.3.4.1　**对照断面**

设在涡河主要支流运粮河的上游——黑岗口。

4.3.4.2　**控制断面**

原设立的邸阁断面，交通便利，并设有国家级水文站，水质监测采样及水文观测都很方便。此断面虽然不处于开封出境处，但该断面以下沿途无支流汇入，此断面的监测资料可以代表开封市出境水质情况。涡河水质监测断面情况见表4-1。

4.3.5　贾鲁河水质监测断面

贾鲁河是豫东地区一条主要排水河道，是沙河的一条主要支流，发源于新密市圣水峪，全长276km，流经新密、郑州、中牟、开封、尉氏、鄢陵、扶沟（川汇区）、西华、周口，流域面积5 896km^2，耕地面积520万亩，流域内山区占流域面积的12.5%，丘陵区占35.9%，平原区占51.6%，拦河闸6座（后曹闸、高集闸、摆渡口闸、扶沟闸、闫岗闸、周口闸），桥梁61座，涵洞41座。绿化136.2km。

贾鲁河上游段老鸦陈镇的南阳村至下游花园口镇申庄村长12km，2000年至今治理长度4km，标准为除涝3年一遇，防洪10年一遇，过水能力54m^3/s。金水区庙李镇的皋村至陈三桥东，全长21km，1998～2002年治理12.08km，标准为除涝3年一遇，防洪10年一遇，除涝流量可达139m^3/s，最大防洪流量为297m^3/s。贾鲁河中牟县境内全长43.94km，省规划桩号为134+480～178+420，1993～1999年连续7年对境内的贾鲁河进行了疏浚治理，根据1991年12月河南省水利勘测设计院编制的《贾鲁河干流防洪除涝工程设计》一书，按3年一遇除涝流量标准开挖河槽断面，按20年一遇防洪流量标准规划河道堤距及堤防。中牟县贾鲁河花桥处设计除涝流量261m^3/s、防洪流量600m^3/s，设计河底高程71.6m，除涝水位76.13m，防洪水位77.51m，河道断面采用复式梯形断面，其中除涝水位以下为单一的梯形断面。石沟入口以上河槽底宽30m，水深3m，边坡1∶3，上口宽45m，滩宽45m，堤距150m，左堤顶宽6m，右堤顶宽10m，堤高3m，堤顶高于设计洪水位1.2m，堤防边坡1∶2.5；石沟入口以下河槽底宽46m，水深3.4m，边坡1∶3，上口宽66m，滩宽60m，堤距200m，左、右堤顶宽均为6m，堤高3m，堤顶高于设计洪水位1.2m，堤防边坡1∶2.5，河道纵比降均为1/5 000。贾鲁河在尉氏县境内长38.9km（河南省水利厅规划长度），从1996年开始，尉氏县政府开始对贾鲁河进行分年治理，到2000年，共治理长度23.2km（歇马营至江曲），共完成土方415.5万m^3。

贾鲁河是一条污染严重的河流，为了对其水质进行监测，在开封管辖区域内的尉氏县出入境处各设立一个监测断面。贾鲁河水质监测断面布设情况见表4-1。

4.3.6　其他河流水质监测断面规划

除了上述河流水质监测断面外，在开封市境内，有一些规模较小的沟道主要用于小范围排涝泄洪，基本上无废污水排入，个别靠近城镇的河沟，即使有少量废污水排入，非农灌期间，绝大部分随河道水流下渗、蒸发。在农灌期间，由于污水排放量少，对农业灌溉水质影响较小。对于这类河沟,可选择代表性强、交通便利的河沟,布置代表性监测断面,选择不同时期,取水化验,以了解断面污染情况。

4.3.7 引黄渠道水质监测

引黄渠道由于是地上河,一般无地面污水加入。但为了了解灌溉水质情况,在引黄口门处设立水质监测断面,根据开封市情况,在黑岗口引黄闸门处设立水质监测断面。

4.3.8 不定监测断面

根据污水排放监测情况,在常规监测中若发现某污染物浓度异常,出现新的污染源等,则在规划监测断面的基础上增加监测点,对新的污染源进行典型监测和研究,达到全面监控水质污染的目的。开封市水质监测断面规划布局见表 4-1。

4.4 监测参数、方法和频率的确定

4.4.1 监测参数选择的原则

污水水质监测参数的多少,要根据污水使用的不同目的和有关行业标准而定,监测数目太少,不能满足污水资源化的要求,监测数目太多,因某些参数的监测难度、所要求的设备条件等问题,使得投资很大,而且有些参数在现行条件下使用意义不大。开封市污水水质监测参数按照以下原则确定:

(1)国家与行业水环境和水资源质量标准或评价标准中已列出的参数;

(2)国家与行业正式颁布的标准分析方法中列出的参数;

(3)反映本地区排放水体中主要污染物的参数;

(4)根据污水资源化的不同目的选择;

(5)入河排污口水质站依据排污口性质确定监测项目;

(6)满足水资源保护管理需要规定监测的参数;

(7)满足污染物总量控制要求的项目。

4.4.2 监测参数的确定

(1)河流、饮用水源地、湖泊、水库等基本站监测参数按表 4-2 中监测参数执行,同时根据不同功能水体污染的特征,增加选测参数。

(2)重金属和微量元素有机污染物参照国际、国内有关标准选测。

(3)若水体中挥发酚、总氰化物、总砷、六价铬、总汞等主要污染物连续 3 年未检出,附近又无污染源,将监测采样频率减为每年检测 2 次,在枯水期进行,一旦检出,仍按原规定执行。

(4)入河排污口水质站根据污水性质确定监测参数。开封市地表水水质监测参数与监测结果如表 4-2 所示。

表 4-2　开封市地表水水质监测参数和监测结果统计表(2000 年)

水体名称	监测断面	枯水期平均流量(m^3/s)	主要监测项目及监测结果(mg/L)							
			COD_{Cr}	BOD_5	pH 值	高锰酸盐指数	挥发酚	非离子氨	氰化物	氨氮
黄汴河	孙李唐桥	0.47		138	7.9	119	0.427			
	南关泵站	0.72		136	6.9	42.4	1.69	0.40		
惠济河	汪屯桥	6.17		139	7.9	171	0.47	1.02		
	大王庙	7.63		45.5	7.8	24.4	0.47	1.03		
东护城河	河尾	0.62		96.2	7.8	68.5	0.02	0.55		
化肥河	皮屯桥	0.56		18.9	3.9	23.5	0.12	0.47		
药厂河	空降师门口	0.21		251	8.2	62.2	0.06	9.45	1.4	
马家河	芦花岗桥	0.67	25.0	10		10	0.1	0.2		
北支河	北门桥	0.07	49.3				0.03			
淤泥河	徐庄	0.85	166.5	106	7.8	45.2	0.06	14.1		
小蒋河	杞县气象站	0.023	353					6.84		
康沟河	西黄庄	0.02	2 323	1 057		672.7	0.583	0.621		
刘麦河	西关化肥厂	0.08			9.0			184.8		
双自河	南席	0.07	126.6	284		36.5	0.013	0.079		
贾鲁河	歇马营	4.17	117.0		7.3		0.043	15.09		
涡河	郝庄	0.09		2.37	8.4	4.5	0.012		0.66	
小青河	岗顶桥	0.03	83.6	36.8	7.67	21.6	0.01	0.443		
铁底河	丁庄桥	0.02								
涡河故道	官庄	0.03	27.1	5.82	8.46	3.97	0.002	0.016	0.26	
铁底河	宗店	0.03	278.3	123.0	7.79	70.43	0.123	0.227	12.9	
铁塔湖	铁塔桥	2.0*		124.4	7.8	49.25	0.034	0.271		4.05
龙亭西湖	龙亭湖	1.5*		13.64	8.6	12.19	0.006	0.122		1.49
龙亭东湖	龙亭湖	1.5*		11.84	8.4	14.16	0.004	0.177		1.38
包公湖	包公湖	1.5*		15.90	8.6	14.01	0.004	0.455		6.74

注:* 为湖水深,单位 m。铁塔湖、龙亭东湖、龙亭西湖、包公湖蓄水量分别为 31.2 万 m^3、20.5 万 m^3、13.2 万 m^3、61.2 万 m^3。

4.4.3　监测频率

根据水功能区的重要性和实际需要,确定监测频率。

(1)保护区、保留区受人类活动的影响较小,且水质变化不大,经分析,各水平年监测的频率可定为每年 1～3 次。

(2)缓冲区、饮用水源区和过渡区,各水平年均监测 12 次,平均每月 1 次。

(3)工业用水区,2005 年前每年监测 1 次,2006～2010 年每年监测 3 次,2011～2020 年每年监测 6 次。

(4)农业用水区 2005 年前监测频率为每年 1 次,2006～2020 年平均每年为 2 次。

(5)渔业用水区和景观娱乐用水区 2005～2010 年,均于每年枯水期监测 1 次,2011～2020 年平均每年监测 3 次,分别于丰、平、枯水期各监测 1 次。

(6)排污控制区、入河排污口水质站各水平年监测频率相同,每年分别监测3次、4次。

(7)各供水功能区相互重叠时,以最高功能确定监测频次。

4.4.4 水质监测站网管理与保证措施

(1)水质监测站网由河南省水利厅统一管理,河南省水文水资源局组织实施,河南省水环境监测中心(网点)承担监测工作。

(2)监测站网的建设和实施要与污水资源化措施及对策研究的实施计划、技术要求有机地结合。

(3)加强质量管理,实施质量保证体系,为污水资源管理提供准确、可靠的水质信息。

(4)进行实验室基础设施、仪器设备建设,扩大监测队伍,配备移动实验室,设置自动监测站,建立应急监测和自动监测系统以及水环境监测信息传递和管理系统,使能在较为复杂的环境条件下完成应急监测及水环境信息传递,满足水资源管理与污水资源化决策、调度的实时要求。

(5)为保证水环境监测站网分步实施,建议国家及地方各级政府部门把这项工作列入长远发展规划,实现有计划的科学管理,使之在污水资源化中发挥有力的作用。

4.5 开封市污水资源分布情况监测成果分析

污水资源化应当针对不同排污水系、污水水质和污水资源量的地区分布情况,分别采取不同的污水处理措施。因此,1997年开封水文水资源局对开封市不同承纳污水河流区域内的用水人数、生活用水量、工业用水量、工业日产值及工业污水排放量进行了统计,统计结果表明,开封市化肥厂等十几家工厂为用水和污水排放大户,其中开封市化肥厂日排放污水达到63 464m^3,开封市制药厂污水日排放量为6 417m^3,其他各类工业污水排放情况见表4-3~表4-11。

表4-3 1997年开封市用水和污水排放情况统计表(排污河流:药厂河)

企业名称	用水人数(人)	生活用水量(m^3/d)	平均日产值(万元)	工业用水量(m^3/d)	重复利用率(%)	工业污水排放量(m^3/d)	主要污染物排放量(kg/d)	
							COD_{Cr}	悬浮物
开封啤酒厂	1 321	320.7	20.3	9 304	67.9	2 550	928.7	554.5
开封搪瓷厂	1 348	184.3	10.6	762.3	11.9	589	74.4	334
红旗造纸厂	126	67	0.77	1 493	30.8	621	667	296
化工总厂	1 489	73.3	17.3	36 290	70.8	5 082	127	111
电石厂	249	59.0	1.24	1 122	73.2	748	21.7	591
开封卷烟厂	2 060	82.1	85.6	1 842	0	1 504	3 082	1 802
南郊淀粉厂	126	12	1.67	200	21	150	642	423
开封制药厂	3 461	334	4.73	75 817	82	6 417	3 629	4 838
结核病医院	140	72	0.84	48	0	60	57.6	4.6

表 4-4　1997 年开封市用水和污水排放情况统计表(排污河流:化肥河)

企业名称	用水人数(人)	生活用水量(m^3/d)	平均日产值(万元)	工业用水量(m^3/d)	重复利用率(%)	工业污水排放量(m^3/d)	主要污染物排放量(kg/d)	
							COD_{Cr}	悬浮物
开封炼锌厂	864	172.2	3.59	2 211	21.1	1 301	84.3	104
高压阀门厂	3 243	1 699	17.62	3 515	0	1 500	81.37	0
市化肥厂	5 186	1 115	42.5	401 042	77.5	63 464	4 458.9	21 565
开封纱厂	3 189	1 600	27.6	17 305	71.43	3 685	328	18
织带厂	410	77	1.19	225.3	0	186	11.4	4.5
东郊淀粉厂	190	30	0.17	90	40	50	125.5	52.6
抗生素厂	564	94	0.63	2 278	85	1 581	1 034	1 983

表 4-5　1997 年开封市用水和污水排放情况统计表(排污河流:马家河)

企业名称	用水人数(人)	生活用水量(m^3/d)	平均日产值(万元)	工业用水量(m^3/d)	重复利用率(%)	工业污水排放量(m^3/d)	主要污染物排放量(kg/d)	
							COD_{Cr}	悬浮物
市扳手厂	450	70	1.4	132	0	120	7.87	52.4
制革公司	404	76.3	6.27	732	0	610	183.3	112.5
塑料厂	973	136.7	12.96	1 120	24.5	985	43.5	11.8
树脂厂	393	50	3.78	106.8	85.6	102	4.4	3.7
再生胶厂	169	20	1.12	214	0	178	12.6	22.2
肉联厂	1 531	269	18.73	2 642	0	2 202	638	181
二搪瓷厂	414	6.67	2.17	33.3	0	32	7.5	8.4
郊区油脂厂	179	1.33	4.03	23.3	75	10	3.2	27.5

表 4-6　1997 年开封市用水和污水排放情况统计表(排污河流:东护城河)

企业名称	用水人数(人)	生活用水量(m^3/d)	平均日产值(万元)	工业用水量(m^3/d)	重复利用率(%)	工业污水排放量(m^3/d)	主要污染物排放量(kg/d)	
							COD_{Cr}	悬浮物
开封锅炉厂	1 573	2 100	4.36	452.4	11	377	16.2	215
内燃机厂	2 963	44.13	17.56	2 047	0	1 706	43	32
仪表厂	1 879	2 115	10.00	1 112	68.8	908	196	145
国科印刷厂	874	131.6	3.36	455	0	379	33.3	10.2
针织内衣厂	1 454	281.33	3.83	832	0	692	394	30
开大服装厂	316	37	3.00	100	0	80	20.4	5.6
丝织厂	879	81	1.26	326	0	320	66	0
宋都宾馆	394	833	1.00	0		612	15.1	55

表 4-7　1997 年开封市用水和污水排放情况统计表(排污河流:黄汴河Ⅰ)

企业名称	用水人数(人)	生活用水量(m^3/d)	平均日产值(万元)	工业用水量(m^3/d)	重复利用率(%)	工业污水排放量(m^3/d)	主要污染物排放量(kg/d)	
							COD_{Cr}	悬浮物
新新造纸厂	967	1 966.7	20.3	34 300	29.2	17 632	16 044	2 262
橡胶厂	1 434	59.3	20.34	2 608	70	1 203	50	31.3
燃料化工厂	475	130	10.1	2 112.3	1.2	776	633	54
上胶七分厂	471	126.7	5.42	890	0	319	8.21	6.4
印染厂	1 063	143.4	12.48	2 470	19.8	2 212	1 429	9 616
针织厂			4.04	536	8.8	404	106.7	27.3
纺织器材厂	565	47.7	3.07	315	0	299	16.7	25.2
河南绒线厂	922	476	0.41	885	22.8	1 308	33.3	51.7

表 4-8　1997 年开封市用水和污水排放情况统计表(排污河流:黄汴河Ⅱ)

企业名称	用水人数(人)	生活用水量(m^3/d)	平均日产值(万元)	工业用水量(m^3/d)	重复利用率(%)	工业污水排放量(m^3/d)	主要污染物排放量(kg/d)	
							COD_{Cr}	悬浮物
呢绒分厂	876	192.3	8.3	1 582	22.31	1 154	35.3	81.37
市漂染厂	101	30.7	0.24	231	0	235	568	47.8
福利漂染厂	22	10	0.43	1.33	0	1.0	0.3	0.4
幽兰味精厂	916	65.7	12.31	1 485.7	50.6	552	1 656	165.6
通许县酒厂	254	6.66	0.58	70.7	18	48	15.3	18.2
黄龙制药厂	219	16.0	0.67	463.3	33	391	3.9	55.5
开封酒厂	483	10.0	4.46	600	16	545	674	58.7
毛巾被单厂	1 075	186.3	3.12	1 407.7	48.5	763	86.5	266
开封电机厂	1 561	203.7	15.33	681	0	697	102.5	216.8
市二玻璃厂	957	321	8.23	3 466.7	64.3	869	243	487
缝纫机总厂	2 277	257.7	10.81	601.3	0	549	32.1	16.7
市饮料厂	188	10	1.87	186.7	0	175	24	74.6
民用电器厂	371	33.3	1.02	43	0	61	3.1	10.4
市钢厂	364	66.7	1.84	74.3	72	50.0	40.0	25.0
市机械厂	2 465	268.3	61.2	673	0	485.0	47.9	0
装饰器材厂	163	25.0	0.54	350	0	200	6.6	0.3
化纤染织厂	1 936	150.0	10.96	2 891.7	20	1 925	41.8	78.3
省一毛	2 859	958.3	21.39	3 847	62.8	3 462	1 194	1 229
中药厂	738	153	4.18	326.3	42.7	288	250	7.4
九七三五厂	520	110	5.8	10 248	42	1 460	346	0

表 4-9　1997 年开封市用水和污水排放情况统计表(排污河流:惠济河Ⅰ)

企业名称	用水人数(人)	生活用水量(m^3/d)	平均日产值(万元)	工业用水量(m^3/d)	重复利用率(%)	工业污水排放量(m^3/d)	主要污染物排放量(kg/d)	
							COD_{Cr}	悬浮物
电冰箱厂	748	2	8.26	136.7	0	108	3	2.5
发动机厂	1 199	67.7	8.29	567.3	18.6	367	74.5	26.2
黄河机床厂	1 061	271.7	7.61	179.7	12.4	315	76	30.5
空分厂	4 141	826.3	18.13	1 634	75	1 850	170	0
汴京机械厂	655	180	2.5	183.3	0	147	45.9	17.42
柴油机厂	1 451	355.3	23.96	1 355	39.7	810	313	343.7
日化厂	1 146	166.7	31.1	1 933.3	35	933	205.26	93.3
玻璃厂	2 391	166.7	15.19	5 627	31.8	2 916	121.3	143.5
火柴厂	2 042	388	15.97	513.7	0	760	67.6	3.91
造纸网厂	698	157	4.05	1 231	71.0	270	54	9.5
第一印刷厂	354	8.3	3.37	35	0	37	7.6	2.2
中科印刷厂	874	131.7	3.36	437	0	379	20.3	10.0
有色金属厂	256	20.0	4.0	110	0	93	11	52.5
汽车部件厂	358	87.7	1.55	139.7	47.6	92	9.2	2.8
光学仪器厂	169	13.67	0.37	74.3	0	60	3.24	0.24
草制品厂	364	66.3	1.11	92	10.1	124	16.9	8.1

表 4-10　1997 年开封市用水和污水排放情况统计表(排污河流:惠济河Ⅱ)

企业名称	用水人数(人)	生活用水量(m^3/d)	平均日产值(万元)	工业用水量(m^3/d)	重复利用率(%)	工业污水排放量(m^3/d)	主要污染物排放量(kg/d)	
							COD_{Cr}	悬浮物
电镀厂	163	25.0	0.2	172.3	0.0	135	9.2	0
第一木器厂	540	77.7	1.09	56.3	0	90	18	0
新新造纸厂	967	1 967	20.3	34 310	29.2	17 632	1 097.5	11 483
油漆厂	375	50.0	6.48	196.7	50.0	132	13.5	8.0
油脂化工厂	701	120	11.87	11 372	75.6	1 906	244	170
开封毛纺厂	3 795	561	19.89	1 259	56.9	1 438	128	101
三纺器材厂	424	36.3	1.20	31	0	60	5.88	0.78
织带厂	410	77	1.19	125.3	0	186	36	7
第二棉织厂	822	53	5.99	50	0	80	16.3	35.4
第一人民医院	695	183.3	0	0	0	122	29.3	7.8

续表 4-10

企业名称	用水人数（人）	生活用水量（m^3/d）	平均日产值（万元）	工业用水量（m^3/d）	重复利用率（%）	工业污水排放量（m^3/d）	主要污染物排放量（kg/d）	
							COD_{Cr}	悬浮物
第二人民医院	895	215.0	0	512.3	0	341	33.4	50.1
妇产医院	310	243.7	0	0	0	162.0	32.4	40.5
传染病医院	250	200	0	0	0	133	42.6	209
妇幼保健院	181	106.7	0	0	0	71	18.5	1.32
儿童医院	305	260	0	0	0	173	48.3	12
神经病医院	232	116.7	0	0	0	77	1.62	0.9
市公费医院	250	140	0	0	0	93	16.1	1.12
中西医医院	352	174	0	0	0	119	7.62	1.43
肉联厂	1 531	269	18.7	6 691	0	2 202	114	87.5
糖果厂	413	74	1.64	471.3	77.9	325	236	134.6
牛羊肉工厂	211	18	1.32	1 198	86.7	132	40.8	260
又一新	193	315	1.16	0	0	227	68	60.8
迎宾饭店	111	280	0.2	0	0	208	27	4.4
第一食品厂	251	35	2.1	163.7	55.76	71	14.5	11.7
商业医院	140	108	0	0	0	92	1.3	10.8
豆制食品厂	163.0	30.0	0.58	261.7	0	174	62.2	21.6
纤维素厂	150	25.0	0.62	83.3	0	55	2.6	12.7
龙亭精密厂	95	10.0	0.28	113.3	0	75	2.1	25.1
绒毯厂	207	0	0.67	93.3	0	118	9	5.7
石棉制品厂	204	25	1.15	130.3	0	104	5.12	37.4
第三橡胶厂	38	5.0	0.13	40	0	26	9.8	5.7
满天星餐厅	12	2	0.13	0	0	1.0	0.10	0.3
东司门浴池	35	48	0.06	0	0	32	16.6	4.4
成都饭店	40	0	0.33	60	0	40	81	30

据统计，2002 年全市废污水排放量（雨洪污水除外）为 1.137 0 亿 m^3，其中工业废水占 69.0%，生活污水占 31.0%。工业废水日排放量 21.50 万 m^3，生活污水日排放量 9.65 万 m^3。2002 年开封市废污水达标排放量为 3 120 万 m^3，平均达标排放率为 27.4%。

2002 年对开封市 5 条主要河流进行水质监测，控制断面基本是入境处与出境处，以《地面水环境质量标准》（GB3838—88）、氨氮以《地表水资源质量标准》（SL63—94）为依据，一年监测 6 次，代表了全年、丰、枯水期水质状况。评价结果表明，除黄河水质符合Ⅲ类标准外，其他河流均为Ⅴ类或超Ⅴ类，后者已失去供水功能，地表水污染严重。评价成果详见表 4-12。

表 4-11　1997 年开封市用水和污水排放情况统计表(排污河流:惠济河Ⅲ)

企业名称	用水人数(人)	生活用水量(m^3/d)	平均日产值(万元)	工业用水量(m^3/d)	重复利用率(%)	工业污水排放量(m^3/d)	主要污染物排放量(kg/d)	
							COD_{Cr}	悬浮物
帆楼	146	15.0	0.89	200	0	133	9.7	4.3
龙亭医院	264	30.0	1.00	113.7	0	63	15	6.2
汴京饭店	289	720	0.97	0	0	480	96	30.1
医专一附院	420	693	1.50	150.0	0	462	34	125
市一招待所	86	10.0	0.22	218	0	145	12.5	19
生物发酵厂	220	20.0	5.65	4 000	75	937	32.8	22.5
顺和化工厂	85	10.0	0.76	49.3	61.0	33	8.1	2.5
市酿造厂	171	26.7	0.77	123.3	0	74	64.3	23
河大化工厂	49	2.7	0	44	74.5	38	1.25	0.5
化工七厂	43	7.3	0.67	185.7	0	97	5.6	195
回族医院	212	0	0.32	26.7	0	17	19	3.6
市二招待所	50	144	0.56	0	0	96	27.6	78
开封宾馆	194	466.7	0.99	0	0	340	168	286
鼓楼医院	157	32	0.37	0	0	21	4.7	5.3
新华楼浴池	100	10	0.3	448	32.2	299	38	136.3
红旗溶剂厂	32	5.0	0.75	18.3	0	12	17.8	0.72
开封淀粉厂	442	200	18.6	266.7	0	131	30.8	90.5
二包材料厂	50	10	0.27	11.3	0	10	0.2	0.6
南关粮油公司	12	1.7	0.01	1.7	0	2	0.6	0.8
工人疗养院	124	93.3	0	0	0	39	36.2	17.8
食品招待所	50	133.3	0.07	0	0	90	10.1	3.33
清泉浴池	53	133.3	0.07	0	0	90	10.1	3.33
黏合剂厂	36	5	1.00	0	0	4	0.2	3.2
化工八厂	86	6.67	1.00	60	0	50	12.6	21.4
尉氏橡胶厂	383	1.33	6.5	99.3	47	32	21.2	0.98
化工三厂	976	160	14.28	4 249	55.1	1 047	326	76
市口腔医院	156	106.7	0	0	0	71	10.7	2

2002 年对开封市布设的地下水观测井进行常规与污染监测,并用饮用水标准和灌溉用水标准进行评价。开封市市区及县城浅层地下水均已受到严重污染,已失去饮用水供

水功能。局部中深层地下水也受到不同程度的污染。尤其是开封市内几条主要河流的两岸地区地下水污染严重，据调查仍有个别地方还作为饮用水水源，对居民身体健康有一定的影响。

通过对开封市17眼地下水观测井常规监测，符合饮用水标准的井占观测井的25%，不符合饮用水标准的井占观测井的75%，符合灌溉用水标准的井占监测井的100%。由此可见，地下水作为灌溉水源，可以满足农田灌溉水质的要求。

表4-12　2002年开封市主要河流水质监测评价结果

河名	监测地点	监测次数	断面水质类别	主要污染物
黄河	黑岗口闸下	6	Ⅲ类	挥发酚、氰化物
涡河	通许邸阁水文站	6	Ⅴ类	氨氮、氰化物
贾鲁河	尉氏县后曹	6	超Ⅴ类	挥发酚、砷化物
黄汴河	市北郊孙李唐	6	Ⅴ类	氨氮、硝酸盐氮
惠济河	杞县大王庙水文站	6	超Ⅴ类	砷化物、挥发酚

第5章　开封市污水资源化与污水处理技术研究

5.1　国内外污水资源化途径及方法

城市污水经处理净化后，回用于农业、工业、地下水回灌、市政用水等，不但可以弥补水资源的缺乏，而且也减轻了水环境污染。在污水回用计划实施过程中，再生水的用途决定了污水需要处理的过程和程度。根据国内外经验，污水资源化利用主要有以下几方面。

5.1.1　污水资源化用于农业灌溉

生活污水回用于农田灌溉时，通常对其处理程度要求不高，处理后一般仍含有较高的氮、磷、钾等成分，用于灌溉可以给土壤提供水分和肥分，增加农作物产量，同时可以减少化肥用量，而且通过土壤的自净作用能使污水得到进一步的净化。因此，将处理后的污水应用于农业灌溉既可以取得较好的经济效益，又可以保护环境，是一种符合可持续发展的回用方式。在英国一些地区小型处理厂的二级污水被直接用于灌溉土壤，效果很好。但是，必须认真考虑水中存在的或者有可能存在的致病生物在公共卫生方面可能造成的影响，以及污水对农作物生产、土壤结构及土壤中金属和其他有毒物质积累等农学方面的影响。就农作物生长而言，对水的化学指标比细菌学指标要求高，主要是对矿物质和盐类成分的含量要求要符合一定的标准。

我国农业灌溉污水利用起始于20世纪50年代，那时城市污水处理厂很少，大都用未经处理的污水进行农灌，发展较早的有东北等地的污水灌溉系统。但由于城市污水未经处理，长期污灌，污染地下水并使农作物因受污染而变质，尤其是灌溉蔬菜等作物。据观测，粮食中有害物质有增长的趋势，这种情况在其他省(市)污灌区也时有发生。20世纪70年代，我国农业部环境保护科研所进行了污水灌溉水质的调查研究，制定了污水灌溉水质试行标准，于1985年以国标(GB5084—851)颁布实施，1992年又制定了农田灌溉水质标准(GB5084—1992)。在发达国家，如美国、英国、瑞士和以色列等，它们在将污水用于农业灌溉的同时，还对用污水进行农灌的准则和水质标准进行了严格的控制，尤其是美国加利福尼亚州，在制定农业灌溉标准时，要求污水处理须达到很深的程度，且需要消毒，这样的政策影响到美国甚至其他发达国家。实践证明，过高要求水质标准达到饮用水程度是不合理的，只能限制和阻碍城市污水回用农业灌溉。为此，世界卫生组织讨论并推荐了“污水回用于农业及水产养殖业的卫生准则”(WHO,1989)，这对发展中国家合理利用城市污水回用于农业起到重要作用。美国国家环保局出版的《污水回用标准》中涉及了污水回用的范围、标准、管理规范和国际上污水回用等内容，也可以作为我国推行污水回用的参考依据。

我国目前的城市污水处理厂越来越多，70%以上的污水处理厂采用二级处理，经过二级处理的城市污水水质基本较好，有的甚至超过农灌水质标准，可直接用于农田灌溉。北京市利用污水灌溉的农田面积已达8万多公顷，其他地方都有不同程度的污水利用于农田灌溉的成功经验。从这种情况看，使用城市污水灌溉农田势在必行，问题是要加强城市污水的处理与综合管理，坚持污水的水质监测与污水灌溉农田土质的监测，不断改善灌溉水质，避免农田土质恶化。

5.1.2 污水资源化工业回用

工业回用分为厂内处理回用和城市污水处理回用两部分。厂内污水处理回用在不断发展。据统计，北京市已有30余家工厂有污水回用设施，每年可利用污水0.7亿 m^3。开封市有38家大小企事业单位，污水处理工程的污水处理能力达到7.2万 m^3/d，总投资规模为953.8万元。

在城市用水中，工业用水占了80%，而在工业用水中循环水又占了60%～80%，循环用水水质要求标准不高，所以污水经过适当处理后，用于循环水是完全可行的。这样，用经过处理的污水来替代自来水是节约水资源的一种有效途径，在技术上和工程上易于实施，而且在规模上是缓解城市供水紧张状况的有力措施，因此供水紧张的城市在制定回用规划时，应把污水回用工业放在首要地位。目前国家规定，在新上项目的水资源规划时，应当首先考虑利用经处理的污水，其次才是地表水，在一般情况下，不能开采地下水，尤其是深层地下水。随着污水处理技术的不断提高，生物指标好，又经过砂滤或双重介质过滤和杀菌处理的二级废水在工业生产中得到越来越多的应用。表5-1列出了工业利用污水的主要用途和相应处理方式。

表5-1 污水资源化工业利用及相应处理方式

工业行业	主要用途	处理方式
核工业	冷却	去除营养物质的俄歇能谱(AS)法、氯气消毒、pH值调整
化学工业	洗气、制灰浆	活性污泥法、砂滤、氯气消毒
化学工业	灰质物运输	生物过滤
制革	兽皮加工，灌溉前的稀释	去除营养物质的俄歇能谱法
去毛	全过程	活性污泥法、砂滤、氯气消毒
电镀	冷却、漂洗	活性污泥法、砂滤、氯气消毒
选矿	处理、残留物浆水	活性污泥法
发电	冷却	生物过滤、去除营养物质的俄歇能谱法
造纸	全过程	活性污泥法、砂滤

污水经处理后回用于工业，大部分是用于冷却水，所以回用工业水的水质应按冷却水要求考虑。美国的回用水标准各州不一，并且针对不同的回用对象所制定的标准也不一样，但标准都很严格。如加州执行的是22号条例(Title22)，克罗拉多州执行的是14号规

范(Regulation＃14),这些文件都详细地规定了不同回用对象的水质标准,如用于农业灌溉、工业冷却、市政景观等。例如克罗拉多州回用于工业冷却水的部分水质指标为:大肠杆菌<126个/100mL,浊度<3NTU,磷<0.6mg/L,氨氮不可检出。个别工业用户用于工业原料、产品和锅炉等方面时,工业用户可自行处理,目前我国还没有统一的污水净化用做工业冷却的国家标准。

5.1.3 污水资源化作为市政用水

城市污水经深度处理后,可作为城市用水。城市用水又分为饮用水和非饮用水。非饮用水水质指标介于上、下水水质标准之间,又名中水。通常情况下,可将污水处理到非饮用水程度,作为中水回用于清洁、绿化、洗车、消防等。研究表明,中水的长期使用不会对用水器具产生不利影响,其水质也满足消防要求,对消防系统几乎不产生危害。中水回用是一项投资省、见效快的切实可行的节水技术,将其用于园林、绿化等,植物可吸收、分解污水中的有毒物质,转化为可利用的有机物,达到净化作用。国外工业发达国家十分重视中水利用,美国在1975年中水利用已占总取水量的38.7%,1985年又达到108.9%,而且每年以4%~5%的速度增加。日本目前的中水利用率已达73.6%,德国、俄罗斯、新加坡等都有很高的中水利用率。

美国加利福尼亚州有200多处、佛罗里达州有400多处污水回用于景观绿化,回用效果甚佳,加利福尼亚州的桑提和南塔湖工程都是将城市污水经过一系列处理后直接回用于游乐场所,水质完全满足要求。在中东产油国家,经过传统处理和杀菌的大量二级废水被用于绿化灌溉等方面。表5-2列出了中东5个地区污水回用情况。

表5-2 中东5个地区污水回用情况

地区	主要用途	处理技术	数量(m^3/d)
阿布托比	公共设施、绿化	活性污泥法、砂滤、氯气消毒	115 000
迪拜	公共设施、绿化、消防	活性污泥法、生物过滤、砂滤、氯气消毒	26 000
塔伊夫	农业、公共设施、绿化、消防	活性污泥法,M-M过滤、活性炭、氯气消毒	67 000
多哈	农业、公共设施、绿化	活性污泥法、生物过滤、砂滤	67 000
犹贝尔	公共设施、绿化	活性污泥法、D-M过滤、臭氧消毒	60 000

我国正在进行污水深度处理的工艺研究,对于城市的工业和居民区建筑群,在新建、扩建时,根据使用对象的水质不同要求进行集中或分散的、大型或小型的污水处理与中水利用,同时还推出了中水工程实施法规和设计规范。早在1982年青岛市就将中水回用作为市政及其他杂用水,以缓解其面临的淡水危机,北京市1984年开始进行中水回用示范工程,并在1987年颁发了《北京市中水设施管理试行办法》,提出了中水水质标准,同时规定建筑面积超过2万m^2的旅馆、饭店和公寓以及建筑面积在3万m^2以上的机关科研单位和新建生活小区都要建立中水设施。该办法颁发以来,至今北京已建成近百座中水回用工程,日回用污水已达1.2万m^3。1995年中国工程建设标准化协会制定了"城市污水

回用设计规范”,从回用水源、水质标准、回用系统、再生处理工艺与构筑物设计等许多方面规范了城市污水回用的工程设计。

污水回用于饮用水在国外也取得了一定的经验。纳米比亚温得和克市自1969年开始将处理后的污水回用于饮用水,以缓解干旱造成的水资源危机。到1995年,由于城市人口的大幅增加,温得和克又一次面临饮用水危机,使污水处理系统由当初的4 800m^3/d提高到现在的21 000m^3/d。污水分两个部分处理达到饮用水标准:先是在GAMMAMS的污水处理厂将生活污水进行二级处理;然后在GOREANGABDAM回用水处理厂进行深度处理,之后回用于饮用水。美国丹佛市日处理3 785m^3的污水回用于饮用水的示范工程在1985年开始运行。实践证明,现有技术完全可以将出水水质提高到大多数饮用水水源水平,处理后的污水回用于饮用水是可行的。但目前仍没有解决好回用废水作饮用水而带来的公共卫生方面的问题,因此一般不要轻易回用作为饮用水。

5.1.4 污水资源化作为地下水回灌

将城市污水处理厂二级处理出水经深度处理达到一定水质标准后回灌于地下,水在流经一定距离后同原水源一起作为新的水源开发。这种战略要求污水处理程度高,循环复用的周期长,可提供较高质量的水源乃至饮用水。它既可减少污水量,又可减少原有水资源的开发量,充分体现了“小量化、无害化、资源化”的可持续发展原则。

从可持续发展的观点,虽然工业(包括冷却水、工艺用水)和农业是污水回用的主要用户,但地下水回灌是扩大污水回用最有益的一种方式,它以土壤基质作为生物反应器,使再生的废水借助物理—化学及生物作用将其中的有机物和病原体进一步去除,使其水质与天然地下水没有差别。由于不受水文条件制约,将会带来污水回用的长远利益。地下水回灌可以水力阻拦海水入渗,扩大地下水资源的存储量,减少或防止地下水位下降,控制或防止地面沉降及预防地震,调节水温,保持取水构筑物出水能力,大大加快被污染地下水的稀释和净化过程,使水体的生态得到不同程度恢复,使溶解氧增加,美观上也有所改善。它实质上是水的长期循环,比污水仅在处理厂中管对管的循环要好得多。

美国洛杉矶市的经济—效益分析结果表明,在该市中期回用水计划中,地下水回灌是最可取的一种实用方法,从长期看来,直接回灌后用做饮用水也是经济—效益分析最为合适的回用方法,污水深度处理后进行地下水回灌已有很多应用。城市污水回用已在工业发达国家得到广泛应用,美国、澳大利亚、俄罗斯、德国、丹麦等国都在大力推行地下水回灌技术。美国加利福尼亚州有200多个污水处理厂,它们为850多个用户提供回用水(非饮用水),每年回用水量约3.3亿m^3,回用水中约14%被回灌到地下,1995年美国加利福尼亚州总循环水的27%用于地下回灌。目前,全美每年回用城市污水量达9.37亿m^3,其中回灌地下水0.47亿m^3(占5.0%)。德国柏林将生物净化的污水投加氯化铁与助凝剂絮凝沉淀后,上清液投加臭氧将有机物氧化,并使生物难降解的有机分子转化为容易生物降解的,同时杀灭细菌,再经无烟煤过滤,最后进行地下水回灌,以后作为饮用水重新抽取出来,该示范工程早在20世纪70年代就建成投入运行。

为防止地下水污染,保护清洁水源,地下回灌水质必须满足一定的要求,主要控制参数为微生物学质量、总无机物量、重金属含量、难降解有机物含量等。地下回灌水质要求因回灌地区水文地质条件、回灌方式、回用用途不同而有所不同。发达和发展中国家由于经济技术条件、公众健康水平及社会政治因素的限制及差异，所制定的回用水标准也不尽相同。

美国制定的地下回灌水标准较为严格和科学，得到广泛认可。加利福尼亚州在1976年公布了污水回灌地下水的第一个水质标准草案，建议回灌污水在经过二级处理后必须再经过滤、消毒和活性炭吸附等深度处理，在回用前必须在地下停留6个月以上。水的注入点离地下水位至少3m，抽水点离注水点水平距离至少150m，抽取水中的回灌水不能超过50%。要求抽水点TOC＜1mg/L，回灌点COD_{Mn}＜5.0mg/L、TOC＜3.0mg/L、硝酸盐(以NO_3^-计)＜45.0mg/L、总氮＜10.0mg/L、大肠肝菌＜2.2mL。另外，美国21世纪水厂制定的回灌水标准中要求氨氮＜1.0mg/L。

5.2 开封市污水资源化目标

5.2.1 水资源供需现状分析

经分析，2002年开封市全市地表水资源量2.374 0亿m^3，地下水资源量6.902 6亿m^3，扣除地表水与地下水之间的重复计算量0.744 6亿m^3，全市水资源总量为8.532 0亿m^3。比多年水资源总量均值(12.202 0亿m^3)少3.670 0亿m^3，偏少30.1%。

2002年开封市总供水量14.569 6亿m^3，其中地表水源供水4.660 0亿m^3，占32.0%；地下水源供水9.909 6亿m^3，占68.0%。在地表水源供水中引水工程和提水工程分别占93.4%和6.6%。在地下水源供水中，浅层地下水和深层地下水分别占89.3%和10.7%。

据统计分析，2002年全市总用水量14.569 5亿m^3，其中农业用水11.832 9亿m^3(农田灌溉占96.0%)，占总用水量的81.2%；工业用水1.120 9亿m^3(国有限额以上工业占59.7%)，占总用水量的7.7%；生活用水1.615 7亿m^3(城镇生活占32.6%)，占总用水量的11.1%。按城乡划分，农业用水(农田灌溉用水，林、牧、渔用水，限额以下工业用水和农村生活用水之和)13.374 1亿m^3，城镇用水(国有限额以上工业用水与城镇生活用水之和)1.195 4亿m^3，分别占总用水量的91.8%和8.2%。

为了对污水资源的利用目标作出规划，必须对区域需水总量进行预测。分析地表水、地下水开发利用的前景，以及水资源供需缺口，从而对污水资源化所应采取的措施及要求作出决策。需水总量包括全市生活需水总量和全市工业生产需水总量。

5.2.2 开封市水资源供需平衡预测

在前面有关污水资源量计算研究中，研究范围基本限于开封市范围内。但是，水资源开发利用带有区域系统性，为了对污水资源的整体开发利用作出全局性的规划，又由于污水资源化的主要目标是农业灌溉，所以应当从全局的观点研究污水资源的开发利用，以便作出统筹安排。

5.2.2.1 农业灌溉需水量预测

不同水平年灌溉用水量的预测,主要考虑以下因素:①灌溉面积的变化;②作物布局的变化;③渠系水利用系数的变化;④灌溉方式的改变;⑤管理水平的提高等。根据作物种植情况和本市灌溉用水现状,考虑管理水平提高、灌水技术改进、渠系水利用系数提高,而单产用水量减少等因素,采用各种灌溉方式的平均综合毛灌溉定额计算得 2010 年平水年农业灌溉需水量为 185 580 万 m^3。见表 5-3。

表 5-3 2010 年开封市不同保证率水资源供需平衡分析 (单位:万 m^3)

项目	水资源类型		不同保证率水资源量		
			50%	75%	95%
可供水量	地表水	引黄	228 769	252 841	256 992
		地表径流	5 283	4 659	4 166
	地下水		93 334	79 098	71 351
	小计		327 386	336 598	332 509
需水量	农业		185 580	226 996	279 768
	工业		99 683	99 683	99 683
	城镇生活		14 140	14 140	14 140
	农村生活		7 329	7 329	7 329
	牲畜及其他		2 751	2 751	2 751
	小计		309 483	350 899	403 671
余缺水	余		17 903		
	缺			14 301	71 162

5.2.2.2 工业需水量预测

一个城市或地区的工业用水的发展与国民经济发展计划密切相关,并且工业结构的变化、新工艺和节水措施的采用都对工业需水预测有很大的影响。需水预测时,根据开封市用水工业的现状和未来工业发展的指标及用水水平的变化,开封市全区工业总产值 2010 年达 1 360 亿元,预测 2010 年平水年工业需水量为 99 683 万 m^3,见表 5-3,不同水平年工业用水水平见表 5-4。

表 5-4 2010 年需水定额预测

水平年	农业需水宗额		生活需水定额				工业需水定额	
	井灌 (m^3/hm^2)	渠灌 (m^3/hm^2)	市 (L/(人·d))	县、乡 (L/(人·d))	农村 (L/(人·d))	牲畜 (L/(头·d))	市 (m^3/万元)	县、乡 (m^3/万元)
50%	3 750	8 340	230	120	80	50	80	70
75%	4 560	10 140						
95%	5 580	12 405						

5.2.2.3 **生活需水量预测**

2000年市区人口69.8万人,生活用水量每人每天200L;其他各县镇人口34.4万人,生活用水量每人每天100L;农村居民367.8万人,生活用水量每人每天60L;农村大牲畜100.5万头,用水量每头每天50L。2010年市区人口134万人,生活用水量每人每天230L;其他各县镇人口66万人,生活用水量每人每天120L;农村居民310万人,生活用水量每人每天80L;农村大牲畜150.7万头,用水量每头每大50L。根据以上指标,预测到2010年,生活用水量24 220万m^3。

5.2.2.4 **水资源供需平衡分析**

从现状年供需平衡分析可知,按照中旱年和枯水年计划引黄水量252 841万m^3和256 992万m^3计,水资源可供用水量已不能满足工农业生产的需水要求,实际上可供引黄水量远远达不到上述计划的数字,随着工农业生产的发展,以及人口的增长,水资源供需矛盾必将进一步突出。根据开封市水资源开发现状,一方面现有工程的引水能力不会再有增加,另一方面,所计划的引黄水量远远不能得到满足,所以解决本地区水资源供需矛盾的主要途径是开源、节流,而污水资源化是开源的重要途径。

5.2.3 开封市污水资源化目标

开封市污水资源化的主要目标在于开发利用开封市污水资源,进一步缓解开封市水资源供需矛盾,改善生态环境,实现开封市水资源可持续开发利用与工农业经济的可持续发展。开封市污水资源化的主要任务是根据开封市工业、城市生活与市政污水以及雨洪污水资源现状,对污水处理工程、污水或经处理后的污水资源开发利用途径及其有关的监测系统作出合理的安排,实现污水资源化的社会经济、生态环境、生产资源、人口等的协调发展。

由前面计算结果可见,随着工业生产的发展以及城市居民生活水平的提高,到2010年,开封市污水资源总量将达到23 129.8万m^3,其中城市雨洪污水量为1 850.5万m^3,同城市生活与工业用水量相比,按工业万元产值耗水量计算法,2010年开封市城市居民生活与工业预测总用水量为30 122万m^3。由开封市水资源供需平衡预测可知,考虑了开封市引黄水量后,在中旱年和枯水年份,开封市水资源仍然不能满足工农业以及人畜用水要求。实际上所计划的引黄水量远远不能满足需要。据水利部黄河水利委员会黄河下游引黄规划,河南省沿黄引黄地市有6个,规划高规模引黄灌溉面积118.2万hm^2。开封市规划引黄灌溉面积按高规模计算为51.26万hm^2,占河南省规划引黄灌溉面积的43.4%,考虑到工业需引黄水量118 551万m^3,城市生活需引黄水量27 523万m^3,河南省平均年计划分配引黄水量只有48.76亿m^3,所以开封市引黄水量按平水年份计算最多只有12亿m^3。因此,统筹考虑了各类水资源的开发利用情况后,可对污水资源化制定目标和要求。经分析研究,开封市污水资源化目标规划成果见表5-5。

由表5-5可见,按照水利部黄河水利委员会分配的引黄水量,若不考虑节水措施和污水资源利用,平水年份($P=50\%$)开封市将缺水110 866万m^3,采用节水措施和污水资源化后,平水年份可供水资源量可以满足开封市工农业生产和人畜生活用水。在中旱年和特旱年份,实现污水资源化,可以大大缓解水资源供需矛盾,对于促进当地工农业生产及改善生态环境具有十分重要的意义。

表 5-5 开封市污水资源化目标规划成果 （单位：万 m³）

项目	水资源类型		不同保证率水资源量			按分配引黄量计算		
			50%	75%	95%	50%	75%	95%
可供水量	地表水	引黄	228 769	252 841	256 992	100 000	110 000	120 000
		地表径流	5 283	4 659	4 166	5 283	4 659	4 166
	地下水		93 334	79 098	71 351	93 334	79 098	71 351
	污水资源		23 129	23 129	23 129	23 129	23 129	23 129
	小计		350 515	359 727	355 638	221 746	216 886	218 646
需水量	农业		185 580	226 996	279 768	185 580	226 996	279 768
	工业		99 683	99 683	99 683	99 683	99 683	99 683
	城镇生活		14 140	14 140	14 140	14 140	14 140	14 140
	农村生活		7 329	7 329	7 329	7 329	7 329	7 329
	牲畜及其他		2 751	2 751	2 751	2 751	2 751	2 751
	小计		309 483	350 899	403 671	309 483	350 899	403 671
	采用节水措施后		216 693	237 401	263 787	216 693	237 401	263 787
节水措施后余缺水	余		133 822	122 326	91 851	5 053		
	缺						20 515	45 141

5.3 污水资源化水质标准研究

5.3.1 概述

污水经处理后的水质标准是决定污水资源化的重要因素。回用水水质标准是保证用水的安全可靠及选择经济合理的水处理流程的基本依据。国家为控制水污染，保护水资源，制定了《地表水环境质量标准》（GB3838—1988）、《农田灌溉水质标准》（GB5084—1992）等一系列水环境质量标准。回用水水质要求与水环境质量标准关系十分密切。例如，《地表水环境质量标准》（GB3838—1988）依据地表水水域使用目的和保护目标将其分为 5 类，并规定了不同水功能区的基本项目和特定项目的标准值，该标准还规定排污口所在水域划定的混合区，不得影响鱼类洄游通道及混合区外水域使用功能。显然，回用水的使用及其最终排放必须保证不影响受纳水体的使用功能。因此，水环境质量是设计回用水水质标准的重要考虑因素。由于回用水的使用目的、使用场地及最终纳污水体等情况相当复杂，目前国内尚无系统完整的回用水水质标准，对有关水质要求应该结合具体情况进行分析。

在设计回用水水质标准时，还必须注意到《中华人民共和国水污染防治法》中规定：向农田灌溉渠道排放工业废水和城市污水，应当保证其下游最近的灌溉取水点的水质符合农田灌溉水质标准，利用工业废水和城市污水进行灌溉，应当防止污染土壤、地下水和农产品。人工回灌补给地下水，不得恶化地下水水质。

5.3.2 我国部分水环境质量标准介绍

下面简要介绍与回用水水质要求比较密切的我国部分水环境质量标准。

5.3.2.1 《渔业水质标准》(GB11607—1989，摘录)

本标准适用于鱼虾类的产卵场、索饵场、越冬场、洄游通道和水产养殖区等海、淡水的渔业水域。渔业水域的水质应符合《渔业水质标准》(见表5-6)。

表 5-6 渔业水质标准 （单位：mg/L）

序号	项目	标准值
1	色、臭、味	不得使鱼、虾、贝、藻类带有异色、异臭、异味
2	漂浮物质	水面不得出现明显油膜或浮沫
3	悬浮物质	人为增加的量不得超过10，而且悬浮物质沉淀于底部后，不得对鱼、虾、贝类产生有害的影响
4	pH值	淡水6.5～8.5，海水7.0～8.5
5	溶解氧	连续24h中，16h以上必须大于5，其余任何时候不得低于3；对于鲑科鱼类栖息水域冰封期，其余任何时候不得低于4
6	生化需氧量(5d、20℃)	不超过5，冰封期不超过3
7	总大肠菌群数	不超过5 000个/L(贝类养殖水质不超过500个/L)
8	汞	≤0.000 5
9	镉	≤0.005
10	铅	≤0.05
11	铬	≤0.1
12	铜	≤0.01
13	锌	≤0.1
14	镍	≤0.05
15	砷	≤0.05
16	氰化物	≤0.005
17	硫化物	≤0.2
18	氟化物(以F^-计)	≤1
19	非离子氨	≤0.02
20	凯氏氮	≤0.05

续表 5-6

序号	项目	标准值
21	挥发酚	≤0.005
22	黄磷	≤0.001
23	石油类	≤0.05
24	丙烯腈	≤0.5
25	丙烯醛	≤0.02
26	六六六(丙体)	≤0.002
27	滴滴涕	≤0.001
28	马拉硫磷	≤0.005
29	五氯酚钠	≤0.01
30	乐果	≤0.1
31	甲胺磷	≤1
32	甲基对硫磷	≤0.000 5
33	呋喃丹	≤0.01

任何企业、事业单位和个体经营者排放的工业废水、生活污水及有害废弃物,必须采取有效措施,保证最近渔业水域的水质符合本标准。

未经处理的工业废水、生活污水和有害废弃物严禁直接排入鱼、虾类的产卵场、索饵场、越冬场和鱼、虾、贝、藻类的养殖场及珍贵水生动物保护区。

严禁向渔业水域排放含病原体的污水。如需排放此类污水,必须经过处理和严格消毒。

排污口所在水域形成的混合区不得影响鱼类洄游通道。

5.3.2.2 **《景观娱乐用水水质标准》**(GB12941—1991,**摘录**)

本标准适用于以景观、疗养、度假和娱乐为目的的江、河、湖(水库)、海水水体或其中一部分。本标准按照水体的不同功能,分为3大类:

A类,主要适用于天然浴场或其他与人体直接接触的景观娱乐水体;

B类,主要适用于国家重点风景游览区及那些与人体非直接接触的景观娱乐水体;

C类,主要适用于一般景观用水水体。

景观娱乐用水水质标准值列于表5-7。

本标准未作明确规定的项目,实行《地表水环境质量标准》(GB3838—1988)和《海水水质标准》(GB3097—1997)中的标准值及其有关规定。

5.3.2.3 **《农田灌溉水质标准》**(GB5084—1992,**摘录**)

本标准适用于以地表水、地下水和处理后的城市污水及与城市污水水质相近的工业废水作水源的农田灌溉用水。本标准不适用医药、生物制品、化学试剂、农药、石油炼制、焦化和有机化工处理后的废水进行灌溉。本标准根据农作物的需求状况,将灌溉水质按灌溉作物分为3类:

表 5-7　景观娱乐用水水质标准　　（单位：mg/L）

项目	A类	B类	C类
色	颜色无异常变化	颜色无异常变化	不超过 25 色度单位
臭	不得含任何异臭	不得含任何异臭	无明显异臭
漂浮物	不得含有漂浮的浮膜、油斑和聚集的其他物质	不得含有漂浮的浮膜、油斑和聚集的其他物质	不得含有浮膜、油斑和聚集的其他物质
透明度(度)≥	1.2	1.2	0.5
水温	不高于近 10 年当月平均水温 2℃	不高于近 10 年当月平均水温 2℃	不高于近 10 年当月平均水温 4℃
pH 值	6.5~8.5	6.5~8.5	6.5~8.5
溶解氧(DO)≥	5	4	3
高锰酸盐指数≤	6	6	10
生化需氧量(BOD_5)≤	4	4	8
氨氮≤	0.5	0.5	0.5
非离子氨≤	0.02	0.02	0.2
亚硝酸盐氮≤	0.15	0.15	1.0
总铁≤	0.3	0.5	1.0
总铜≤	0.01(浴场 0.1)	0.01(海水 0.1)	0.1
总锌≤	0.1(浴场 1.0)	0.1(海水 1.0)	1.0
总镍≤	0.05	0.05	0.1
总磷(以 P 计)≤	0.02	0.02	0.05
挥发酚≤	0.005	0.01	0.1
阴离子表面活性剂≤	0.2	0.2	0.3
总大肠菌群数(个/L)≤	10 000		
粪大肠菌群数(个/L)≤	2 000		

水作，如水稻，灌溉水量 12 000m^3/(hm^2·a)。

旱作，如小麦、玉米、棉花等，灌溉水量 4 500m^3/(hm^2·a)。

蔬菜，如大白菜、韭菜、洋葱、卷心菜等。蔬菜品种不同，灌水量差异较大，一般为 3 000~7 500m^3/(hm^2·茬)。农田灌溉水质必须符合表 5-8 的规定。

在以下地区，全盐量水质标准可适当放宽：

(1)具有一定的水利灌排工程设施，能保证一定的排水和地下水径流条件的地区；

(2)有一定淡水资源，能满足冲洗土体总盐分的地区。

表 5-8　农田灌溉水质标准　　（单位：mg/L）

项目	水作	旱作	蔬菜
生化需氧量(BOD_5)≤	80	150	80
化学需氧量(COD_{Cr})≤	200	300	150
悬浮物≤	150	200	100
阴离子表面活性剂(LAS)≤	5.0	8.0	5.0
凯氏氮≤	12	30	30
总磷(以P计)≤	5.0	10	10
水温(℃)≤	35	35	35
pH值≤	5.5~8.5	5.5~8.5	5.5~8.5
全盐量≤	1 000(非盐碱土地区);2 000(盐碱土地区),可酌情放宽	同水作	同水作
氧化物≤	250	250	250
硫化物≤	1.0	1.0	1.0
总汞≤	0.001	0.001	0.001
总镉≤	0.005	0.005	0.005
总砷≤	0.05	0.1	0.05
铬(六价)≤	0.1	0.1	0.1
总铅≤	0.1	0.1	0.1
总铜≤	1.0	1.0	1.0
总锌≤	2.0	2.0	2.0
总硒≤	0.02	0.02	0.02
氟化物≤	2.0(高氟区);3.0(一般)	同水作	同水作
氰化物≤	0.5	0.5	0.5
石油类≤	5.0	10	1.0
挥发酚≤	1.0	1.0	1.0
苯≤	2.5	2.5	2.5
三氧乙醛≤	1.0	0.5	0.5
丙烯醛≤	0.5	0.5	0.5
粪大肠菌群数(个/L)≤	10 000	10 000	10 000
蛔虫卵数(个/L)≤	2	2	2

5.3.2.4 **《地下水水质标准》**(GB/T14848—1993,**摘录**)

本标准适用于一般地下水,不适用于地下热水、矿泉水、卤盐水。依据我国地下水水质现状、人体健康基准值及地下水质量保护目标,并参照了生活饮用水、农业用水水质要求,将地下水质量划分为5类:

Ⅰ类,主要反映地下水化学组分的天然低背景含量。适用于各种用途。

Ⅱ类,主要反映地下水化学组分的天然背景含量。适用于各种用途。

Ⅲ类,以人体健康基准值为依据。主要适用于集中式生活饮用水水源及工、农业用水。

Ⅳ类,以农业和工业用水要求为依据。除适用于农业和部分工业用水外,适当处理后可作生活饮用水。

Ⅴ类,不宜饮用,其他用水可根据使用目的选用。

地下水质量分类指标见表5-9。

表5-9　地下水质量分类指标　(单位:mg/L)

项目	Ⅰ类	Ⅱ类	Ⅲ类	Ⅳ类	Ⅴ类
色度(度)	≤5	≤5	≤15	≤25	>25
臭和味	无	无	无	无	有
浑浊度(度)	≤3	≤3	≤3	≤10	>10
肉眼可见物	无	无	无	无	有
pH值	6.5~8.5	6.5~8.5	6.5~8.5	5.5~6.5	5.9~9
总硬度(以$CaCO_3$计)	≤150	≤300	≤450	≤550	>550
溶解性总固体	≤300	≤500	≤1 000	≤2 000	>2 000
硫酸盐	≤50	≤150	≤250	≤350	>350
氯化物	≤50	≤150	≤250	≤350	>350
铁(Fe)	≤0.1	≤0.2	≤0.3	≤1.5	>1.5
锰(Mn)	≤0.05	≤0.05	≤0.1	≤1.0	>1.0
铜(Cu)	≤0.01	≤0.05	≤1.0	≤1.5	>1.5
锌(Zn)	≤0.05	≤0.5	≤1.0	≤5.0	>5.0
钼(Mo)	≤0.001	≤0.01	≤0.1	≤0.5	>0.5
钴(Co)	≤0.005	≤0.05	≤0.05	≤1.0	>1.0
挥发酚	≤0.001	≤0.001	≤0.002	≤0.01	>0.01
阴离子表面活性剂	不得检出	≤0.1	≤0.3	≤0.3	>0.3
高锰酸盐指数	≤1.0	≤2.0	≤3.0	≤10	>10
硝酸盐以N计	≤2.0	≤5.0	≤20.0	≤30.0	>30
亚硝酸盐以N计	≤0.001	≤0.01	≤0.02	≤0.1	>0.1
氨氮(NH_3-N)	≤0.02	≤0.02	≤0.2	≤0.5	>0.5

续表 5-9

项目	Ⅰ类	Ⅱ类	Ⅲ类	Ⅳ类	Ⅴ类
氟化物	≤1.0	≤1.0	≤1.0	≤2.0	>2.0
碘化物	≤0.1	≤0.1	≤0.2	≤1.0	>1.0
氰化物	≤0.001	≤0.01	≤0.05	≤0.1	>0.1
汞(Hg)	≤0.000 05	≤0.000 5	≤0.01	≤0.01	>0.001
砷(As)	≤0.005	≤0.01	≤0.05	≤0.05	>0.05
硒(Se)	≤0.01	≤0.01	≤0.02	≤0.1	>0.1
镉(Cd)	≤0.000 1	≤0.001	≤0.01	≤0.01	>0.01
铬(Cr^{6+})	≤0.005	≤0.01	≤0.05	≤0.1	>0.1
铅(Pb)	≤0.005	≤0.01	≤0.05	≤0.1	>0.1
铍(Be)	≤0.000 02	≤0.000 1	≤0.000 2	≤0.001	>0.001
钡(Ba)	≤0.01	≤0.1	≤1.0	≤4.0	>4.0
镍(Ni)	≤0.005	≤0.05	≤0.05	≤0.1	>0.1
滴滴涕(μg/L)	不得检出	≤0.005	≤1.0	≤1.0	>1.0
六六六(μg/L)	≤0.005	≤0.05	≤5.0	≤5.0	>5.0
总大肠菌群数(个/L)	≤3.0	≤3.0	≤3.0	≤100	>100
细菌总数(个/L)	≤100	≤100	≤100	≤1 000	>1 000
总α放射性(Bq/L)	≤0.1	≤0.1	≤0.1	≤0.1	>0.1
总β放射性(Bq/L)	≤0.1	≤0.1	≤1.0	>1.0	>1.0

5.3.2.5 工业回用水水质标准

1)工业回用水水质问题

由于工业生产范围广泛,不同工业门类对用水水质要求差异极大,污水的水质情况又十分复杂,在考虑工业回用水的水质标准时,应该从实际出发,以各类工业用水的水质要求为依据来确定相应的工业回用水水质标准。

在工业用水中,冷却水对水质要求较低。目前污水特别是处理后的出水相当部分用做工业冷却水。用污水处理后的出水作冷却水时应考虑可能对冷却水系统造成的不良影响,并采取相应的防治措施。

对于其他类别的工业用水,如原料用水、生产工艺用水、生产过程用水以及锅炉用水等,目前尚未有针对回用水的相应水质标准。若要将污水用于各种工业类别,其水质必须符合该行业的水质标准。

近年来,在发达城市和工业区分水质给水系统中,通常将供应低水质标准的给水系统称为城市工业用水管道系统(亦称中水道)。这类系统所供的水只是一般工业用水或污水处理后的回用水和"原水",没有特别的针对性,工业企业必要时可根据生产用水水质要求进一步处理。由城市工业用水管道系统所供的水，并非一定是污水处理后的回用水，也可以是其他低质水，例如直接抽采未经处理的水源水。

2)我国工业回用水部分水质标准

表5-10为我国《再生水用做冷却水的建议水质标准》(CECS61—1994)。表5-11为我国国家环保总局、天津大学等单位建议的冷却回用水水质标准。它是在对天津市纪庄子污水厂二级处理出水进行深度处理的基础上，经动水挂片、动态模拟、沉积、电化学试验系统中型试验，根据部颁工业循环冷却水设计规范标准并参照部分国外标准提出的。应当指出的是，对于符合上述建议水质标准的回用水，仍应根据冷却水系统的运行要求进行水的缓蚀阻垢等处理。

表5-10　再生水用做冷却水的建议水质标准　(单位:mg/L)

项目	直流冷却水	循环冷却补充水
pH值	6.0～9.0	6.5～9.0
SS	30	
浑浊度(度)		5
BOD_5	30	10
COD_{Cr}		75
铁		0.3
锰		0.2
氯化物	300	300
总硬度(以$CaCO_3$计)	850	453
总碱度(以$CaCO_3$计)	500	350
总溶解固体	1 000	1 000
游离余氯		0.1～0.2
异养菌总数(个/mL)		5 000

表5-11　冷却回用水水质建议值　(单位:mg/L)

水质指标	建议值		
	Ⅰ类	Ⅱ类	Ⅲ类
pH值	6～9	6～9	6～9
浑浊度(度)	<5	<10	<20
电导率(μS/cm)	<300	<1 000	<1 500
总硬度	<200	<350	
总碱度	<150	<350	
Ca^{2+}	<36	<36	<36
Cl^-	<300	<300	<300
总磷	<1	<3	<4
COD	<40	<60	
氨氮	<1	<3	<5
细菌总数(个/mL)	冬季$<5\times10^5$,夏季$<1\times10^5$	同Ⅰ类	同Ⅰ类

表 5-12 列出了我国某些城市回用水水质中试运行值或建议值,可供城市水处理及污水回用时参考。

表 5-12　我国某些城市回用水水质中试运行值或建议值　　(单位:mg/L)

水质指标	大连(中试运行值)		沈阳(建议值)	青岛(中试运行值)
	1	2		
pH 值	7.4	7.4	5.8～8.6	
浑浊度(度)	4	4	<10	20
悬浮物	4.8			
色度(度)	46			50
总硬度	379	283	<450	
总碱度		265		
Cl^-	565	217	<250	
氨氮	4	18.7	<10	不定
总固体		903		
BOD_5		5.4	<101	<20
COD		39	<50	<75
细菌总数(个/mL)			<100	

5.3.2.6　生活杂用水和市政杂用水水质标准

市政、环境、娱乐、景观、生活杂用水也是污水资源化的重要利用目标。这些回用水主要是按用途划分,虽然各有侧重但无严格界限,实际上也常有交叉。例如,景观用水有时属灌溉、环境用水,而生活杂用水和市政用水中的绿化用水又可属景观用水。事实上,环境、景观、娱乐用水往往紧密相连,但水质要求又不尽相同。例如,用于河道自净作用的环境用水,既可改善景观,有时也可以作为水上娱乐。对于同人体直接接触的娱乐用水的水质要求应高于一般的环境和景观用水标准,但就水质标准总体而言,通常市政、景观、环境和生活杂用水的水质要求大体上是相同的。

1)《生活杂用水水质标准》(GJ25.1—1989,摘录)

表 5-13 为我国生活杂用水水质标准。

为了统一污水资源化后用做生活杂用水的水质标准,以便做到既利用污水资源,又能切实保证生活杂用水的安全和适用,特制定本标准。

本标准适用于厕所便器冲洗、城市绿化、洗车、打扫卫生等生活用水,也适用于有同样水质要求的其他用途的水。

本标准是制定地方城市污水资源化并作为生活杂用水水质标准的依据。各地可以本标准为基础,根据当地特点,制定地方城市污水资源化规划,并用做生活杂用水的水质标准。地方标准不得宽于本标准或与本标准相抵触。如因特殊情况,宽于本标准时应报建设部批准。地方标准列入的项目指标,执行地方标准,地方标准未列入的项目指标,仍执行本标准。生活杂用水的水质不应超过表 5-13 中规定的限量。

生活杂用水管道、水箱等设备不得与自来水管道、水箱直接相连。生活杂用水管道、水箱等设备外部应涂浅绿色标志，以免误饮、误用。

表 5-13　生活杂用水水质标准　（单位：mg/L）

项目	厕所便器冲洗、城市绿化	洗车、打扫卫生
浑浊度（度）	10	5
溶解性固体	1 200	1 000
悬浮物	10	5
色度（度）	30	30
臭	无不快感	无不快感
pH 值	6.5～9.0	6.5～9.0
COD	10	10
BOD_5	50	50
氨氮（以 N 计）	20	10
总硬度（以 $CaCO_3$ 计）	450	450
氯化物	350	300
阴离子表面活性剂	1.0	0.5
铁	0.4	0.4
锰	0.1	0.1
游离余氯	管网末端水不少于 0.2	管网末端水不少于 0.2
总大肠菌群数（个/mL）	10	5

2）污水处理后用于景观水体的水质标准（摘录）

表 5-14 为我国建设部 2000 年颁布的中华人民共和国建设行业标准。本标准适用于进入或直接作为景观水体的二级或二级以上城市污水处理厂排放的水。

5.3.2.7　地下水人工回灌水水质标准

1）地下水人工回灌水水质要求

地下水人工回灌的回用水水质是人们十分关注的问题。鉴于水的地层渗透不能有效地去除水中的有机污染物质，而且不能作为一种水处理手段，不恰当的回用水地下回灌可能造成含水层与地下水难以消除的近期和长期污染。因此，一些国家对回用水地下回灌十分谨慎。例如在美国，为防止长岛 Nassan 浅层地下水超采而产生的海水入侵，要求地下回灌的回用水水质达到饮用水标准。对回用水回灌的严格控制主要是避免污染地下水源。

地下水人工回灌的水质要求，取决于当地地下水的用途、自然与卫生条件、回灌过程含水层对水质的影响及其他经济技术条件。回灌水的水质应符合以下条件：①回灌后不会引起区域地下水的水质变坏和污染；②不会引起井管或滤水管的腐蚀和堵塞。

表 5-14　污水资源化用于景观水体的水质标准　（单位：mg/L）

项目	人体非直接接触	人体非全身性接触
色度（度）	30	30
pH 值	6.5～9.0	6.5～9.0
化学需氧量（COD）	60	50
生化需氧量（BOD_5）	20	10
悬浮物（SS）	20	10
总磷（以 P 计）	2.0	1.0
凯氏氮	15	10
大肠菌群数（个/L）	1 000	500
余氯	0.2～1.0	0.2～1.0
全盐量	1 000/2 000	1 000/2 000
氯化物（以 Cl^- 计）	350	350
溶解性铁	0.4	0.4
总锰	1.0	1.0
挥发酚	0.1	0.1
石油类	1.0	1.0
阴离子表面活性剂	0.3	0.3

2）地下水人工回灌水水质标准介绍

下面分别介绍上海市和北京市的地下水人工回灌水水质标准，供回灌地下水时参考。表 5-15 为上海市地下水人工回灌水水质标准，表 5-16 为北京市地下水人工回灌水水质标准。

表 5-15　上海市地下水人工回灌水水质标准（摘录）

类别	项目	水质标准
物理指标	温度	冬灌＜15℃，夏灌＞30℃
	臭味	无异臭味
	色度（度）	无色，色度＜20
	浑浊度（度）	＜10
化学指标（除 pH 值外，均以 mg/L 计）	pH 值	6.5～6.8
	氯化物	＜250
	溶解氧	＜7
	耗氧量	＜5

续表 5-15

类别	项目	水质标准
化学指标（除pH值外，均以mg/L计）	铁	<0.5
	锰	<0.1
	铜、锌	<1
	砷	<0.02
	汞	<0.001
	六价铬	<0.01
	铅	<0.01
	镉	<0.01
	硒	<0.01
	挥发酚	<0.002
细菌指标	细菌总数（个/L）	<100
	大肠杆菌类（个/L）	<3

表 5-16　北京市地下水人工回灌水水质标准

序号	项目	控制指数	
		指标	单位
1	浑浊度	10～20	度
2	色度	40～60	度
3	高锰酸盐指数	15～30	mg/L
4	铁	0.3～1	mg/L
5	酚	0.002～0.005	mg/L
6	氰	0.02～0.05	mg/L
7	汞	0.001	mg/L
8	镉	<0.01	mg/L
9	重油	0.005～0.01	mg/L
10	石油	0.3	mg/L
11	表面活性物质	0.5	mg/L
12	铬（六价）	0.05～0.1	mg/L
13	铅	0.05～0.1	mg/L
14	铜	3.0	mg/L
15	砷	0.05～0.1	mg/L

续表 5-16　北京市地下水人工回灌水水质标准

序号	项目	控制指数	
		指标	单位
16	锌	5～15	mg/L
17	硫酸盐	250～350	mg/L
18	硝酸盐	50	mg/L
19	六六六	0.05	mg/L
20	滴滴涕	0.005	mg/L
21	大肠杆菌数	1 000	个/100mL
22	细菌总数	1 000～5 000	个/100mL
23	有机磷	0	mg/L
24	水温	＜30	℃
25	pH 值	6～9	
26	硬度	不超过当地地下水的硬度	
27	总矿化度	不高于当地地下水指标	
28	氟化物	＜1.0	mg/L

5.4　污水资源化规划设计

5.4.1　污水资源化规划的原则和方法

5.4.1.1　污水回用要采用系统分析与经济分析方法进行决策和规划

污水资源化系统是一个多环节、多因素的复杂系统，该系统内部与各系统之间、系统与外部环境之间都存在着相互依存、错综复杂的关系，因此要搞好污水资源化工作，应将系统分析和经济分析的方法应用于污水资源化的决策和规划中，作出统一规划。

5.4.1.2　污水回用应以城市污水为主要对象

由于工业废水的水质、水量变化多、差别大，各类工厂应尽量自行回收。只有城市污水量大、集中，可以成为稳定的水源，所以应以城市污水为对象进行规划。

5.4.1.3　实行全市分质供水

污水再生处理后，通过专设回用管线供给有关用户。在回用方式上，主要是供城市低水质用户使用。

5.4.1.4　污水回用工程实施前要进行可行性研究

包括污水回用用户的确定、所要求的水质标准、回用管路的布置及技术经济分析等。

5.4.1.5　污水回用后对环境及生物品质的影响跟踪监测与评价

可分为城市污水直接回用监测和农业回用，即污水灌溉后监测与分析评价。对于污水在城市内的回用,应当要求根据不同的目的,分别制定不同的污水回用标准,如市政用水、绿化用水、生活卫生用水等。对于生活卫生用水的污水称之为中水,基本要求是中水的物理与化学指标不应对正常用水造成影响,更不能对人体健康造成不利影响。对于污水用于农业灌溉,除了对水质有一定要求标准外,对灌溉后的土壤质量变化、种植作物的残留物质变化等均应当进行跟踪监测。

5.4.1.6 污水回用的规划,要与本地区的水资源开发利用结合起来进行

对各类水资源要作统一的合理安排,制定科学的优先开发利用顺序。一般原则是:对于拟建工程,考虑先利用污水资源,再开发地表水,对地下水实行保护政策。

5.4.2 污水资源化规划的内容和类型

5.4.2.1 污水资源化规划的内容

污水资源化规划是对某一时期污水资源化目标和措施所作出的统筹安排与设计。其目的是在发展经济的同时,合理开发利用污水资源,充分地发挥水体的多功能用途。在达到水环境目标的基础上,寻求最小的经济代价或最大的经济效益和环境效益。污水资源化规划是区域规划和城市规划的重要组成部分,因此在规划中必须贯彻经济建设与环境保护协调发展的原则。在污水资源化规划时,首先应对水环境系统进行系统分析,摸清水量水质的供需情况,合理确定水体功能和水质目标,进而对水的开采、供给、使用、处理及排放等各个环节作出统筹安排和决策。一般来说,污水资源化过程可概括为如图 5-1 所示。

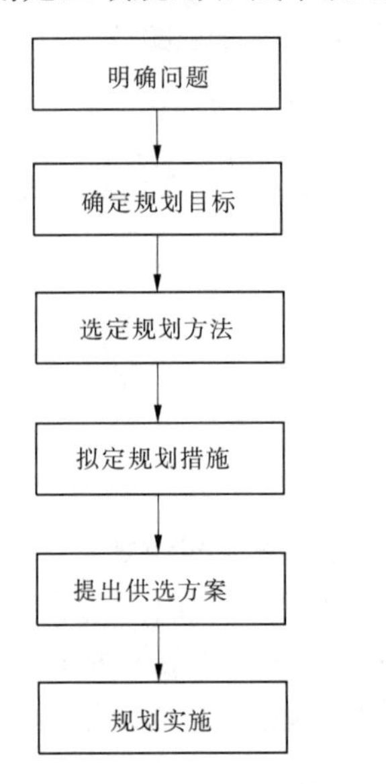

图 5-1 污水资源化规划过程简图

1)明确问题

在对污水资源化系统综合分析的基础上,找出污水资源化系统的主要问题,包括污水资源量、水质、污水资源开发利用等方面的问题,并查明问题的根源所在。明确问题,除了要明确规划的范围,并且要指明污水处理与污水规划利用的技术途径和要求。为此,要通过污染源的调查分析、水质的监测和区域水资源的开发利用状况调研,进而作出水环境污染现状评价和水资源利用评价,并作出污水资源开发利用的技术评价和经济效益分析。

2)确定规划目标

根据国民经济和社会发展要求,同时考虑客观条件,从污水资源水质和水量两个方面拟定污水资源规划目标。规划目标是经济与水环境协调发展的综合体现,是污水资源化规划的出发点和归宿。污水资源化规划目标的提出既要与经济发展的战略部署相协调,又要与目前的环境状况和经济实力相适应。规划目标的提出需要经过多方案比较和反复

论证，在规划目标最终确定前要先提出几种不同的目标方案，经过具体措施的论证以后才能确定最终目标。

3）选定规划方法

在污水资源开发利用规划中，通常可以采用两类规划方法：数学规划法和模拟比较法。前者是一种最优化方法，包括线性规划法、非线性规划法和动态规划法，它是在满足水环境目标，并在与水环境系统有关要素约束和技术约束的条件下，寻求污水资源最优开发利用的规划方案。模拟比较法是一种多方案模拟比较的方法，如系统动力学法、层次分析法和组合方案比较法。值得指出的是，组合方案比较法是依据所研究系统确定的污水资源规划目标（近期或远期），在经济技术可行的前提下，提出为达此目标拟采取的各种控制措施，并由这些措施组合成若干个供选方案。然后通过对每个方案进行模拟及费用—效益分析和比较，从中选出一两个最佳的或满意的方案供决策部门采纳。采用何种规划方法，应视具体的污水资源规划类型来确定。

4）拟定规划措施

在制定污水资源化规划的方案中，可供考虑的措施包括调整农业种植结构和工业布局、实施清洁生产工艺、提高水资源利用率、充分利用水体的自净能力和增加污水处理设施等。在污水资源化目标确定后，实现这一目标的途径、措施可能有多种方案，如何寻找最小费用的方案是污水资源化规划的重要任务。实践表明，过去走过的尾端治理的技术路线并非一条经济的路线，为此提出了环境经济大系统的规划方法，以及从尾端治理向生产全过程控制转移。也就是说，要从产业的结构、布局、工艺过程来考虑，促进采取有利于环境的产业结构、布局、技术、装备和有关对策。在污水资源化规划中，将环境因素介入生产过程，采用节能、低耗、少污染的工艺，有利于提高能源、资源的利用率。对于进入环境中的污染物，要通过合理利用环境的自然净化能力使其尽可能地满足污水开发利用目标。最后，对水环境自净能力不能容纳的污染物，要采取无害化处理。无害化处理有多种形式，通常集中治理与分散治理相比，集中治理的投资效益高、经济费用低。

5）提出供选方案

将各种措施综合起来，提出可供选择的实施方案。为了检验和比较各种规划方案的可行性与可操作性，可通过费用—效益分析、方案可行性分析和水环境承载力分析对规划方案进行综合评价，从而为最佳规划方案的选择与决策提供科学依据。

6）规划实施

污水资源化规划的实施也是制定规划的一个重要内容。因为一个规划的成功与否，就是看最终的规划方案能否被采纳、执行。不管规划方案是以何种形式被实施，实际上都体现了规划自身的价值与作用。

在进行污水资源化规划时，特别要注意以下几个问题：①根据目前和将来水体的用途，严格划分保护区，首先要保证饮用水源的水量和水质；②要充分注意流域的用地与人口的增长对水量、水质的改变，以及对水环境污染的影响；③应把流域及其水环境作为一个复合生态系统来考虑；④要特别注意减免洪水灾害的问题；⑤在治理上不能采取污染搬家的做法，要妥善处理干支流、上下游、左右岸及各种水环境的相互关系；⑥应明确水环境保护的方针和政策。

总而言之,污水资源化规划过程是一个反复协调决策的过程,以寻求一个最佳的统筹兼顾方案。因此,在规划中,要特别处理好近期与远期、需要与可能、经济与环境等的相互关系,以确保规划方案的可操作性。

5.4.2.2 污水资源化规划的类型及层次

根据污水资源化规划研究的对象,可将其大体分为两大类型,即水污染控制系统规划(或称水质控制规划)和水资源系统规划(或称水资源利用规划)。前者以实现水体功能要求为目标,是水环境规划的基础;后者强调水资源的合理开发利用和水环境保护,它以满足国民经济和社会发展的需要为宗旨,是污水资源化规划的落脚点。

污水资源化系统是由污染物的产生、排出、输送、处理到水体中迁移转化等各种过程和影响因素所组成的系统。从广义上讲,它可以涉及到人类的资源开发、人口规划、经济发展与水环境保护之间的协调问题。从地域上来看,既可以在一条河流的整个流域上进行水资源的开发、利用和水污染的综合整治规划,也可以在一个小区域(或城市、或工业区)内进行水质与污水处理系统,乃至一个具体的污水处理设施的规划、设计和运行。因此,污水资源化系统可因研究问题的范围和性质的不同而异。

污水资源化系统规划是以国家颁布的法规和标准为基本依据,以环境保护科学技术和地区经济发展规划为指导,以区域水污染控制系统的最佳综合效益为总目标,以最佳适用防治技术为对策措施群,统筹考虑污染发生—防治—排污体制—污水处理—水体质量及其与经济发展、技术改进和加强管理之间的关系,进行系统的调查、监测、评价、预测、模拟和优化决策,寻求整体优化的近、远期污水资源化规划方案。

根据污水资源化系统的特点,一般可将其分为 3 个层次:流域系统、城市(或区域)系统和单个企业系统(如废水处理厂系统)。因此,亦可将污水资源化规划分成 3 个相互联系的规划层次,即流域污水资源化规划、城市(区域)污水资源化规划和污水处理设施规划。

1)流域污水资源化规划

流域污水资源化规划主要研究受纳水体(流域、湖泊或水库)控制的流域范围内的污水资源化问题。其主要目的是确定应该达到或维持水体的水质标准;确定流域范围内应控制的主要污染物和主要污染源;依据使用功能要求和水环境质量标准,确定各段水体的环境容量,并依次计算出每个污水排放口的污染物最大容许排放量,确定污水资源的开发利用目标(工业、农业、市政等)。最后,通过对各种治理方案的技术、经济和效益分析,提出一两个最佳的污水资源化开发利用方案供决策者选择。

2)城市(区域)污水资源化规划

城市污水资源化规划应由环境保护、城市建设和工业部门等方面的代表参加制定,应成为地方政府解决当地水污染问题的计划依据。城市污水资源化规划的主要内容如下:

(1)确定整个规划年限内拟建的城市和工业废水处理厂、市政下水道、工业企业与水污染控制有关的技术改造或厂内治理设施等的清单。

(2)确定与农业、矿业、建筑业和某些工业有关的非点污染源,并提出控制措施。

(3)提出经处理后的废水与污泥的处置途径和方法。

(4)制定污水资源开发利用目标,如污水用于农业、工业、市政建设等。

(5)估算实现规划所需的费用,并制定实施规划的进度表。

(6)建立执行规划的管理系统。

3)污水处理设施规划

污水处理设施规划是对某个具体的污水处理系统,如一个污水处理厂及与其有关的下水道系统作出建设规划。该规划应在充分考虑经济、社会和环境诸因素的基础上,寻求投资少、效益大的建设方案。设施规划一般包括以下几个方面:

(1)关于拟建设施的可行性报告,包括要解决的环境问题及其影响、对流域和区域规划的要求等。

(2)说明拟建设施与现有其他设施的关系,以及现有设施的基本情况。

(3)第一期工程初步设计、费用估计和执行进度表;可能的分阶段发展、扩建和其他变化及其相应的费用。

(4)对被推荐的方案和其他可选方案的费用—效益分析。

(5)对被推荐方案的环境影响评价,其中应包括是否符合有关的法规、标准和控制指标,设施建成后对受纳水体水质的影响等。

(6)当地有关部门、专家和公众代表的评议,并经地方政府主管机构批准。

5.4.3 污水资源化规划基本理论研究

在进行污水资源化规划时,往往会涉及一些与此规划紧密相关的问题,如水环境容量的确定、水环境功能区和水污染控制单元的划分,以及水环境规划模型的选择等问题。在一些污水资源化规划中,这些问题对于确保规划目标的实现以及规划方案的有效实施,将起到极为重要的作用。

5.4.3.1 水环境容量

1)水环境容量的定义

水环境容量源于环境容量,是指某水体在特定的环境目标下所能容纳污染物的量。在理论上水环境容量是环境的自然规律参数与社会效益参数的多变量函数。它反映污染物在水体中的迁移、转化规律,也满足特定功能条件下水环境对污染物的承受能力。在实践上,水环境容量是环境目标管理的基本依据,是水环境规划的主要环境约束条件,也是污染物总量控制的关键参数。水环境容量的大小与水体特征、水质目标和污染物特性有关。

2)水环境容量分类

水环境容量可根据应用机制的不同进行分类。下面仅对按水环境目标、污染物性质和降解机制的分类作简要论述。

a.按环境目标分类

(1)自然水环境容量。以污染物在水体中的基准值为水质目标,则水体的允许纳污量称为自然水环境容量,其模型为:

$$E = \int K_{自}(\rho B_{基} - \rho B)\mathrm{d}V \tag{5-1}$$

式中:E 为水环境容量;$\rho B_{基}$ 为污染物在水体中的基准值;ρB 为污染物在水体中的浓度;V 为水的体积;$K_{自}$ 为水体自净系数。

（2）管理（或规划）环境容量。以污染物在水体中的标准值为水质目标，则水体的允许纳污量称为管理环境容量；当以水污染损害费用与治理费用之和最小为约束条件时，所规划的允许向水体中的排污量，称为规划环境容量。其模型为：

$$E = \int K_{自}(\rho B_{标} - \rho B)\mathrm{d}V = \int K_{自}(K_{标}\rho B_{基} - \rho B)\mathrm{d}V \tag{5-2}$$

式中：$K_{标}$ 为以技术指标为约束条件的社会效益参数，一般 $K_{标} \geqslant 1$；$\rho B_{标}$ 为污染物在水体中的标准值；其他符号含义同前。

b. 按污染物性质和降解机制分类

（1）耗氧有机物的水环境容量。耗氧有机物能被水中生物氧化分解为简单的无机物，使水环境容量增大，该容量即是通常所说的水环境容量。

（2）有毒有机物的水环境容量。有毒有机物是指人工合成的毒性大、难降解有机物。这类有机物的同化容量极小，一般只考虑水体的稀释作用。但是，有毒有机物主要应消除在污染源，而不易开发利用水体的环境容量。

（3）重金属的水环境容量。重金属也可被水体稀释到阈值以下。如从这个意义上讲，重金属有环境容量。但是，重金属是保守性污染物，它只发生赋存状态和空间位置的变化，而不能被分解。因此，重金属没有同化容量，对于重金属污染物更要严格控制在污染源。

3）水环境容量的设计条件

水环境容量的设计条件是根据已出现过的各种环境条件和污染条件，如水文、水温、流速、流量、水质、排污浓度和排污量等，考虑各种可预测到的未来变化范围，寻求最不利于控制污染的自然条件，并提出这种自然条件下的环境目标条件及其他约束条件。

a. 设计条件的类型和内容

平均化过程是设计条件的主要过程，即在稳态条件下平均化，或在概率分布条件下平均化。由此构成了两类设计条件：随机（或概率分布）设计条件和稳态（或定常）设计条件。

设计条件的内容主要包括自然条件、排污条件、目标条件和约束条件等。时期、时段和保证率是建立这些条件必不可少的三要素。建立设计条件的过程是对污染源及水质目标这一输入、响应系统的分析过程，是对污染最严重时期、时段，主要污染指标及相应污染源已有资料的匹配和精度水平的分析过程，也是对多年资料的统计参数和经验频率的分析过程。具体内容归纳如下：

（1）设计自然条件。主要包括设计水量、水温、流速和上游设计断面及其水质浓度、横向混合系数和纵向混合系数等。

（2）设计排污条件。包括设计排污流量、浓度、排放地点、排放方式和排放强度等。

（3）设计目标条件。主要包括设计污染控制因子、控制区段与控制断面、水质标准及达标率等。

（4）设计约束条件。包括与确定总量控制指标及控制方案有关的约束性因素，如经济投资约束条件、工业布局及城市规划约束条件等。

b. 随机设计条件

污染物的排放量与水质状况的发生都是随机性的和不确定性的。随机设计条件即是在平均化过程中,考虑了这种随机不确定性,将河流流量等变量视为随机变量,在概率分布下进行平均化。

这类设计条件主要针对河流流量、河水浓度、污水排放量和污水浓度4个变量。提供这4个变量的概率设计条件,可通过排污量、河水浓度和排放浓度的概率分布确定下游河水中污染物浓度的概率分布。

c.稳态设计条件

稳态设计条件忽略各变量的波动过程,取各设计变量的平均值表示。与随机设计条件相比,该方法的缺点是忽视了各变量的波动性,但因其较为成熟,对于一些较复杂的容量计算,如研究污染物迁移转化过程、模拟多种控制方案的环境影响,以及计算污染带范围和污染物排江排海等,目前常采用稳态设计条件。

稳态设计条件主要包括:

(1)设计保证率。通常选取90%保证率,也就是选取自然条件最恶劣、排污量最大的情况。

(2)设计流量。流量的设计时期应根据拟解决的水质状态发生时间确定。设计时段可以有7d、15d和30d三种选择。根据我国各流域水环境的水文、水力学特征,一般淮河流域和长江流域以北分别选30d和15d,长江流域以南选7d。

(3)设计流速。一般利用曼宁公式结合实测值和设计流量计算。

(4)设计排污条件。通过对污染源的调查和实测数据等的综合分析,确定代表性时段和代表性生产过程的排污量数值与排污口的排放条件。

(5)设计水温。根据设计流量和代表性排污条件所处时期,确定该时期的平均水温值。

5.4.3.2 水环境功能区划分

1)水环境功能区划分的原则

地表水环境功能区划分的原则可归纳为以下几点:

(1)集中式饮用水源地优先保护。在规定的5类功能区中,以饮用水水源地为优先保护对象。在保护重点功能区的前提下,可兼顾其他功能区的划分。

(2)不得降低现状使用功能,并兼顾规划功能。对于一些水资源丰富、水质较好的地区,在开发经济、发展工业、制定规划功能时,应经过严格的经济技术论证,并报上级批准。

(3)统筹考虑行业用水标准要求。对于行业用水区,如卫生部门划定的集中式饮用水取水口及其卫生防护区、渔业部门划定的渔业水域、排污河渠的农灌用水均执行行业用水标准。

(4)上下游、区域间互相兼顾,适当考虑潜在功能要求。划分功能区不应影响潜在功能的开发和下游功能的保障。在功能区划分中,要对可被生物富集的或环境累积的有毒有害物质所造成的环境影响给予充分的考虑。

(5)合理利用水体自净能力和水环境容量。在功能区划分中,要从不同水域的水文特点出发,充分利用水体的自净能力和水环境容量。

(6)与陆上工业合理布局相结合。划分功能区要层次分明,突出污染源的合理布局,使水域功能区与陆上工业合理布局、城市发展规划相结合。

(7)对地下饮用水源地污染的影响。如属地下饮用水源地的补给水,或地质结构造成明显渗漏时,应考虑对饮用水源地的影响。

(8)实用可行,便于管理。功能区划分方案应实用可行,有利于强化目标管理,解决实际问题。

2)水环境功能区划分的依据

根据 GHZB1—1999 标准规定,地表水环境保护功能区名目如下:

(1)自然保护区及源头水。对未受污染的源头水以及国家、省、市已法定的自然保护区水域,均可以本名目执行Ⅱ类标准保护。

(2)生活饮用水区。执行Ⅲ类或Ⅳ类标准。其标准值的制定依据以保护人体健康为基准。对集中式供水的饮用水地表水源,可按照不同的水质标准和防护要求分级划分饮用水水源保护区。通常,将饮用水保护区划分为一级保护区和二级保护区,必要时可增设标准保护区。一般情况下,一级和二级保护区可分别按Ⅱ类和Ⅲ类标准保护。

(3)渔业水域。执行Ⅱ类或Ⅲ类标准。其标准值的制定依据以保护水生生物的急慢性为基准。我国管辖水域中鱼、虾、蟹、贝类的产卵场、索饵场、越冬场与洄游通道和鱼、虾、蟹、藻类及其他水生动植物的养殖场所,均可列为本名目。可分珍贵鱼类保护区及一般鱼类保护区,分产卵场和养殖场等不同类别,而分别按Ⅱ类和Ⅲ类标准管理。

(4)风景游览区。执行Ⅲ类或Ⅳ类标准。可分为人体直接接触的游泳区及人体非直接接触的娱乐用水区。在按Ⅲ、Ⅳ类标准分别进行管理的基础上,应注意色、臭、漂浮物、透明度、水温和总大肠菌群等指标的补充规定。

(5)工农业用水区及一般景观用水区。执行Ⅲ类或Ⅳ类标准。各工矿企业生产用水的集中取水点为工业用水区,农作物灌溉的集中取水点为农业用水区。

由于Ⅴ类标准的制定依据是以不发生急性公害为基点,以保护水生生物的急性基点为依据,农业用水区按Ⅴ类标准管理,严于农灌用水标准,能保证一般景观用水质量要求。工业用水区按Ⅳ类标准管理,是考虑到工业用水需进行特殊处理,为预处理创造必要的条件。

3)水环境功能区划分的方法步骤

水环境功能区的划分可概括为 7 个步骤,见图 5-2。

水环境功能区划分工作可分为 4 个阶段工作,即技术准备阶段、定性判断阶段、定量决策阶段和综合评价阶段。

a.技术准备阶段

(1)收集和汇总现有的基础资料、数据,内容包括区域自然环境调查,如气候、地质、地貌、植被以及水文、流量、流速和径流量等;城镇发展规划调查,如人口数量与分布、工业区与农业区和风景游览区布局等;污染源和水污染现状及治理措施调查,如污染源数量和排放口位置、污染物种类和排放量、水体水质及季节变化、水污染治理措施等;水质监测状况调查,如监测点位置、断面分布、监测项目和采样频率等;水资源利用情况调查,如水厂位置、各部门用水量及对水质的要求,以及各用水部门间、上下游间用水矛盾与否;水利设施调查,如工农业和生活取水、调水、蓄水、防洪、水力发电和通航水位等;区域经济发展状况调查,如国民经济各部门发展计划、区域内资源分布和数量等;政策和法规调查,如正在执

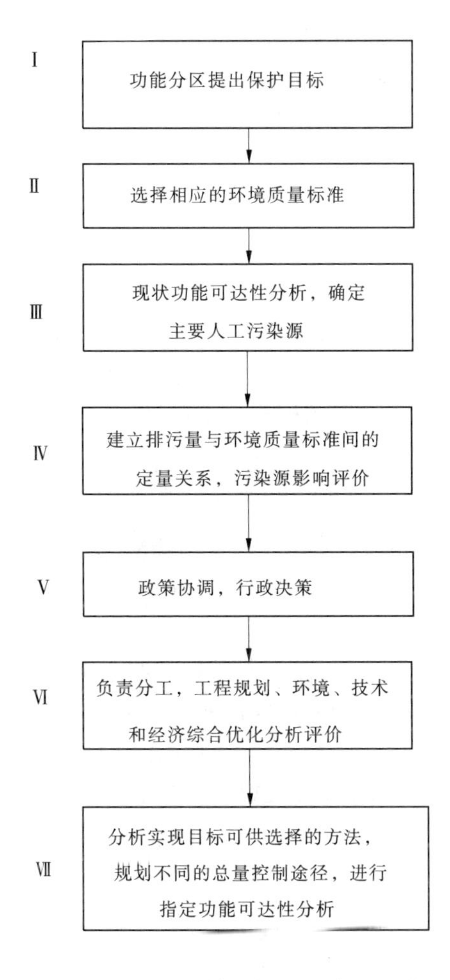
Ⅰ
功能分区提出保护目标
Ⅱ
选择相应的环境质量标准
Ⅲ
现状功能可达性分析，确定
主要人工污染源
Ⅳ
建立排污量与环境质量标准间的
定量关系，污染源影响评价
Ⅴ
政策协调，行政决策
Ⅵ
负责分工，工程规划、环境、技术
和经济综合优化分析评价
Ⅶ
分析实现目标可供选择的方法，
规划不同的总量控制途径，进行
指定功能可达性分析

图 5-2　确定环境保护目标的系统分析过程

行与拟颁布的地方标准或管理条例等。

(2)确定工作方案:初步划分工作范围与工作深度;对需补测的项目制定必要的现场监测方案;所需专业与行政管理合理组合。

b.定性判断阶段

(1)分析使用功能及其影响因素,分析水体现状使用功能,对水环境现状进行评价,确定影响使用功能的污染因子和污染时段。分析污染源优先控制顺序,将现状功能区中水质要求不符合标准的水域,依据污染因子列出相应污染源;提出规划功能及相应水质标准,预测污染物排放量的增长与削减。

(2)提出功能区划分的初选方案或多种供选方案。

c.定量决策阶段

(1)确定设计条件。设计条件必须在定量计算前进行,主要包括设计流量、设计水温、设计流速、设计排污量、设计达标率与标准及设计分期目标。

(2)选择水质模型及计算。

(3)计算混合区范围。在削减排污量方案费用较高、技术不可行时,为了保证功能区水质符合要求,可考虑改变排污去向至低功能水域,或减小混合区范围以及利用大水体稀释扩散能力。在这些情况下,如开辟新取水口均应进行混合区范围计算。

(4)优化模拟。对功能区达到各个环境目标的技术方案及投资进行可达性分析。

d.综合评价阶段

(1)通过对水环境功能区的综合评价,确定切实可行的区划方案。

(2)拟定分期实施方案。

5.4.3.3 污水资源化规划模型

在污水资源化系统规划中,规划方法的选择是决定规划成败的关键,也是规划的核心内容。根据解决水污染问题的途径,可将污水资源化系统规划分为两大类,即污水资源化系统规划的最优化问题和规划方案的模拟优选问题。

1)最优化问题

所谓污水资源化系统规划的最优化问题,就是利用数学规划方法,科学地组织污染物的排放或协调各个治理环节,以便用最小的费用达到所规定的水质目标。对于这类问题可分为3种:排污口最优化处理、最优化均匀处理和区域最优化处理。

a.排污口最优化处理

以各小区的污水处理厂为基础,在水质条件的约束下,寻求满足水体水质要求的各污水处理厂最佳处理效率的组合。对排污口最优化处理问题研究得最早,当时称之为水质规划问题。排污口的最优化布局是关系到区域环境治理的重要内容,也是污水资源化费用的合理投资以及在一定投资下取得的最佳效果问题。其数学模型可写为:

$$\text{st.}\quad \left.\begin{aligned} &\min Z = \sum_{i=1}^{n} C_i(\eta_i) \\ &UL + m \leqslant L^0 \\ &VL + n \geqslant O^0 \\ &L \geqslant O \\ &\eta_i^1 \leqslant \eta_i \leqslant \eta_i^2 \end{aligned}\right\} \tag{5-3}$$

式中:$C_i(\eta_i)$为第i个小区的污水处理厂的污水处理费用,它是污水处理效率η_i的单值函数;L^0为河流各断面的BOD约束组成的n维向量;O^0为河流各断面的COD约束组成的n维向量;O为断面COD控制标准;η_i^1、η_i^2分别为第i个污水处理厂的处理效率的下限约束与上限约束;L为输入河流的BOD向量;U、V分别为河流中BOD和COD的响应矩阵;m、n分别为起始断面BOD和COD对下游各断面影响的向量。

这里的约束方程中列出了一维河流的状态,对于二维和三维河流问题,可将相应的水质状态方程写成约束形式,形成相应的水质约束方程。一般情况下,这是一个非线性规划问题,其目标函数是非线性的费用函数,约束条件则是线性的。如对目标函数进行线性化或分段线性化处理,即可将上述问题转换为一个线性规划问题。

b.最优化均匀处理

最优化均匀处理是在污水处理效率固定的条件下,寻求区域的污水处理和管道输水的总费用最低时,污水处理厂的最佳位置和容量的组合。这个问题也被称为厂群规划问题。在有些发达国家，法律要求所有排入水体的污水都要经过二级处理，这种条件下的最优化问题就属于最优化均匀处理。最优化均匀处理的模型可用如下数学形式表达：

$$
\left.\begin{aligned}
&\min Z = \sum_{i=1}^{n} C_i(Q_i) + \sum_{i=1}^{n}\sum_{j=1}^{n} C_{ij}(Q_{ij}) \\
\text{st.}\quad & q_i + \sum_{j=1}^{n} Q_{ji} - \sum_{i=1}^{n} Q_{ij} - Q_i = 0 \\
& Q_i, q_i \geqslant 0 \\
& Q_{ji}, Q_{ij} \geqslant 0
\end{aligned}\right\} \tag{5-4}
$$

式中：$C_i(Q_i)$ 为第 i 个污水处理厂的污水处理费用，它是污水处理厂的规模 Q_i 的单值函数；$C_{ij}(Q_{ij})$ 为节点 i 输水至节点 j 的输水费用，它是输水量 Q_{ij} 的函数；q_i 为第 i 个小区本地收集的污水量；Q_{ji} 为第 j 小区输往第 i 小区的污水处理厂的水量；Q_{ij} 为第 i 小区输往第 j 小区的污水处理厂的水量；Q_i 为第 i 小区的污水处理厂接受处理的污水量。

与排污口最优化处理问题一样，最优化均匀处理模型也是一个非线性模型，有时也可以转化为线性模型。

c. 区域最优化处理

它要求综合考虑水体自净、污水处理和管道输水 3 种因素。也就是说，为了使污水资源化系统的总费用最低，区域最优化处理既要求考虑污水处理厂的最佳位置和容量，又要求考虑每座污水处理厂的最佳处理效率，它既要充分发挥污水处理系统的经济效能，又要合理利用水体的自净能力。区域污水资源最优化处理的规划模型可表达为：

$$
\left.\begin{aligned}
&\min Z = \sum C_i(Q_i, \eta_i) + \sum_{i=1}^{n}\sum_{j=1}^{n} C_{ij}(Q_{ij}) \\
&UL + m \leqslant L^0 \\
&VL + n \geqslant O^0 \\
\text{st.}\quad & q_i + \sum_{j=1}^{n} Q_{ji} - \sum_{i=1}^{n} Q_{ij} - Q_i = 0 \\
&L > O \\
&Q_i, q_i \geqslant 0 \\
&Q_{ij}, Q_{ji} \geqslant 0 \\
&\eta_i^1 \leqslant \eta_i \leqslant \eta_i^2
\end{aligned}\right\} \quad (i, j = 1, 2, \cdots n) \tag{5-5}
$$

式中：$C_i(Q_i, \eta_i)$ 为第 i 个小区的污水处理厂的污水处理费用，这时，它既是污水处理规模 Q_i 的函数，又是污水处理效率 η_i 的函数；其他符号含义同前。

区域污水资源最优化利用问题比以上两种问题更为复杂。目前尚未有成熟的求解方法。对于这种问题可采用试探分解法来求解。试探分解法是基于“全部处理或全部不处理”的策略，也就是将原问题分解成两个子问题，即排污口最优化处理问题和输水管线的最优化计算问题。这两个子问题独立最优化之后的费用之和即为一次试探的总费用，将这个总费用返回原问题进行协调，与上次保留的最优解进行比较，舍劣存优。然后重复进行分解和协调,不断使目标获得改进,直至取得满意的解。

2)模拟优选问题

最优化规划问题的共同点是根据污染源、水体、污水处理厂和输水管线提供的信息,一次求出污水资源化系统的最佳方案。但在许多情况下,由于进行最优化的条件不尽具备,或者由于采用了某种特殊的处理方式和排放方式,致使问题不易被纳入最优化的目标与约束之中,从而限制了最优化规划方法的运用。这时,规划方案的模拟优选就成为污水资源化系统规划的主要方法。

规划方案的模拟优选与最优化规划方法不同,模拟优选法是先进行污水输送与处理设施规划研究,提出各种可供选择比较的规划方案,这时,可先不考虑污水输送和处理系统与水体之间的关系。然后对各种方案中的污水排放与水体之间的关系进行水质模拟计算,检验规划方案的可行性,最后从可行方案中找出比较好的方案。该方法将定性分析与定量计算结合在一起,先定性确定模拟的范围,再进行定量的模拟计算,最后选优确定最佳适用方案。应用规划模拟方法得到的解,一般不是区域的最优解。由于这种方法的解的好坏在很大程度上取决于规划人员的经验和能力,因此应用规划方案的模拟选优方法时,要求尽可能多提出一些初步规划方案,以供筛选。在很多情况下,规划方案的模拟是一种更为有效实用的方法。

5.4.4 污水资源化规划的技术措施

污水资源化规划方案是由许多具体的技术措施构成的组合方案,这些技术措施涉及到水资源开发利用和水污染控制的各个方面。因此,这里不可能将所有与污水资源化规划有关的技术措施都一一列举,而仅将与水污染控制有关的主要措施提出,以供设计污水资源规划方案时参考。

污水资源开发利用的途径大致有两种:一是减少污染物排放,二是提高或充分利用水体的自净能力。与第一种途径相应的技术措施包括清洁生产工艺、污染物排放浓度控制和总量控制、污水处理、污水引灌、氧化塘和土地处理系统等。与第二种途径相应的措施包括河流流量调控、河内人工复氧和污水调节等。

5.4.4.1 减少污染物排放

1)清洁生产工艺

清洁生产工艺为对生产过程和产品实施综合防治战略,以减小对人类和环境的风险。对生产过程,包括节约原材料和能源、革除有毒材料、减少所有排放物的排污量和毒性。对产品来说,则要"减少从原材料到最终处理的产品的整个生命周期对人类健康和环境的影响"(联合国环境规划署)。清洁生产着眼于在工业生产全过程中减少污染物的产生量,同时要求污染物最大限度资源化。它不仅考虑工业产品的生产工艺,而且对产品结构、原料和能源替代、生产运营和现场管理、技术操作、产品消费,直至产品报废后的资源循环等诸多环节进行统筹考虑。清洁生产具有经济和环境上的双重目标,通过实施清洁生产,企业在经济上能赢利,环境上也能得到改善,从而使保护环境与发展经济真正协调起来。因此,实施清洁生产是深化我国工业污染防治工作,实现可持续发展战略的根本途径,也是污水资源规划中应采纳的重要措施。

实现清洁生产的途径很多,其中包括资源的合理利用,改革工艺和设备,组织厂内物料循环、产品体系的改革,必要的末端处理以及加强管理等。在污水资源规划中,拟采取的详细的清洁生产措施可根据规划对象的具体要求来确定。

2)浓度控制法

浓度控制是对人为污染源排入环境的污染物浓度所作的限量规定,以达到控制污染源排放量的目的。浓度控制法在水环境污染控制过程中发挥了重大作用。目前,许多发展中国家仍依据排入水体或城市下水道的污染物浓度的大小征收排污费。但经若干年的实践发现,实施浓度控制之后水体质量改善的程度远未达到预期的目的。究其原因,是因为浓度控制法有下述缺陷:①单纯浓度控制不能限制排入环境中的污染物总量,当排放源采用稀释排放法时,可以在浓度不超标条件下无限制地排放任何污染物;②浓度控制未考虑区域环境的现状负荷,如在排放源密集的地区,即使各个污染源都符合排放标准,但整个区域的环境质量也可能超过标准;③浓度控制法未考虑区域的自然环境条件,有些区域由于污染物容许负荷能力较大,统一的标准又可能导致不必要的苛刻要求。

3)总量控制法

总量控制就是依据某一区域的环境容量确定该区域内污染物容许排放总量,再按照一定原则分配给区域内的各个污染源,同时制定出一系列政策和措施,以保证区域内污染物排放总量不超过区域容许排放总量。总量控制可划分为容量总量控制、目标总量控制和行业总量控制 3 种类型。

a. 容量总量控制

从受纳水体容许纳污量出发,制定排放口总量控制负荷指标。容量总量控制以水质标准为控制基点,以污染源可控性、环境目标可达性两个方面进行总量控制负荷分配。

b. 目标总量控制

从控制区域容许排污量控制目标出发,制定排放口总量控制负荷指标。目标总量控制以排放限制为控制基点,从污染源可控性研究入手,进行总量控制负荷分配。

c. 行业总量控制

从总量控制方案技术、经济评价出发,制定排放口总量控制负荷指标。行业总量控制以能源、资源合理利用为控制基点,从最佳生产工艺和实用处理技术两方面进行总量控制负荷分配。

4)污水处理

建立污水处理厂是水环境规划方案中常考虑采取的重要措施。一般污水处理程度可分为一级、二级和三级处理,其中一级和二级处理技术已基本成熟,三级处理不仅技术上要求严格而且费用昂贵,目前不宜采用。污水处理费用主要为建厂投资和运转费用,可用污水处理费用函数表示。准确估算污水处理费用函数是评价污水处理厂费用的关键环节。

5)污水引灌

污水引灌是把城市生活污水进行一定程度的处理后引至城市近郊进行农灌。城市生活污水中含有丰富的氮、磷等植物营养元素,用城市污水进行农灌,农作物可以利用污水中的水分和养分。同时,土壤中含有大量的微生物可以分解污水中的有机物质。为了避免保守性毒物在土壤和农作物中累积,实施农灌的污水应是至少经过一级处理的城市纯生活污水,或是由不含保守性毒物的工业污水与生活污水组成的,经过适当处理的混合污水。污水土地利用费用包括污水输送费用、蓄存费用、施灌费用等几部分。污水土地利用费用为单位时间污水输送量(输污速率)、输送管线长度、灌溉速率和灌溉面积的函数。

6)氧化塘

氧化塘(Oxidation Pond)是各类污水处理塘的俗称。它通常分为4种基本类型:兼性塘(Facuhative Ponds)、曝气塘(Aerated Ponds)、好气塘(Aerobic Ponds)和厌气塘(Anaerobic Ponds)。氧化塘利用自然生态系统的自净功能,是一种成本低、能耗小的城市污水处理技术。

5.4.4.2 提高或充分利用水体的自净能力

1)河内人工复氧

河内人工复氧(Artificial Instream Aeration)也是改善河流水质的重要措施之一。它是借助于安装增氧器来提高河水中的溶解氧浓度。在溶解氧浓度很低的河段采取这项措施尤为有效。人工复氧的费用可表示为增氧器功率的函数。我国尚未开展河内人工复氧的研究和实践。

2)污水调节

在河流同化容量低的时期(枯水期)用蓄污池(Effluent Storage Lagoons)把污水暂时蓄存起来,待河流的纳污容量高时释放,由于更合理地利用了河流的同化容量,从而提高了河流的枯水水质,这项措施称污水调节。污水在蓄存期间,其中的有机物还可降解一部分。污水调节费用主要是建池费用。如能利用原有的坑塘则更为经济。缺点是占地面积大、有可能污染地下水等。如果是原污水还可能会产生恶臭并影响观瞻。国外蓄存用于调放的污水大都是经过处理的处理厂出水,这就避免或减轻了恶臭现象的发生。

3)河流流量调控

国外对流量调控(Streamflow Regulation)或称低流量增流(Low-Flow Augmentation)以及从外流域引水冲污的研究较早,并已应用于河流的污染控制。世界上很多河流的径流年内分配不均,枯水流量较小,在枯水期水质严重恶化。在低流量期,欲达水质目标则需对污水进行较深度的处理。而在高流量期,河流的环境容量得不到充分利用,造成河流自净资源的浪费。因此,就这类河流而言,提高河流的枯水流量应成为其水质控制的一个值得考虑的措施。实行流量调控可利用现有的水利设施,也可新建水利工程。利用现有水利设施提高河流枯水流量造成的损失,主要包括由于减少了可用于其他有益用途的水量而使来自这些用途的收益的减少量。新建水利工程除了控制水质方面的效益外,同时还具有防洪、发电、灌溉和娱乐等效益。由于水利工程具有多目标性,建立其费用函数具有很大的困难。同时,由于流量调控效益的多重性,自 Eckstein(1965)首次提出水资源工程费用分担问题以来,目前仍未找到把费用公平合理地分配给每种用途的方法。目前把流量调控费用引入水质规划最优化模型常用的方法有两个:第一,分别把不同比例的流量调控费用武断地分配给污水资源化过程,研究与各比值对应的水质规划最优解下的流量调控量;第二,研究不同调控流量时系统的边际费用,控制经济效益。就目前情况而言,如何把水利工程的多重效益和损失定量化并引入水质模型中的问题尚未真正解决,这方面的研究亟待加强。

5.4.5 污水资源化规划方案的综合评价

污水资源化规划方案制订后，为了检验和比较各个方案的可行性与可操作性，可通过费用—效益分析、方案可行性分析以及水环境承载力分析，对规划方案进行综合评价，从而为最佳规划方案的选择与决策提供科学依据。

5.4.5.1 费用—效益分析

污水处理厂的费用可以表示为污水流量 Q 与处理效率 η 的函数，即：

$$C = f(Q, \eta) \tag{5-6}$$

建立费用函数，首先应收集污水处理厂的费用数据，将所收集的数据以 Q 为列，以 η 为行组成一个费用矩阵。这是发达国家普遍采用的方法。由于我国建立的污水处理厂较少，因而难以获取足够的数据。对此，国内提出了一种序列设计法来求得费用矩阵所需要的数据。该方法是先假定一个污水处理规模的序列，然后对每一种处理规模进行一级处理和二级处理的污水处理厂设计，再在不处理、一级处理和二级处理之间进行流量组合，从而得到不同规模下的处理效率及相应的费用。

费用矩阵确定后，即可建立费用函数，其形式较多的是幂函数。首先对每一种处理效率下的一组流量作出费用—流量函数：

$$C = \alpha Q^{\beta} \tag{5-7}$$

式中参数 α、β 可由曲线拟合求得，显然，α、β 又可表示为处理效率 η 的函数。国外的统计资料表明，β 值随 η 的变化较小，可取为常数。α 值可用 η 的幂函数表示：

$$\alpha = k + r\eta^{\sigma} \tag{5-8}$$

式(5-7)、式(5-8)合并整理后，得：

$$C = k_1 Q^{k_2} + k_3 Q^{k_2} \eta^{k_4} \tag{5-9}$$

式中参数 k_1、k_2、k_3、k_4 可由费用矩阵提供的数据通过参数估值求出。

5.4.5.2 方案可行性分析

评价污水资源化规划方案的可行性，可以从水环境目标的可达性和污水处理投资的可行性两个方面来考察。

1）水环境目标的可达性分析

可以利用已建立的水环境数学模型，通过对各个方案的水质模拟，来检验规划方案是否能达到预定的水环境目标。

2）污水处理投资的可行性分析

当规划方案确定后，检验其可行性的关键条件是看方案中的投资能否被当地的经济实力所承受。估算城市污水处理投资的方法通常有两种：一是根据城市环保投资占国民生产总值的百分比及其中污水处理投资的比率。目前我国环保投资占国民生产总值的0.6%～0.7%。另一种是根据工业总产值和固定资产投资率，来求算污水处理投资占工业基建投资的比率。通常城市固定资产投资率为工业产值的9%。

通过上述任一种方法对不同时期的规划方案的污水处理可能投资进行估算，并将其与相对应的污水处理投资费用进行比较，如果可能的投资额能够满足实际需要的污水处理投资费用，即可认为该方案是可行的。

5.4.5.3 水环境承载力分析

水环境承载力是指某一地区、某一时间、某种状态下水环境对经济发展和生活需求的支持能力。也就是说,水环境承载力因经济发展的速度和规模不同而不同,因此可用来评判规划方案的水环境承载力负荷的大小,并可从水环境对人类提供物质、能量等的限度方面加以考虑。

1)水环境承载力的指标

研究水环境承载力的关键是建立其指标体系。水环境不仅为人口与经济的发展提供必要的物质基础和条件,而且还是污水的受纳体。因此,水环境承载力的指标用与人口、经济有关的水资源和水污染状况、污水处理投资和供水费用等来表征。具体指标包括城市化水平的倒数、人均工业产值、工业固定资产产出率、可利用水资源总量与城市总用水量之比、单位水资源消耗量的工业产值、单位水资源消耗量的农灌面积、污水处理投资占工业投资之比、污水处理率、单位 COD(BOD)排放量的工业产值、COD(BOD)控制目标与COD(BOD)浓度之比等。这些指标和水环境承载力的大小成正比关系。

2)水环境承载力的定量表述方法

在探讨水环境承载力的定量表示方法之前,首先引进两个概念,即发展变量和支持变量。发展变量是表征城市社会经济发展对水环境作用的强度,它可用与社会经济发展有关的人口、产值、投资、水资源的利用量、向水环境排放的废水和污染物量等因子来表述。这些因素构成一个集合——发展变量集,其中的元素称为发展因子。发展因子通过分析可以量化,则发展变量即可表示成 n 维空间的一个向量:$d=(d_1,d_2,\cdots,d_n)$。支持变量是水环境系统结构和功能状况对城市经济发展支持能力及其相互作用的表现。全部支持变量构成了支持变量集,其中的元素称为支持因子。同样,支持因子也可以量化,即将支持变量表示成 n 维空间的一个向量:$s=(s_1,s_2,\cdots,s_n)$。

水环境承载力 n 维发展变量空间中的任一个向量的各个分量由上述与发展因子及支持因子有关的具体指标来确定。对于同一城市来说,该向量可因城市经济发展方向的不同而有不同的方向。也就是说,不同城市经济发展策略下,发展因子和支持因子的大小会发生变化,从而导致水环境承载力大小的不同。由于水环境承载力的各个分量具有不同的量纲,为了比较其大小,首先必须对其各分量进行归一化处理。

假设在一个地区的经济发展规划中,有 m 个发展方案,因而存在 m 个水环境承载力。不妨设此 m 个水环境承载力为 $E_j(j=1,2,\cdots,m)$,再设每个水环境承载力由 n 个具体指标确定的分量组成,即:

$$E_j = (E_{1j},E_{2j},\cdots,E_{nj}) \tag{5-10}$$

归一化处理后,为:

$$\widetilde{E}_j = (\overline{E}_{1j},\overline{E}_{2j},\cdots,\overline{E}_{nj}) \tag{5-11}$$

其中:

$$\overline{E}_{ij} = \frac{E_{ij}}{\sum_{i=1}^{n} E_{ij}} \quad (i=1,2,\cdots,n)$$

这样第 j 个水环境承载力的大小,可用归一化后的峡谷能量的模来表示,即:

$$|\overline{E}_j| = \sqrt{\sum_{i=1}^{n}(\overline{E}_{ij})^2} \tag{5-12}$$

为了突出水环境对不同经济发展方案的支持因子的支持作用，可用下式表示第 j 个水环境承载力的相对大小：

$$E_j = \sqrt{\frac{m^2}{n}\sum_{i=1}^{n}(\overline{E}_{ij})^2} \tag{5-13}$$

5.4.6 开封市污水资源化规划与技术方案研究

5.4.6.1 污水资源化总体规划技术方案

制订一个城市的污水资源化规划方案，应当从工农业经济发展各方面加以考虑。综合协调各类因素间的相互关系。在污水资源化规划过程中，对规划结果有重大影响的因素要进行专题理论研究，协调区域经济发展与水资源开发利用和水环境保护之间的关系，从而确保社会经济能够稳定、持续发展。

除了从理论上考虑污水资源化的合理性之外，还要考虑经济上的可行性。因为对于一个污染问题较为严重的老城市来说，虽然从理论上讲，污水处理方案是正确的，但是由于经济承受能力所限以及改造原有的城市建设工程的艰巨性，往往使得一个好的规划方案成为空中楼阁。这就要求任何规划方案必须与现实相结合。

因此，考虑到上述种种因素，开封市污水资源化规划研究程序如图 5-3 所示。规划研究内容可以概括为以下几部分。

1)在对开封市社会经济、水资源和水环境状况调查的基础上，进行区域综合分析，开展水资源现状分析与评价，以及水环境污染现状分析与评价

这在前面有关章节中已做了研究。

2)经济发展与水资源供需分析，以及区域内河流水污染控制单元划分及其水环境容量确定

首先对开封市区产业结构进行分析，然后作出经济发展预测和人口增长预测，进而作出水资源供需分析。在此基础上，提出水资源开发经济技术可行性分析。其次，根据开封市城市总体规划及区域内河流水文特点，划分河流水污染控制单元，提出河流设计流量与水质控制目标，建立河流水质模型，进而确定各单元的水环境容量。

a.水污染控制单元划分

开封市属于淮河流域，流经本市的淮河一、二、三级支流共计有 46 条，其中一级支流 1 条，二级支流 11 条，三级支流 34 条。按照地表河流水使用功能，水污染控制单元划分方案如表 5-17 所示。

b.水质现状分析与水质控制目标规划

开封市有工业企业 1 000 多家，工业废水处理率低，仅占全市废水总量的 11.5%。工厂排放的废水达标率也很低，仅占总量的 12.6%，绝大多数废水未经处理直接排放到附近的河道中，最终通过支流汇入惠济河。开封市西工业区及陇海路以北、城墙以南地区的工业废水大部分排入黄汴河中。西工业区铁路以南的工业废水大多排入药厂河。东工业

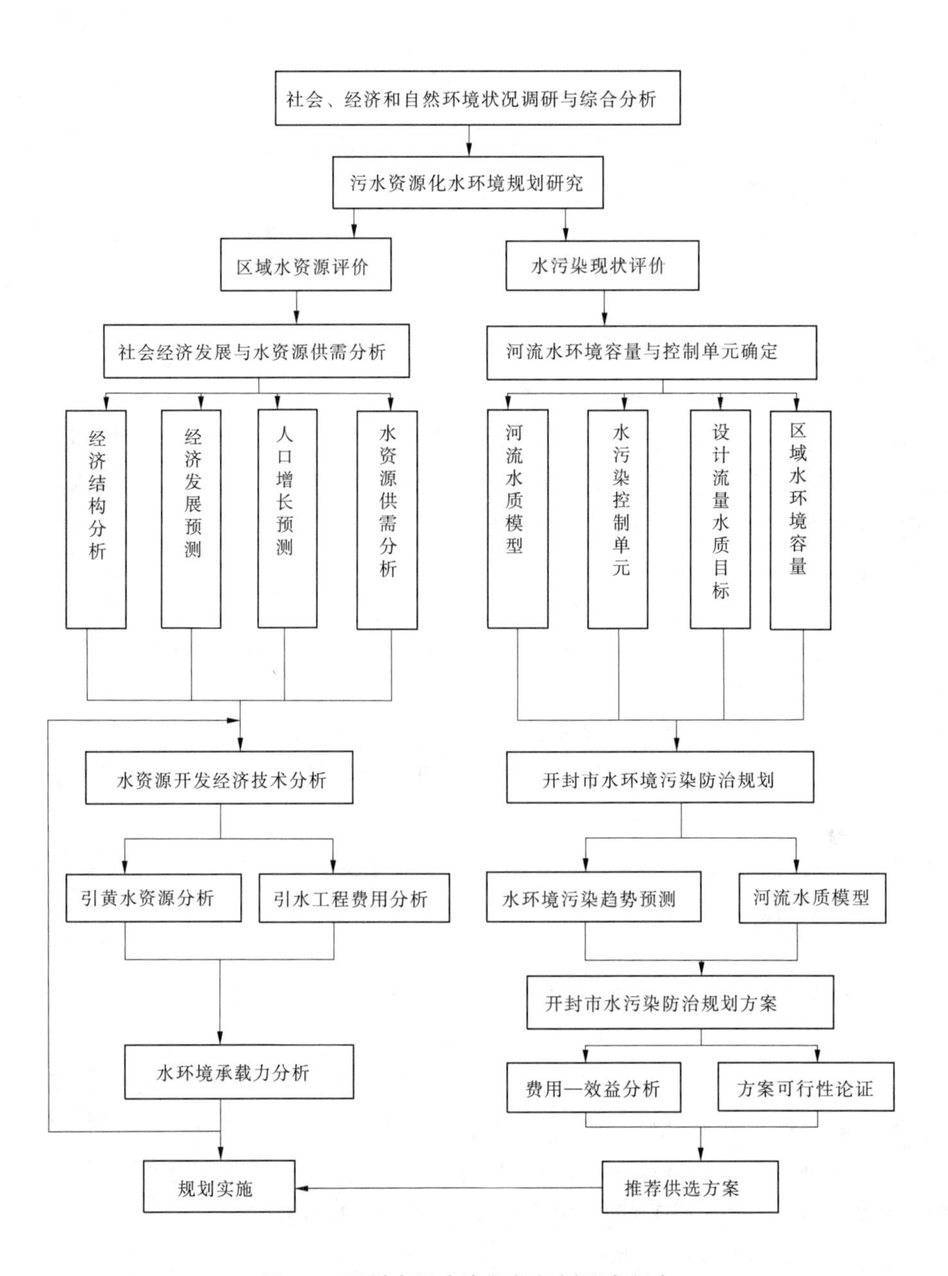

图 5-3 开封市污水资源化规划研究程序

区,化肥厂以西大部分工厂的废水都排入东护城河,少数工厂的废水直接排入惠济河,河南大学泵站将市内废污水提到东护城河。化肥厂及其附近的炼锌厂、磷厂等厂家的废水排入东郊沟。城内龙亭以北、以东地区工厂的废水排入北支河。城内其他废水排入现已变成暗河的东支河和西支河中。开封市的湖泊中,黑池、柳池没有污水流入。龙亭湖、包公湖、西北湖以及铁塔湖,除有少量生活污水进入外,基本没有工业废水排入。由于大量工业废水和生活污水直接排入地面水体,地面水严重污染,根据历年地面水水质监测资料得知,开封市地面水以有机污染为主。

表 5-17　开封市地面水功能区划分方案

水体名称	功能区名称	控制断面			功能类型		
		上断面	下断面	长度(km)	水质现状功能	现状使用功能	指定使用功能
涡河	黄汴河Ⅰ	黑池南岸	孙李唐桥	10	超V_3	泄洪农排	Ⅲ
	黄汴河Ⅱ	孙李唐桥	南关泵站	7	超V_5	泄洪纳污	Ⅴ
	惠济河Ⅰ	南关泵站	开、杞县界	35	超V_5	农灌纳污	Ⅴ
	惠济河Ⅱ	开、杞县界	李岗闸	21.1	超V_3	农灌纳污	Ⅴ
	惠济河Ⅲ	李岗闸	杞、睢县界	10.8	超V_3	农灌纳污	Ⅴ
	东护城河	小李庄	东护城河尾	4.4	超V_4	泄洪纳污	Ⅴ
	东郊沟	铁牛村	入惠济河口	15	超V_5	农灌纳污	Ⅴ
	药厂河	化总厂西	入惠济河口	4.8	超V_5	纳污	Ⅴ
	马家河	西网	太平岗西	21		农灌纳污	Ⅴ
	马家河北支	回回寨	牛墩	16		排涝农灌	Ⅳ
	北支河	潘家湖北	入通支河	1.6	超V_3	泄洪纳污	Ⅳ
	涡河	郭厂西	通、杞、太县界	6	超V_2	农灌排涝	Ⅳ
	涡河故道	小城	杞、太县界	7.3	超V_3	农灌排涝	Ⅳ
	标台沟	邸阁	入涡河故道	44.5		农灌排涝	Ⅳ
	小清河	半坡店	入涡河故道	17.8	超V_1	农灌	Ⅳ
	故道西支	大双沟	入涡河	43.3		农灌排涝	Ⅴ
	百邸沟	水坡西	入涡河	11		农灌排涝	Ⅳ
	苏刘庄沟	苏刘庄	入涡河	31.4		农灌排涝	Ⅳ
	白鱼沟	郑汴路	杞、太县界	12.1	超V_6	农灌排涝	Ⅳ
	铁底沟	群力闸	开、通县界	15.8		农灌泄洪	Ⅴ
	贾惠渠上段	太平岗西	王楼	62		引黄排涝	Ⅳ
	贾惠渠下段Ⅰ	开、通县界	入涡河	18.5		农灌排涝	Ⅴ
	贾惠渠下段Ⅱ	王楼	入涡河	14.7		农灌排涝	Ⅴ
	孙城河	北辛庄	入涡河	10.2		农灌排涝	Ⅴ
	运粮河Ⅰ	术米店	小店王	33.2	IV_1	引黄农灌	Ⅲ
	运粮河Ⅱ	小店王	入涡河	25.4		引黄农灌	Ⅲ

续表 5-17

水体名称	功能区名称	控制断面			功能类型		
		上断面	下断面	长度(km)	水质现状功能	现状使用功能	指定使用功能
涡河	淤泥河	火电厂灰池	入惠济河	14	超Ⅴ$_4$	引黄农灌	Ⅳ
	柏慈河	柏慈坟	入惠济河	53.9		农灌排涝	Ⅳ
	崔林沟	魏寨	入惠济河	19.6		农灌排涝	Ⅳ
	圈章河	崔楼	入淤泥河	15		农灌排涝	Ⅳ
	惠北泄水渠	石牛	入惠济河	26	超Ⅴ$_2$	农灌排涝	Ⅳ
	小蒋河		杞、睢县界	14.2	超Ⅴ$_5$	农灌	Ⅴ
颍河	康沟河	二家张	西黄庄	35	超Ⅴ$_4$	农灌	Ⅴ
	北康沟河	杨庄	入贾鲁河	32.5		农灌	Ⅳ
	贾鲁河	中、尉县界	尉、扶县界	18	超Ⅴ$_5$	农灌	Ⅳ
	刘麦河	邢庄	入康沟河	49.5	超Ⅴ$_1$	农灌	Ⅳ
	杜公河	周庄	入康沟河	12		农灌	Ⅳ
	双自河	仓李	南席	25.1	超Ⅴ$_5$	农灌	Ⅴ
红卫河	四明河	谷营	入黄蔡河	32.5		农灌	Ⅳ
	黄蔡河	蔡楼	李家滩	29.5		农灌	Ⅳ
	贺李河	葡萄架	楼庄	36.6		农灌	Ⅳ

水质控制目标规划的原则,考虑了以下几点:

(1)集中式饮用水源的水质目标应该采取高标准、严要求。不得低于国家规定的《地面水环境质量标准》(GB3838—88)量级标准,并须符合国家规定的《生活饮用水卫生标准》(GB5749—85)的要求。

(2)对于有多种规划功能的水体的水质目标应当依其要求最高的规划使用功能的水质目标确定该水体的水质要求。

(3)统筹考虑专业用水标准的要求,集中式饮用水取水器、渔业水域、农灌水的水质目标等分别执行专业用水水质标准。

(4)考虑对下游地区水环境污染的影响及下游地区对本辖区出域水质目标的要求。

(5)功能区水质目标归根结底是由该功能区的规划使用功能对水质的要求决定的,但应坚持一般规划功能的水质不低于现状功能的原则,即水质目标的确定应保证不低于现状水质的原则。

(6)水质目标的确定应考虑对地下水污染的影响。

根据上述水质目标规划原则,开封市地表水各功能区水质目标规划结果见表 5-18。本规划各水体水质目标确定时,主要考虑了以下几点:

表 5-18　开封市地表水各功能区水质目标规划结果　（单位：mg/L）

水体名称	功能区		COD_{Cr}	BOD_5	高锰酸盐指数	挥发酚	非离子氨	石油类
	名称	水质类型						
涡河	涡河故道	Ⅳ	20	6	8	0.01	0.2	0.5
	标台沟	Ⅳ	20	6	8	0.01	0.2	0.5
	小清河	Ⅳ	20	6	8	0.01	0.2	0.5
	故道西支	Ⅴ	25	10	10	0.1	0.2	1.0
	百邸沟	Ⅳ	20	6	8	0.01	0.2	0.5
	苏刘庄沟	Ⅳ	20	6	8	0.01	0.2	0.5
	白鱼沟	Ⅳ	20	6	8	0.01	0.2	1.0
	铁底沟	Ⅴ	25	10	10	0.1	0.2	1.0
	贾惠渠上段	Ⅳ	20	6	8	0.01	0.2	0.5
	贾惠渠下段Ⅰ	Ⅴ	25	10	10	0.1	0.2	1.0
	贾惠渠下段Ⅱ	Ⅴ	25	10	10	0.1	0.2	1.0
	孙城河	Ⅴ	25	10	10	0.1	0.2	1.0
	运粮河Ⅰ	Ⅲ	15	4	6	0.005	0.02	0.05
	运粮河Ⅱ	Ⅲ	15	4	6	0.005	0.02	0.05
	淤泥河	Ⅳ	20	6	8	0.01	0.2	0.5
	柏慈河	Ⅳ	20	6	8	0.01	0.2	0.5
	崔林河	Ⅳ	20	6	8	0.01	0.2	0.5
	圈章河	Ⅳ	20	6	8	0.01	0.2	0.5
	惠北泄水渠	Ⅳ	20	6	8	0.01	0.2	0.5
	小蒋河	Ⅴ	25	10	10	0.1	0.2	1.0
颍河	康沟河	Ⅴ	25	10	10	0.1	0.2	1.0
	北康沟河	Ⅳ	20	6	8	0.01	0.2	0.5
	贾鲁河	Ⅳ	20	6	8	0.01	0.2	0.5
	刘麦河	Ⅳ	20	6	8	0.01	0.2	0.5
	杜公河	Ⅳ	20	6	8	0.01	0.2	0.5
	双自河	Ⅴ	25	10	10	0.1	0.2	1.0
红卫河	四明河	Ⅳ	20	6	8	0.01	0.2	0.5
	黄蔡河	Ⅳ	20	6	8	0.01	0.2	0.5
	贺李河	Ⅳ	20	6	8	0.01	0.2	0.5

续表 5-18

水体名称	功能区		COD_{Cr}	BOD_5	高锰酸盐指数	挥发酚	非离子氨	石油类
	名称	水质类型						
饮用水源	黑池	Ⅱ	<15	3	4	0.002	0.02	0.05
	柳池	Ⅱ	<15	3	4	0.002	0.02	0.05
	清水河	Ⅱ	<15	3	4	0.002	0.02	0.05
湖泊	西北湖	Ⅲ	15	4	6	0.005	0.02	0.05
	铁塔湖	Ⅲ	15	4	6	0.005	0.02	0.05
	龙亭东西湖	Ⅲ	15	4	6	0.005	0.02	0.05
	包公湖	Ⅲ	15	4	6	0.005	0.02	0.05
水库	尉氏阎家水库	Ⅲ	15	4	6	0.005	0.02	0.05
干渠	赵口闸							
	西干渠	Ⅳ	20	6	8	0.01	0.2	0.5
	东干渠	Ⅳ	20	6	8	0.01	0.2	0.5
	东二干渠	Ⅳ	20	6	8	0.01	0.2	0.5
	黑岗口闸							
	黑岗口总干渠	Ⅳ	20	6	8	0.01	0.2	0.5
	东干渠	Ⅳ	20	6	8	0.01	0.2	0.5
	西干渠	Ⅳ	20	6	8	0.01	0.2	0.5
	南干渠	Ⅳ	20	6	8	0.01	0.2	0.5
	柳园口闸							
	柳园口总干渠	Ⅳ	20	6	8	0.01	0.2	0.5
	北干渠	Ⅳ	20	6	8	0.01	0.2	0.5
	东干渠	Ⅳ	20	6	8	0.01	0.2	0.5
	罗寨闸							
	幸福干渠	Ⅴ	25	10	10	0.1	0.2	1.0
	幸福东干渠	Ⅴ	25	10	10	0.1	0.2	1.0
	幸福西干渠	Ⅴ	25	10	10	0.1	0.2	1.0
	李岗闸							
	东风干渠	Ⅴ	25	10	10	0.1	0.2	1.0
	三义寨闸							
	引黄总干渠	Ⅳ	25	10	10	0.1	0.2	1.0

(1)饮用水源地黑池、柳池水质目标定为Ⅱ类，输水渠清水河也执行Ⅱ类。处于集中式饮用水源地二级保护区的黄汴河上游(孙李唐桥以上段)，按照《饮用水源保护区划》要求，应执行Ⅲ类标准。

(2)惠济河汪屯桥断面以上各支流，虽然主要功能是泄洪、纳污、农灌，但因这些河道均经过市区或近郊区，客观上都是景观功能，因此其水质目标均定为Ⅴ类。

(3)惠济河大王庙以下段是本辖区出境段，考虑到下游地区的要求，对该河出境段水质目标定为Ⅳ类。

(4)对于辖区内一些不接纳工业废水的雨源型河道，由于其现状水质基本上可以达到Ⅳ类，虽然规划功能多半是农灌和排涝，水质目标定为Ⅴ类也可以，但遵循水质目标应不低于现状水质的原则，本区划将这些河道的水质目标都定为Ⅳ类。

(5)对于引黄干渠，由于其水质取决于黄河水质，其使用功能是农灌，本辖区内黄河水水质可以达到Ⅲ类。因此，我们认为将引黄干渠水质目标定为Ⅲ类是切实可行的。

(6)市区龙亭湖、包公湖、铁塔湖的水质目标根据规划，确定为Ⅲ类。

c.河流水质模型建立与水环境容量计算

通过水质模型的结构识别，参考以往工作经验，本次研究选择符合动力学反应的数学模型来描述 BOD_5 在河流中的衰减规律。模型结构如下：

$$\rho_B = \rho_{B0} \cdot \exp\left(-k\frac{X}{V}\right) \tag{5-14}$$

式中：ρ_B 为各单元下断面的 BOD_5 浓度，mg/L；ρ_{B0} 为各单元上断面的 BOD_5 浓度，mg/L；k 为 BOD 衰减系数，d^{-1}；X 为计算单元长度，km；V 为单元平均流速，km/d。

由式(5-14)可以导出：

$$k = -\frac{V}{X}\ln\left(\frac{\rho_B}{\rho_{B0}}\right) \tag{5-15}$$

根据开封市惠济河纳污情况，选取适当河段，可以计算出污水排入河流后，经自净作用，污水污染程度的衰减系数。计算惠济河汪屯桥—大王庙河段污染物衰减系数成果见表 5-19。

表 5-19　惠济河汪屯桥—大王庙河段污染物衰减系数计算成果

污染物名称	k 值	污染物名称	k 值
生化需氧量(BOD)	0.35	挥发酚	0.87
高锰酸盐指数	0.70	氨氮	0.52

3)制定开封市城市发展水环境污染防治规划

首先，作出开发区水环境污染趋势预测，对不同经济发展方案下水环境的状态进行水质模拟。然后，提出城市水环境污染综合防治的近远期规划方案，通过对每个方案的费用—效益分析和可行性论证。最后，提出开封市城市发展水环境污染防治规划，供开封市城市社会经济发展参考。

a.污染物允许排放量计算

(1)计算方法。利用下式计算各控制单元的 COD_{Cr} 容量：

$$\frac{q_{vs}\rho_{cs} + q_{vw}\rho_{cw}}{q_{vw} + q_{vs}} \leqslant \rho_{BC} \tag{5-16}$$

式中：q_{vs} 为设计流量，m^3/s；ρ_{cs} 为排污河流中的COD浓度，mg/L；q_{vw} 为污水流量，m^3/s；ρ_{cw} 为污水中的COD浓度，mg/L；ρ_{BC} 为断面控制浓度。

由式(5-16)可以导出：

$$q_{vw} = q_{vs}\frac{\rho_{BC} - \rho_{cs}}{\rho_{cw} - \rho_{BC}} \quad \begin{pmatrix}\text{当 } \rho_{BC} \leqslant \rho_{cs} \text{ 时，无容量；} \\ \text{当 } \rho_{BC} > \rho_{cw} \text{ 时有无限容量}\end{pmatrix} \tag{5-17}$$

因此，COD的环境容量可由下式计算：

$$q_{vw}\rho_{cw} = \rho_{cs}q_{vs} \tag{5-18}$$

利用式(5-18)，计算各控制单元不同标准下的COD允许排放量。

(2)开封市污染物允许排放量计算结果。开封市惠济河河段接纳了开封市全部的工业废水和城市生活污水。该河由开封市市区的黄汴河、东护城河承载污水汇入，沿东南方向相继有药厂河、东郊沟、马家河汇入，沿途有开封县造纸厂、陈留造纸厂、杞县幽兰味精厂等工业污水汇入，在杞县大王庙以上又有惠北泄水渠、淤泥河汇入。

根据承接污水资源的河流分布情况和前面研究的计算方法，计算各主要功能区的污染物允许排放量，计算结果见表5-20。

表5-20　规划功能区污染物允许排放量和主要污染物应削减量计算结果

(单位：kg/d)

水体名称	功能区		污染物总排放量	污染物接纳量	污染物允许排放量	污染物应削减量
	名称	类别	COD_{Cr}	COD_{Cr}	COD_{Cr}	COD_{Cr}
涡河	药厂河	Ⅴ	14 016	11 213	1 345	12 671
	北支河	Ⅴ	784	627	75	709
	化肥河	Ⅴ	9 354	7 483	898	8 456
	东护城河	Ⅴ	1 185	948	114	1 071
	黄汴河	Ⅴ	36 651	29 321	3 517	33 134
	泵站1	Ⅴ	8 443	6 754	810	7 633
	泵站2	Ⅴ	27 513	22 010	2 641	24 872
	汪屯桥	Ⅴ	97 945	78 356	9 400	88 545
	大王庙	Ⅳ	41 800		51 370	

b.污染物削减量计算

通过上述计算，得到了惠济河汪屯桥以上河段平水年份主要污染物的排放量和该功能区水体污染物允许排放量。为了对污水资源化进行规划，可以计算达到规划目标时的污染物应当削减量。计算公式如下：

$$\Delta N = N - N_{允} \tag{5-19}$$

式中：ΔN 为计算功能区污染物削减量，kg/d；N 为计算功能区污染物排放量，kg/d；$N_{允}$ 为计算功能区污染物允许排放量，kg/d。

根据式(5-19)，计算惠济河汪屯桥以上河段污染物削减量见表 5-20。

c. 污染物削减量分配

根据计算得到的惠济河汪屯桥以上河段的污染物削减量，按照上游各支流的污染物排放量百分比进行分配，考虑到污染源的削减量分配，惠济河上游各支流排污削减量分配结果见表 5-21。

表 5-21　开封市主要污染源污染物削减量分配结果

河道名称	功能区类型	单位名称	排污现状		计划分配 COD_{Cr} 削减指标	
			平均日排废水量(m^3)	废水中 COD_{Cr} 日排放量(kg)	削减量(kg/d)	削减率(%)
黄汴河	V	新新造纸厂	14 239.0	22 133.5	16 043.8	72.5
	V	河南一毛纺厂	3 642.0	1 656.7	1 193.9	72.1
	V	印染厂	2 355.6	1 160.0	839.9	72.4
	V	染料化工厂	776.0	861.5	632.5	73.4
	V	漂染厂	235.0	795.2	567.5	71.4
	V	九七三五厂	1 460.0	497.0	351.0	70.6
	V	其他	11 791.4	6 030.1	4 374.0	72.5
	合计		34 499	33 134.0	24 002.6	72.4
东护城河	V	针织内衣厂	685.0	537.6	390.45	72.6
	V	仪表厂	908.0	269.9	196.0	72.6
	V	丝织厂	320.0	91.0	66.0	72.5
	V	内燃机厂	1 706.0	58.9	43.0	73.0
	V	中科院印刷厂	379.0	75.0	55.0	73.3
	V	其他	980.0	38.6	27.95	72.4
	合计		4 978.0	1 071.0	778.4	72.7
北支河	V	市造纸厂	1 967	463	387.5	83.7
	V	试剂总厂	3 600	264	206.0	78.0
	合计		5 567	727	593.5	81.6
药厂河	V	制药厂	6 417	5 014.1	3 629.7	72.4
	V	卷烟厂	1 504	4 256.4	3 081.2	72.4
	V	啤酒厂	2 550	1 282.9	928.7	72.4
	V	红旗造纸厂	726.0	920.8	666.5	72.4
	V	南郊淀粉厂	150.0	886.9	642.1	72.4
	V	其他	6 419	309.9	224.4	72.4
	合计		17 766	12 671	9 172.6	72.4

续表 5-21

河道名称	功能区类型	单位名称	排污现状		计划分配 COD_{Cr} 削减指标	
			平均日排废水量(m^3)	废水中 COD_{Cr} 日排放量(kg)	削减量(kg/d)	削减率(%)
污水泵站 1	V	新新造纸厂	3 394.0	2 900.5	2097.5	72.3
	V	化工三厂	1 048.0	450.3	325.9	72.4
	V	柴油机厂	810.0	435.2	313.2	72.0
	V	油脂化工厂	1 906.0	335.9	244.0	72.6
	V	糖果食品厂	325.0	325.9	236.0	72.4
	V	日用化工厂	933.0	282.4	205.0	72.6
	V	市空分厂	1 850.0	234.3	169.5	70.0
	V	开封宾馆	340.0	233.6	168.0	71.9
	V	其他	13 756.0	2 434.9	1 764.8	72.5
	合计		24 362.0	7 633.0	5 523.9	72.4
污水泵站 2	V	市污水处理厂	13 800	24 872	14 005	56.3
化肥河	V	市化肥厂	82 848	4 458.9	3 811.6	85.5
	V	市抗生素厂	1 581	1 034.0	884.8	85.6
	V	市沙厂	3 685	328.0	282.7	86.2
	V	市东郊淀粉厂	50.0	125.5	104.8	83.5
	V	其他	3 027	176.9	151.8	85.8
	合计		91 191	6 123.3	5 235.7	85.5

注:污水泵站 1 为工业污水泵站;污水泵站 2 为生活污水泵站。

d.污水资源治理与防治措施规划

通过对各功能区水体污染物削减量的分配,确定了开封市各排污口及污染源的排放位置和污染物应削减的数量。本次规划研究,为了向开封市污水资源化提供科学依据,根据各污染源的治理现状及各排污单位的技术经济条件,逐一对各污染源采取的防治措施、主要污染物的去除量、投资运行费用、经济效益等项指标进行了较为详细的研究和规划,所得结果可供开封市污水治理与污水资源化参考。污水资源治理与防治措施规划部分研究成果见表 5-22 和表 5-23。

5.4.6.2 污水资源化规划方案的综合评价

1)水质目标可达性分析

按照前面污水资源化工程措施,本次研究分 3 种方案实施污水处理工程,以 2010 年为预测标准,对开封市污水资源化规划达到的水质标准进行分析。

方案一是根据目前技术经济发展条件,预测到2010年开封市主要承纳排污河流的水质状况,见表5-24。

表5-22 开封市污水资源化工程措施规划统计表

单位名称	工程项目名称	规模(m^3/d)	投资额(万元)	运转费(万元/a)	主要污染物削减量(kg/d)			
					COD_{Cr}		SS	
					削减量	削减率(%)	削减量	削减率(%)
新新造纸厂	中段水处理	12 000	90.0	51.27			212.5	93.9
橡胶厂	三级废水处理	1 354	4.80	7.20				
染料化工厂	RC-净水机	1 920	49.5	7.0	488	77.1	25	45.6
河南绒线厂	RFC-20B处理设备	400	12.0	5.0	75.0	81.0	42	81.6
啤酒厂	污水处理站	2 600	202.5	17.5	805.8	86.77		
红旗造纸厂	污水回收池	420	1.95	1.00				
制药厂	废水沉淀池	3 480	33	1.27			4 620	95.6
印染厂	气浮法	4 000	50	6.24	891	62.4	8 842	92.0
针织厂	处理池	700	27.0	1.50	56.2	52.7	12.2	44.7
呢绒分厂	电解槽	600	18.0	2.92	58.1	72.0	26.6	54.7
化纤染织厂	RC系列处理机	1 000	27.0	2.4	39.9	95.49	38.1	48.7
第一毛纺厂	生物接触氧化法	2 400	53.6	8.74	728	49.74	169	13.8
九七三五厂	PC系列废水机	80	24.0	1.2	345.5	98.6		
日化厂	平流沉淀池	1 500	10.0	0.50	82.1	40.0	37.3	40.0
新新造纸厂	长网纸机白水回收	3 600	7.8	9.4	4 317	37.0	11 024	96.0
毛纺织总厂	电解上浮法	2 000	22.0	3.0	101.1	80.0	808	80.0
幽兰味精厂	浓缩中和灌	8.0	9.0	5.0				
黄龙造纸厂	一级处理	300	1.5	1.4	152.9	69.5	151.0	36.9
肉联加工厂	废水处理站	1 500	45.0	6.8	132	53.6	76.2	87.1
第一人民医院	YDJ500型处理	500	11.5	3.5				
第二人民医院	污水处理站	1 200	17.14	2.0				
第一中医院	污水处理站	300	5.0	5.0				
第二中医院	污水处理站	500	4.0					
传染病医院	污水处理站	200	8.4	1.0				
妇幼保健院	污水处理站	500						
儿童医院	污水净化设备	200	5.0	0.83				
精神病医院	YDJ200C	800	8.4	0.9				
公费医院	污水处理站	500	7.5					
中西医院	污水净化室	600	6.5	0.57				
市造纸厂	异向流斜管沉淀池	3 000	26.0	5.9	122.0	31.56	321.0	76.9
化肥厂	锅炉除尘水沉淀池	600	22.0	3.0			21 162	98.1
抗生素厂	污水处理站	70	10.0	0.11	669.8	64.8		

表 5-23 开封市污水资源化工程措施规划统计

污染源名称	排入河段		工程措施	投资额（万元）	主要污染物削减量(kg/d)	
	河流	控制断面			COD_{Cr} 削减量	SS 削减量
新新造纸厂	黄汴河	新门关	碱回收工程	1 050	16 000	
化肥厂	东郊沟	河尾	污水处理站	4 500	5 540	
化工三厂	城市下水	污水泵站	升硫氧化法	250	300	
染化厂	黄汴河	新门关	RC－净水机	49.5	100	
制药厂	药厂河	河尾	土霉素回收	80	4 000	
啤酒厂	药厂河	河尾	接触氧化法	180	2 500	
印染厂	黄汴河	新门关	混凝气浮法	50	720	
针织内衣厂	东护城河	河尾	气浮法	30	330	
第一毛纺厂	黄汴河	新门关	洗毛水处理	90	1 267	
卷烟厂	药厂河	河尾	电解法	20	2 830	
市造纸厂	北支河		搬迁			
中药厂	黄汴河	新门关	混凝气浮法	26	300	
城市废污水	泵站		东工业区 一期排水工程 建污水厂 （12 万 m^3/d）	5 800 7 920 （运行费： 2 092 万元/a）	（BOD_5： 43 836）	19 726
城市废污水	泵站		西区污水厂 （4.5 万 m^3/d）	2 970 （运行费： 785 万元/a）	（BOD_5： 16 438）	7 397

表 5-24 2010 年惠济河控制断面水质预测值（方案一）

断面名称	COD(mg/L)	超Ⅳ类倍数	超Ⅴ类倍数
汪屯桥	180.5		18.0
大王庙	25.1	2.4	

方案二假定到 2010 年汪屯桥断面达到地面水Ⅴ类水质标准，大王庙断面出境水质预测结果见表 5-25。

表 5-25 2010 年惠济河控制断面水质预测值（方案二）

断面名称	COD(mg/L)	超Ⅳ类倍数	超Ⅴ类倍数
汪屯桥	9.0		达标
大王庙	3.75	达标	

方案三是为了寻求既经济合理，又可达到出境水质目标的可行性方案，预测了2010年惠济河大王庙断面按Ⅳ类出境水质控制时，推出汪屯桥断面的水质允许浓度，其浓度预测值见表5-26。

表5-26　2010年惠济河控制断面水质预测值(方案三)

断面名称	COD(mg/L)	超Ⅳ类倍数	超Ⅴ类倍数
汪屯桥	38.5		2.60
大王庙	7.5	达标	

方案一是假定在现有污水处理工程条件下，惠济河汪屯桥以上河段按规划执行地面水Ⅴ类标准。由于该河纳入了开封市大量的污水，河段水质污染严重，主要是有机污染指标较高，汞、砷、铅、氰化物等含量较低，如果按预测的发展速度和现有的治理水平，预计到2010年惠济河的汪屯桥断面污染会加重。该断面COD_{Mn}超标倍数由现状的16倍增加到18倍。因此，如果不采取措施，到2010年惠济河汪屯桥断面水质很难达到Ⅴ类标准。

方案二是当2010年惠济河汪屯桥断面水质按地面水Ⅴ类标准执行时，COD_{Cr}削减量89 600.5kg/d，削减率为92%，汪屯桥断面以上各相关的功能区应确保削减任务的实现或确保各自规划的水质目标，才能保证汪屯桥断面达到Ⅴ类水质标准。

由方案二分析结果可知，到2010年只要汪屯桥断面达到Ⅴ类水质目标，在大王庙断面即可达到Ⅳ类水质标准。能否实现的关键在于开封市的《国民经济计划》能否按时实现。这主要取决于开封市能否完成规划的污水治理工程建设。就目前开封市经济情况来看，具有一定的困难。所以，提出方案三是十分必要的。方案三的主导思想是确保惠济河大王庙断面水质在2010年达到Ⅳ类，在这个前提下，允许汪屯桥断面水质暂时超过Ⅴ类。经过计算得知，当大王庙COD_{Mn}的浓度达到Ⅳ类水质标准时，汪屯桥断面COD_{Mn}的浓度允许放宽到38.5mg/L，即当汪屯桥断面COD_{Mn}的浓度超过Ⅴ类水质标准2.60倍时，大王庙断面的COD_{Mn}仍可达到Ⅳ类水质标准8mg/L。于是，惠济河汪屯桥以上河段的污染物削减量也可以减少40%左右，研究认为，该方案是从实际出发，比较现实。当然，并不是放弃对汪屯桥断面水质的要求，而是暂时的权益之计。待开封市经济实力增强后，还应当让汪屯桥断面水质达到Ⅴ类。

2)水环境承载力分析

本项研究通过对开封市水资源系统分析，结合拟采用的污水资源化工程措施，选择了开封市水环境承载力的7项具体指标：A，可用水资源量与城市总用水量之比；B，单位水资源消耗量的工业产值；C，单位工业废水排放量的工业产值；D，单位BOD排放量的工业产值；E，BOD的控制目标与水体BOD浓度之比；F，单位污水的处理投资；G，工业产值与引(取)水总费用之比。研究中分别计算了开发区现状和两个供选方案中近、远期发展策略下城市水环境承载力的各个分量。然后进行归一化处理，即得到表征水环境承载力大小的综合值或相对值(见表5-27)。

表 5-27　开封市现状与不同规划方案条件下水环境承载力综合指数

方案 j		指标 i							水环境承载力	
		A	B	C	D	E	F	G	综合值	相对值
现状(2000 年)		0.520 4	0.201 8	0.126 2	0.123 2	0.216 1	0.072 9	0.135 0	0.655	1.224
方案Ⅰ	2010 年	0.158 1	0.214 8	0.213 7	0.186 7	0.097 7	0.117 8	0.251 1	0.489	0.933
	2015 年	0.115 3	0.201 3	0.237 7	0.265 8	0.352 6	0.331 5	0.273 5	0.712	1.350
方案Ⅱ	2010 年	0.125 1	0.203 6	0.203 6	0.186 7	0.084 5	0.165 9	0.214 2	0.457	0.875
	2015 年	0.065 4	0.191 7	0.229 8	0.239 9	0.262 5	0.273 1	0.139 8	0.559	1.060

由表 5-27 可知,开封市水资源开发利用方案Ⅰ中,远期规划水环境承载力的综合值最大,为 0.712;现状的综合值次之,为 0.655。该结果与前面的水资源系统分析和污水资源化工程措施相对应。综观综合值也可知,现状的水环境承载力较高,这是因为,引黄水在现阶段是支撑开封市水资源需求的主要因子,另外,开封市许多工业近年来采取了节水措施,且一部分工业处于关停状态。所以,水环境对人口和经济发展仍具有一定的承载力。供选方案Ⅰ中远期规划的综合值高于现状值也是符合实际的,这是因为,尽管开封市经济发展带来了水资源的短缺以及污水和 BOD 排放量的增加,但由于经济实力的增强,从黄河引水和污水资源化将提高开封市水资源可供量以及改善水环境质量,进而增大了水环境的承载力。由此可见,开封市水资源战略如按供选方案Ⅰ发展,到 2015 年,水环境承载力相对最大,使开封市水环境与经济建设的矛盾(如供水短缺、水污染严重等)在发展中得到解决,为经济的可持续发展奠定基础。

我们亦可对水环境承载力相对值 E 进行比较,因为其相对值的期望值为 1,若假设当水环境承载力相对值为 1,此时人类活动对水环境作用的强度为 1,即可比较水环境承载力的相对值 E 与人类活动对水环境作用强度的大小,来确定人类活动与水环境是否协调。也就是说,当 $E \geqslant 1$ 时,可认为该规划方案下人类活动与水环境是协调的。

在表 5-27 中,开封市现状和供选方案Ⅰ、Ⅱ中的远期规划下水环境承载力的相对值均大于 1,分别为 1.224、1.350、1.060,其中以供选方案Ⅰ中远期的相对值为最大。表明在上述情况下,由于污水资源化的影响以及工程措施的落实,开封市水环境与社会经济发展是协调的。在供选方案Ⅰ、Ⅱ中,近期的水环境承载力相对值分别为 0.933 和 0.875,表明这两个规划期开封市社会经济活动强度大于水环境承载力,如照此发展,其水环境将难以维持该地区的经济可持续发展。

5.5　开封市重点污水处理工程设计研究

根据开封市工厂企业分布情况和污水排放特点,选择有代表性的重点工程,开展污水处理工程设计研究,总结经验后进行技术推广,对于充分发挥污水资源化的社会经济效益具有十分重要的意义。由于时间和经费所限,本次研究选择了开封市火电厂和城市生活综合污水排放处理厂开展研究。

5.5.1 开封市火电厂污水处理研究

5.5.1.1 火电厂的用水

1)用水分类

火电厂用水按用途可分几十种,本项研究按供水水质要求作以下归类。

a.冷却水

火电厂冷却水分为间接冷却水和直接冷却水两种。

(1)间接冷却水。其特点是通过热交换器换热,冷却水基本上不受传热介质污染。间接冷却水对水质的要求是对换热器管不腐蚀、不结垢。

间接冷却水主要用于凝汽器、主冷油器、发电机空气冷却器、氢冷却器、辅机冷油器等设备。

(2)直接冷却水。其特点是冷却水和散热介质直接接触冷却,成冷却水。一般说来,直接冷却水应无杂质、低温、不腐蚀设备。

b.冲灰(渣)水

冲灰(渣)水用于冲灰、渣,对水质要求不高。有时为防止结碳酸垢,可考虑用低碳、微酸性水。

c.锅炉补给水

锅炉补给水主要用来补给汽、水系统的汽水损失。原水经除盐后送入锅炉。

d.生活、消防用水

厂区生活用水可取自地下水或由市政给水系统供给。消防用水一般直接使用原水或取自市政给水系统。

e.其他用水

其他用水包括厂区杂用水、机房杂用水、输煤系统冲洗水等。这类用水对水质无特殊要求。

2)用水量

火电厂的用水量与机组配置、装机容量、各种用水系统用水工艺等因素有关,现对火电厂几种主要用水系统的用水量分述如下。

a.凝汽器冷却水量

凝汽器冷却水量一般按下式计算:

$$q_m = mD_c$$

式中:m 为冷却倍率;D_c 为进入凝汽器的排气量,t/h。

设计估算时,冷却倍率可近似采取表5 28中的数值。

表5-28 不同地区冷却倍率选用范围

地区	直流供水			循环供水
	河水温度(℃)	夏季	冬季	
北部	10~20	50~60	30~40	40~60
中部	20~25	60~70	40~50	40~60
南部	25~30	65~75	50~55	40~60

凝汽器冷却水量的计算一般分为夏季与冬季两种情况。按此水量来考虑循环水泵或冷却搭配水系统的配置，最小流量需保证凝汽器钢管内水力状态为紊流，以便获得良好的冷却效果。

b.其他设备冷却水量

其他设备冷却水量包括发电机空气冷却器、氢冷却器的冷却水量，主冷油器的冷却水量，辅助机械冷却水量。这些设备所需冷却水量可直接根据设备的用水量参数选取或参考有关设计手册选取。

c.锅炉补给水处理系统用水量

在凝汽式发电厂中，锅炉补给水量等于锅炉排污量和各项蒸发损失量之和，一般相当于锅炉蒸发量的5%～7%。此外，考虑锅炉补给水制备系统的自身耗水量，当水制备室有冲洗水箱时，可附加1.5%～2.0%；无冲洗水箱时，最大用水量应附加设备反冲洗水量。总用水量可按锅炉蒸发量的6%～10%估算。在热电厂中，还应根据热力负荷及凝结水的回收程度来决定锅炉补给水量。

d.水力除灰(渣)用水量

水力除灰(渣)用水量与灰渣处置方式(灰水比)有关，如采用低浓度输灰系统，灰水比一般按1∶10选取，带有浓缩池的浓浆输灰系统，灰水比可按1∶2～1∶3选取。

e.生活和消防用水量

火电厂生活用水量主要与职工人数有关。消防用水量应按室内消防用水量和室外消防用水量之和计算。火电厂生活和消防用水量可参考《电力设备典型消防规程》(DL5027—93)中“消防给水”一节的规定。

f.输煤栈桥冲洗与煤场的喷洒用水量、厂区杂用水量等

根据输煤系统的面积、储煤厂的面积及输煤系统的复杂情况，设计时用水量可参考以下数据：水力清扫40～60m^3/h；煤厂喷水50～75m^3/h；喷水车间喷雾水20～30m^3/h(煤厂回煤时用)；翻车机喷雾水30～40m^3/h；落煤管喷雾水25～30m^3/h。

厂区杂用水项目较多，浇洒道路及绿地用水可取2L/(m^2·d)，可考虑每天8h内完成总浇洒面积的20%；冲洗汽车用水标准小汽车为300L/(台·d)，大汽车为500L/(台·d)，每天冲洗1次，10min洗完。

3)用水损失量

火电厂水损失主要包括：循环冷却水冷却塔蒸发、风吹损失及排污损失；冲灰水损失；汽水损失；工业冷却水损失；水处理自用水损失；生活消防水损失；杂用水损失等项。这些水或变成气态进入大气，或被送入环境水体，前者是无法回收的，而后者则可回收处理再用。采用的处理方法与水在使用过程中受污染的程度和用水设备对水质的要求有关。火电厂用水损失情况如下。

a.冷却塔蒸发损失

该项水损失基本上由环境条件所决定，目前没有回收方法。其损失量一般为循环水总量的1.2%～1.6%，是电厂水损失总量的30%～55%(国外电厂可达到80%以上)。

b.冷却塔风吹损失

冷却塔风吹损失一般是循环水量的0.5%左右。目前大火电厂冷却塔均装有收水器,其损失可降到0.1%左右。

c.循环冷却水排污损失

目前我国循环冷却水浓缩倍率在2～3之间,极少数电厂浓缩倍率达到4以上。此项损失一般占电厂水损失的25%～12%。循环冷却水排污水水质与循环冷却水补充水处理方法有关,一般主要是盐类浓缩。其浓缩程度取决于循环冷却水浓缩倍率。提高浓缩倍率可以大幅度节水,因此是节水研究的重要课题。

d.冲灰水损失

由于水冲灰系统选用水灰比的不同,冲灰水损失可占电厂水损失的10%～45%。冲灰水的大量排放既浪费水资源,又由于灰水pH值高和含有重金属等,对环境水体造成污染。因此,减少冲灰水用量和灰水回收再用也是节水研究的重要课题。

e.工业冷却水损失

工业冷却水损失各厂差别较大,它与设计和运行管理水平关系很大,而不是由技术因素决定的,目前该项损失占电厂水损失的10%～20%。工业冷却水主要是轻微的油污染,经除油处理后回收再用是完全可行的。

f.化学除盐水损失

主要指机炉汽水系统内的汽水损失,其损失量占电厂水损失量的3%～4%。基本上不能回收。

g.化学水处理自用水损失

其损失量与水处理方式有关,一般占电厂水损失的1%～3%。化学水处理自用水损失有酸碱废水、澄清池排渣水、过滤器反洗水等。这些水需处理后才能排放或回收再用。

h.杂用水损失

杂用水损失一般占电厂水损失的2%～4%。杂用水主要受油、悬浮物等污染,应处理后排放或回用。

i.生活水损失

生活水损失一般占电厂水损失的2%～4%。生活水COD、BOD含量较高,还有洗衣粉(洗涤剂)和悬浮物等,应处理后排放或回用。

综上所述,火电厂可能回收的水损失中,循环冷却水排污损失、冲灰水损失、工业冷却水损失所占比例最大,成为节水和减少外排废水研究工作的重点,因此应当加以重视。

需要指出的是,以上给出的火电厂各项水损失所占比例是我国火电厂目前水务管理水平的统计平均值。随着各用水系统采用新的节水工艺,上述比例会有较大变化。如冲灰系统由湿式除灰采用1∶10灰水比低浓度输送改为干灰调湿碾压,灰场储灰灰水比1∶0.2,水损失相差50倍之多;循环冷却水排污水量也将随着浓缩倍率的提高而有较大幅度下降;采用干式冷却塔也会使各用水系统水损失比例发生较大变化。

5.5.1.2 火电厂的排水

火电厂排水可分为经常性排水和非经常性排水。火电厂的排水量与用水量有直接关系,各用水系统的用水量扣除蒸发量即为排水量。各用水系统的排水量与机组形式、规模，电厂所处地理位置，用水工艺及水平等因素有关。

火电厂各用水系统的排水量直接涉及到排水工程及废水治理排放或再用规模、投资，是电厂水务管理建立水平衡的重要内容。区别不同地区、不同用水工艺和水平，对不同形式、不同容量的机组建立起排水量标准，确定排水的集中或分散处理、排水的再利用及水平衡的建立都具有重要意义。

应当指出的是，上面所谈的排水量是指各用水系统的排水量，与整个电厂的外排废水量有着不同的含义。外排废水量与电厂各用水系统对废水的重复使用程度有关，只有当所有用水系统的排水都没有重复使用时，外排废水量才等于各用水系统的排水量之和。国外通过对废水重复使用和最终处置，已能做到整个电厂没有外排废水——零排放。

5.5.1.3 火电厂污水内部处理与排污水水质

开封市火电厂用水首先按照国家要求进行内部处理，采用物理处理方法对废污水进行处理，污水处理后，再输送到初级用水系统进行水的循环利用。只有一小部分(包括厂内卫生用水、机械冲洗等)排出厂区。2002 年项目研究开始后，首先对火电厂排污水进行了系统调查，对火电厂一年内的生产情况进行了全面统计，掌握了火电厂生产用水情况和污水排放规律。根据污水排放系统，布设了水质监测点，安排了污水检测和监测时机、监测参数，监测参数包括化学需氧量、氟化物、砷、硫化物等。对火电厂排放灰水、工业废水、生活用水的多个污水排放口进行了水质监测。除了典型性监测外，还进行了全面系统性监测，对每月的监测情况进行汇总分析，按照国家《污水综合排放标准》(GB8978—1996)进行对照分析，其中包括规定的监测次数、平均监测值、超标率等，通过多次水质监测后，对排放污水水质进行综合分析，污水典型性监测和月分析结果见表 5-29 和表 5-30。

表 5-29 2002 年 3 月开封市火电厂废污水排放水质监测结果 (单位:mg/L)

监测因子			pH 值	悬浮物	COD_{Cr}	氟化物	砷化物	硫化物	矿物油
GB8978—1996			6～9	200	150	10	0.5	1.0	10
污水种类	灰水(排放口 1)	规定次数	3	3	3	1	1	1	
		最高值	8.89	35.6	58.0	3.23	未检出	0.12	
		最低值	8.32	21.3	28.1	3.23	未检出	0.12	
		平均值	8.62	30.3	3.23	3.23	未检出	0.12	
		实测次数	3	3	1	1	1	1	
		超标率	0	0	0	0	0	0	1
	工业废水(排放口 2)	规定次数	3	3	3	1	1	1	2
		最高值	8.18	89.0	89.4	1.41	未检出	0.16	4.86
		最低值	8.13	56.0	32.1	1.41	未检出	0.16	
		平均值	8.13	71.3	63.2	1.41	未检出	0.16	4.27
		实测次数	3	3	3	1	1	1	2
		超标率	0	0	0	0	0	0	0

表 5-30　2002 年 4 月开封市火电厂废污水排放水质监测结果　（单位：mg/L）

监测因子			pH 值	悬浮物	COD_{Cr}	氟化物	砷化物	硫化物	矿物油
GB8978—1996			6～9	200	150	10	0.5	1.0	10
污水种类	灰水（排放口 1）	最高值	8.50	50.0	31.64	3.95	未检出	0.60	
		最低值	8.32	33.67	26.59		未检出		
		平均值	8.36	33.67	26.59		未检出		
		实测次数	3	3	3	1	1	1	
		超标率	0	0	0	0	0	0	
	工业废水（排放口 2）	最高值	8.41	73.0	43.90	1.46	未检出	0.44	2.0
		最低值	8.09	41.0	32.12		未检出		0.16
		平均值	8.29	59.0	38.85		未检出		1.8
		实测次数	3	3	3	1	1	1	2
		超标率	0	0	0	0	0	0	0

从表 5-29 和表 5-30 可以看出，开封市火电厂排放污水的多项指标均未超过国家规定的污水排放标准。

5.5.2　开封市污水处理厂建设

5.5.2.1　开封市污水处理厂的总体建设计划

开封市西区是开封市的经济技术开发区、高新技术园区，是开封市对外开放的窗口。目前，已建成排水管道 4 000 多米、水泵站 2 个。西区污水处理厂的建设是改善西区环境、促进西区开发的迫切要求。西区污水处理采取工厂内部处理和城市集中处理相结合。大厂主要自行处理，一些中小厂排放的废污水和生活污水集中处理后，仍排入城市污水管道，经泵站抽升到马家河污水处理厂（即西区污水处理厂）进行处理。目前西区污水处理厂规模日处理能力为 4.5 万 m^3/d，主要工程包括沉沙池、初次沉淀池、污水处理设施等。总投资 2 970 万元。

东工业区是开封市的主要工业区。主要有重工、轻工、化工、毛纺、仪表等 40 多家企业。据监测，老城区和东工业区 2000 年污水量分别为 6.6 万 m^3/d 和 7.07 万 m^3/d，合计为 13.67 万 m^3/d，而现有的污水处理厂污水处理能力仅为 2.3 万 m^3/d，而且泵站提升能力不够，一级处理水平也太低。因此，区内废污水基本上未经处理就直接排入河道，最后由惠济河排出境，给城市环境造成了严重污染，同时也给下游城市造成严重危害。所以，加快东区污水处理厂的建设十分必要。

东工业区污水处理厂的扩建设计已经河南省计委批准。该处理厂选址在东工业区铁路以南，紧靠原处理厂的西南面。拟定规模为 12 万 m^3/d，采用二级生化处理，运用氧化沟工艺。该处理厂主要工程包括曝气沉沙池、氧化沟、二级沉沙池、消毒池、污水泵房、污泥浓缩池、脱水车控制室等。工程总投资 7 920 万元。东区污水处理厂建成后，每年可减少排入惠济河中悬浮物 7 200t,BOD_5 减少 16 000t。除此之外,东工业区废污水中其他污染物也将不同程度地得到治理,将大大减少惠济河的排污量。

上述两个污水处理厂建成后,将会大大减少城市地面水的污染,使得惠济河及其上游各支流达到规定的水质标准是完全可能的。

5.5.2.2 开封市西区污水处理厂规划设计

1)西区排水工程

西区排水系统采用雨污分流制。经过十几年的建设投入,现西区东部已建成排水管道近 17km、提升泵站 2 座,其配套管网系统形成。污水管渠采用排水混凝土管,管径在 300～1 100mm之间,其中铺设在大街上的主干管管径为 600～1 000mm,管道埋深在 1.8～7.2m 之间,设计污水排放量按 5.5 万 m^3/d 考虑。西区西部、北部污水管网也已基本形成,污水排至西区(芦花岗)污水处理厂的干管由建设单位委托其他单位进行。

西区现有大小工业企业几十家,其中有些企业内部有污水处理设施,污水经处理后排入西区排水管网,但其中部分工厂因管理不善等原因,运行不够稳定,西区还有部分工厂,污水不经任何处理,直接排入黄汴河等邻近水体。而所有这些污水又因没有建立污水处理厂而没有得到根本的解决。目前城市的水体污染越来越严重。据开封市环保局资料:城市河流的市区段已变成城市排污沟,市内的湖泊和地下水已受到不同程度的污染。西区二水厂和部分企事业单位原是以地下水为供水水源的,而现在部分单位被迫改用地表水。城市污水的肆意排放也严重破坏了城市市容,给城市旅游业带来消极影响,同时也对下游县市以及淮河水系造成了一定的危害。开封市环保局对市区附近河流、湖泊水质监测表明,开封市地面水体已严重污染,主要污染指标已超过地面水 V 类。因此,开封市的污水治理已是迫在眉睫。西区污水处理厂的建设必将直接改善黄汴河、马家河的污染状况,为黄汴河的治理迈出可喜的一步,对改善人们生存环境、提高健康水平以及恢复开封古都辉煌容颜,乃至对淮河水系的整治都将带来深远影响。

2)西区污水处理厂服务范围及建设规模

a.服务范围

西区污水处理厂的服务范围是从黄汴河以西、城市大堤以东,北至北外环路,南至马家河,整个区域的规划面积为 $22km^2$。

b.建设规模

根据城市总体规划、西区规划及建设单位和有关部门的意见,开封市西区污水处理厂工程分近期、远期两个阶段加以实施。近期工程为 1998～2000 年,现已经完成。远期工程为 2007～2010 年。

开封市西区污水处理厂工程服务人口及污水量预测分别见表 5-31 和表 5-32。

表 5-31 开封市西区污水处理厂工程服务人口一览表 (单位:万人)

人口分布	1998 年	2000 年	2010 年
西区西部	2.5	2.86	4.29
西区北部	0.94	1.19	1.82
西区东部	8	11	16.5
合 计	11.44	15.05	22.61

表 5-32　开封市西区污水处理厂工程污水量统计表　（单位：万 m^3/d）

分布		1998 年		2000 年		2010 年	
		生活污水标准	污水量	生活污水标准	污水量	生活污水标准	污水量
生活污水量	西区东部	130L/(d·人)	1.02	150L/(d·人)	1.63	160L/(d·人)	2.64
	西区北部		0.12		0.18		0.29
	西区西部		0.32		0.42		0.69
	合计		1.46		2.23		3.62
工业污水量	西区东部	2.46		3.33		4.66	
	西区北部					0.40	
	西区西部	0.96		1.37		1.92	
	合计	3.42		4.70		6.98	
公建污水量	西区东部	0.30		0.49		0.69	
	西区北部	0.04		0.05		0.09	
	西区西部	0.10		0.12		0.22	
	合计	0.44		0.66		1.00	
其他污水量	西区东部	0.67		0.83		1.49	
	西区北部	0.03		0.04		0.07	
	西区西部	0.24		0.29		0.52	
	合计	0.94		1.16		2.08	
总污水量	西区东部	4.45		6.28		9.48	
	西区北部	0.19		0.27		0.85	
	西区西部	1.62		2.20		3.35	
	合计	6.26		8.75		13.68	

由表 5-32 可见，西区东部的污水在 2000 年达到 6.28 万 m^3/d，2010 年可达到 9.48 万 m^3/d，西区北部、西部的污水根据开封市规划设计院和建设单位的意见将纳入西区污水处理厂一并处理，这部分污水量在 2000 年达到 2.5 万 m^3/d，为此西区污水处理厂近期工程建设规模为 8 万 m^3/d，远期为 12 万 m^3/d。

3）西区污水处理厂进水水质

a. 现状污水水质

开封市西区作为高新技术经济开发区起步较高，居民生活小区卫生设备配套完整，工业企业发展也大都为效益高、发展快、相对污染少的企业，部分污染重的工厂，其污水经厂内预处理后排入市政下水道。为配合本工程建设，开封市环保局多次分别在赵屯泵站溢流处和芦花岗泵站进行了取样化验,其化验结果见表 5-33。

表 5-33 开封市西区污水处理厂进水水质化验结果(2003 年) (单位:mg/L)

日期(月-日)	取样地点	pH值	COD_{Cr}	BOD_5	SS	NH_3-N	TP	Pb	Cd	Cr^{6+}	挥发酚	F^-
07-13	芦花岗	71.7	290	105	155	23.8	3.34	0.015	0.000 5	0.002	0.006	1.67
07-14	芦花岗	8.83	245	107	92	40.8	3.05	0.015	0.0005	0.002	0.006	1.61
07-15	赵屯	8.62	291	98.5	188	41.9	1.20	0.015	0.000 5	0.002	0.006	1.76
08-02	芦花岗	7.32	184		94	12.0	2.14					
08-03	芦花岗	7.30	178		119	10.8	2.20					
08-02	赵屯	7.55	175		80	15.5	0.77					
08-03	赵屯	7.57	306		125	11.7	1.14					

b.污水处理厂进水水质设计

西区收纳的污水虽以工业污水为主,但其中重金属和有毒、有害物质含量很少,其综合水质总体上略高于通常生活污水,可生化性仍相对良好。

通过分析水质化验结果,认为部分所测水样水质偏低,代表性不够充分,分析原因主要是所取水样方法存在偏差,如第一次所取水样为没有工作的水泵吸水井处的污水水样,实际上已不能如实反映现状污水的情况。后面的几次水样相对比较真实,从总体上看,BOD_5 最大值为 151.6mg/L,COD_{Cr}通常在 300mg/L 左右,SS 为 200mg/L 左右,TP 接近于 2mg/L,NH_3-N 变化较大,在 10～41mg/L 之间变化。

为此,参考相似城市的水质情况,以及典型生活污水水质,考虑到西区污水虽然工业污水所占比例较大,大约为总污水量的 60%,但其工业污水的水质浓度较低,这也是西区高新技术经济开发区的性质所决定的。从总体上讲,西区污水水质低于一般工业城市。所以,通过分析,确定西区污水处理厂设计进水水质:BOD_5 为 160mg/L,SS 为 200mg/L,COD_{Cr}为 360mg/L。

本工程的环境影响评价报告也对西区的工业、生活污水水质分别加以预测,并加权平均推出西区的污水水质:COD_{Cr}为 360mg/L,BOD_5 为 154mg/L,SS 为 200mg/L。因此,最后确定的进水水质:BOD_5 为 160mg/L,SS 为 200mg/L,COD_{Cr}为 360mg/L。

4)污水处理程度

污水处理厂污水处理程度取决于地面环境对污水厂出水的要求和受纳水体对污水厂出水的承受能力。

西区污水管网的末端附近唯一水体就是马家河,污水处理厂根据城市总体规划也建设于此,即西区芦花岗处。因此,污水处理厂从总体上讲其出水排入马家河是最节省、最合理的。

马家河是目前开封市受污染较轻的水体,其径流量不大,主要来源于周围地区的雨水及农田灌溉退水,距目前市区较远,属于地面水Ⅴ类水体。马家河与黄汴河交汇后入惠济河，再入涡河水系。惠济河承担着供应沿岸及下游地区人民生活用水及工农业用水的任务。因此，严格控制污染物的排放量，对于径流量比较小的马家河就更显必要。因此，必须对污水进行二级处理，才能满足环境要求。《开封市西区污水处理厂环境影响评价报告》指出，根据淮河流域水污染物实行总量控制制度及《河南省淮河流域水污染防治规划及"九五"计划实施方案》，预计按 COD_{Cr} 允许排放浓度 80mg/L 排放，才能不超过市区 COD_{Cr} 总量控制目标。《开封市西区污水处理厂环境影响评价报告》认为工程出水水质 COD_{Cr}≤80mg/L、BOD_5≤30mg/L、SS≤30mg/L 的指标建设是可行的。

由此推断，进行一级污水处理是难以完成西区污水处理厂的污水处理目标的，必须进行二级处理才能满足要求。

河南省工程咨询公司的评估意见：处理后的出水水质 COD_{Cr} 为 80mg/L、BOD_5 为 30mg/L、SS 为 30mg/L。出水水质按国家建设部《城市污水处理厂污水污泥排放标准》(CJ3025—1993)二级排放标准设计，其 COD_{Cr} 指标低于二级排放标准是可行的。

对于污水处理过程中产生的剩余污泥，经浓缩脱水后，暂运往西区垃圾处理厂一起处置，污水处理厂预留污泥进行高温堆肥处理的用地。

综上所述，开封市西区污水处理厂采用二级处理，其出水水质为 COD_{Cr}≤80mg/L、BOD_5≤30mg/L、SS≤30mg/L。

5)污水处理厂工艺内容

a.污水、污泥处理工艺内容

在中国市政工程华北设计研究院编制的《开封市西区污水处理厂工程可行性研究报告》中，经过认真分析与比较，确定三沟式氧化沟工艺为推荐方案。该工艺特点是：沉淀区与曝气区合建在一组氧化沟内，曝气沉淀交替工作，不再另设沉淀池，也不需要污泥回流设备，处理流程简单，建筑物少，运行管理比较容易，耐冲击，具有一定的除磷脱氮功能，特别是对氮的去除率较高，其出水水质相对普曝而言更为理想，通常对有机物的处理率达到90%，尤其适用于中小规模的污水处理厂。

如果氧化沟采用较长泥龄，其剩余污泥量少于一般活性污泥法，当泥龄在 30d 以上时，剩余污泥将得到好氧稳定，不需再经消化处理。《开封市西区污水处理厂工程可行性研究报告》中该方案的泥龄取 12.3d，剩余污泥趋于好氧稳定。

本项设计方案对普通曝气法、氧化沟法两种工艺进行了比较，确定污水处理厂处理工艺为氧化沟法，该方案在工程投资、运行管理、技术先进可靠性以及工程实施等方面具有明显的优势，所以本项目采用的三沟式氧化沟工艺技术先进、经济合理。其污水、污泥处理工艺流程见图 5-4。

b.沉沙池形式的选择

污水处理厂中沉沙池的作用是去除污水中的沙粒，通常去除密度为 2.65t/m^3、粒径 0.2mm以上的沙粒，为后边污泥处理提供条件。沉沙池的形式有多种，开封西区设计采用曝气沉沙池和钟氏沉沙池对比分析。

曝气沉沙池的特点是：在池的一侧通入空气，使污水沿池旋转前进，可通过调节曝气量，控制污水的旋流速度，达到比较稳定的除沙效率。同时，还对污水起一定的预曝气作

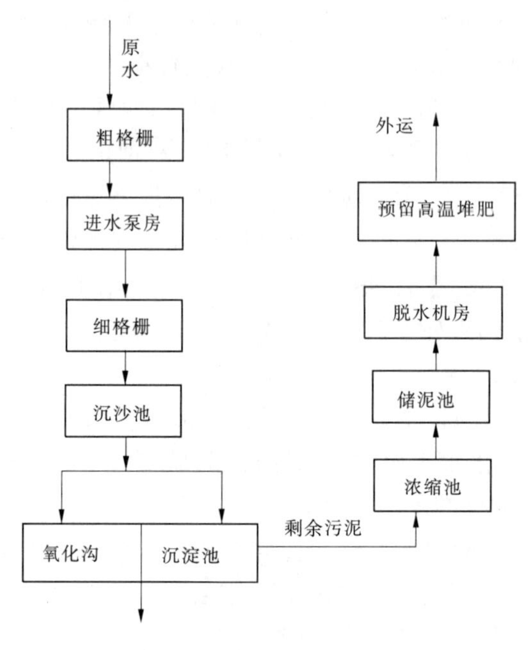

图 5-4　氧化沟工艺流程

用。曝气沉沙池的设计停留时间为 3min,水的流速为 0.1m/s,每 $1m^3$ 污水取 $0.1m^3$ 空气。

钟氏沉沙池是利用水力涡流,使泥沙和有机物分开,以达到除沙的目的。这种沉沙池具有基建、运行费用低和除沙效果好等优点,在北美国家广泛应用,目前在我国也正在推广应用。

两种沉沙池的工程投资比较及其有关技术参数比较分别见表 5-34、表 5-35。

表 5-34　沉沙池工程投资比较

项目	曝气沉沙池	钟氏沉沙池
工程投资(万元)	140	100
年耗电量(万 kWh)	13.14	0.876

表 5-35　沉沙池有关技术参数比较

项目	曝气沉沙池	钟氏沉沙池
维护管理	简便,但相对设备较多	简便
除油、漂渣效果	有单独除油去渣槽,效果好	没有单独去除设备
占地	多	少
除沙效果	好	好

从以上两种形式的沉沙池各类参数统计结果看,钟氏沉沙池的工程投资小、运行费用低,特别是在土地越来越紧张的条件下,钟氏沉沙池占地少,具有有利的条件。因此,开封

西区污水处理厂设计采用钟氏沉沙池。

6)污水处理厂工艺设计

a.污水处理工艺

原则上以利用原终点泵站为处理厂的进水泵站，但考虑原立式水泵与处理厂规模之间的匹配，以及提高污水泵效率，确定处理厂进水泵房利用原有土建部分，重新装设粗格栅、污水泵及配套设施。

现有安装的泵站情况如下：

(1)进水管：DN1 100×1；

(2)粗格栅：$B=1.2$m，$b=20$mm，1组；

(3)立式水泵：$Q=111\sim194.4$L/s，$H=27.5\sim21.0$m。

原有泵站出水能力是5.5万m^3/d，经规划，拟建西区污水处理厂泵站规模为8万m^3/d，$K_{总}=1.32$，因此新建污水处理部分如下：

(1)粗格栅。将原有终点泵房内的粗格删取消，重新设立。设计参数：$Q=1.22m^3/s$，栅前水深 $h=1.2$m，过栅流速 $v=0.35$m/s，倾斜角 $\alpha=65°$；设备参数：$B=1.2$m，$b=0.025$m；设备类型：斜爬式机械除污格栅及其格栅渣收集、输送、压榨机、脱水设备。设备台数为2台。

(2)进水泵房。设计流量：$Q_{max}=1\ 220$L/s；设备参数：$Q=310$L/s，$H=13.5$m；设备类型：潜污泵及其配套设备。设备台数为5台(4用1备)。

(3)格栅。设计参数：$Q=1\ 220$L/s，栅前水深 $h=1.0$m，过栅流速 $v=0.8$m/s；设备参数：$B=1.2$m，$b=0.006$m；设备类型：阶梯式机械除污格栅及其格栅渣收集、输送、压榨机、脱水设备。设备台数为2台。

(4)钟氏沉沙池。设计参数：$Q=1\ 220$L/s，$q=160m^3/(m^2\cdot h)$；池径：$D=3.65$m；设备台数：2套旋流叶轮，排沙泵及沙、水分离器。

(5)氧化沟。设计参数：$Q=8\ 000m^3/d$，$N_w=4$g/L，$t_w=12.3$d；单沟尺寸：147m×20m×3.5m，$V_{单组}=30\ 870m^3$(2组)；平均流量堰上负荷：9.3L/(s·m)；设备参数：$L=9$m，$\phi=1$m；供氧能力：74kg O_2/(h·台)(标准状态下)；设备类型：水平转刷及其可调节出水堰(潜搅拌器KSBP40，2台)。

(6)出水流量计。设计参数：设计流量 $Q=8\ 000m^3/d$；设备类型：超声波流量计。

b.污泥处理工艺

(1)剩余污泥泵房。设计参数：出泥量136.5m^3/h，含水率99.6%；设备参数：$Q=70m^3/h$，$H=8$m；设备类型：潜污泵及其配套设备KSBF80(6台)。

(2)污泥浓缩池。设计参数：浓缩比 $C_1/C_2=0.3/0.04$，污泥干重13 108kg/d，进泥量3 277m^3/d，污泥含水率99.6%，浓缩后污泥含水率97%；设计负荷：43kg DS/($m^2\cdot$d)；池径：$D=15$m；池深：$h=4.5$m；污泥池内停留时间：$T=11.6$h；池数：2；设备类型：机械栅耙污泥浓缩机。设备台数为2台。

(3)储泥池。设计参数：$Q=437m^3/d$，脱水含水率80%以下；设备参数：$Q=15m^3/h$(单台)；设备类型：离心脱水机及其脱水机房内配套设备。设备台数为2台。

7)西区污水处理厂经济效益分析

开封市西区污水处理厂项目总投资 13 317.82 万元，建设期为 3 年，年排污费收入 2 336万元（综合污水排放收费标准：0.8 元/m^3），年运行总费用 1 955 万元，年利润总额 236 万元。经分析计算，全部投资内部收益率 4.47%，净现值 580 万元，投资利润率 2.74%，投资利税率 3.81%，投资回收期 15.32 年。

开封市西区污水处理厂的建设不但可以改善马家河的水污染状况和生态环境条件，还可以提高开封市污水资源化的水平，促进城市经济建设和古都旅游事业的发展，为区域河流水污染治理提供了条件。

5.6 层次分析模型在污水资源化评价中的应用

5.6.1 层次分析法

层次分析法（Analytic Hierarchy Process，简称 AHP 法）是美国运筹学家、匹兹堡大学教授 T.L.Saaty 于 20 世纪 70 年代提出来的，它是一种对较为模糊或较为复杂的决策问题使用定性与定量分析相结合的手段作出决策的简易方法，特别是将决策者的经验判断给予量化，它将人们的思维过程层次化，逐层比较相关因素，逐层检验比较结果的合理性，由此提供较有说服力的依据。很多决策问题通常表现为一组方案的排序问题，这类问题就可以用 AHP 法解决。近几年来，此法在国内外得到了广泛应用。

5.6.1.1 建立层次结构模型

在 AHP 法研究问题时，要根据问题中各因素的因果关系将其分成若干个层次。在这个模型下，复杂问题被分解为元素的组成部分。这些元素又按其属性及关系形成若干层次。上一层次的元素作为准则对下一层次有关元素起支配作用。通常可将这些层次分为 3 类：

（1）目标层，也是最高层，这一层次中只有 1 个元素，一般它是分析问题的预定目标或理想结果。

（2）准则层或指标层，也叫中间层，这一层次中包含了为实现目标所涉及的中间环节，它可以由若干个层次组成，包括所需考虑的准则、子准则。

（3）方案层或措施层，也是最底层，这一层次包括了为实现目标可供选择的各种措施、决策方案等。

5.6.1.2 建立判断矩阵

对每一个层次中各个元素的相对重要性进行判断，通常采取对因子进行两两比较的办法建立判断矩阵。设 a_{ij} 表示因子 a_i 和 a_j 对因素 F 的影响大小之比，构成矩阵 $A=(a_{ij})_{n\times n}$，称 A 为判断矩阵或比较矩阵。矩阵 A 具有以下性质：

$$a_{ij}>0;a_{ji}=\frac{1}{a_{ij}}\quad(i,j=1,2,\cdots,n)\tag{5-20}$$

通常用数字 1～9 及其倒数作为判断矩阵的标度，因为根据心理学的研究结果，若分级太多，则会超越人们的判断能力。判断矩阵的标度及含义见表 5-36。

表 5-36　判断矩阵的标度及含义

标度 a_{ij}	含义
1	因子 a_i 和因子 a_j 同等重要
3	因子 a_i 比因子 a_j 略重要
5	因子 a_i 比因子 a_j 较重要
7	因子 a_i 比因子 a_j 非常重要
9	因子 a_i 比因子 a_j 绝对重要
2,4,6,8	以上两判断的中间状态
倒数	若因子 a_i 比因子 a_j 重要性之比为 a_{ij},则因子 a_j 比因子 a_i 重要性之比为 $a_{ji}=1/a_{ij}$

5.6.1.3　层次单排序及一致性检验

以式(5-21)为标准,计算每一个判断矩阵的最大特征值 λ_{max},以及该特征值对应的特征向量,并对该向量进行归一化处理,得到向量 $w=(w_1,w_2,\cdots,w_n)^T$。该向量反映了各因子对某一因素的影响权重,称为权向量。

判断矩阵一致性的检验:

$$\sum_{i=1}^{n} w_i = 1 \tag{5-21}$$

$$CI=\frac{\lambda_{max}-n}{n-1} \tag{5-22}$$

$$CR=\frac{CI}{RI} \tag{5-23}$$

式中:CI 为判断矩阵一致性指标;CR 为判断矩阵的随机一致性比率;RI 为随机一致性指标;n 为矩阵阶数。

根据判断矩阵的阶数对随机一致性指标 RI 进行取值:

n	1	2	3	4	5	6	7	8	9	10	11
RI	0	0	0.58	0.90	1.12	1.24	1.32	1.41	1.45	1.49	1.51

由于1、2阶正互反矩阵总是一致矩阵,故 $RI=0$,此时我们定义 $CR=0$。

当 $CR<0.10$ 时,可以接受判断矩阵;否则,要对判断矩阵作修正。

5.6.1.4　层次总排序及一致性检验

上面我们得到的是一组元素对其上一层中某元素的权重向量。我们最终要得到各元素,特别是最低层中各方案对于目标的排序权重,从而进行方案选择。总排序权重要自上而下地将单准则下的权重进行合成。

设上一层(A层)含 m 个因素 A_1、A_2、$\cdots$、A_m,它们对目标O的权向量为 $w^{(A)}=(a_1,a_2,\cdots,a_m)^T$。再设其下一层(B层)含 n 个因子 B_1、B_2、$\cdots$、B_n,它们关于因素 A_i 的权向量分别为 $w_i=(b_{i1},b_{i2},\cdots,b_{in})^T(i=1,2,\cdots,m)$(注:当 B_j 与 A_i 无联系时,$b_{ij}=0$)。

则B层对于目标O的权向量为 $w^{(B)}=(b_1,b_2,\cdots,b_n)^T$，其中 $b_j=\sum_{i=1}^{m}a_i b_{ij}(j=1,2,\cdots,n)$。见表5-37。

表 5-37

A层		B层			
		B_1	B_2	$\cdots$	B_n
A_1	a_1	b_{11}	b_{12}	$\cdots$	b_{1n}
A_2	a_2	b_{21}	b_{22}	$\cdots$	b_{2n}
$\vdots$	$\vdots$	$\vdots$	$\vdots$		$\vdots$
A_m	a_m	b_{m1}	b_{m2}	$\cdots$	b_{mn}
B层对于目标的权重		$\sum_{i=1}^{m}a_i b_{i1}$	$\sum_{i=1}^{m}a_i b_{i2}$	$\cdots$	$\sum_{i=1}^{m}a_i b_{in}$

对层次总排序也需作一致性检验，检验仍像层次总排序那样由高层到低层逐层进行。

组合一致性检验是逐层进行的。设第 $k-1$ 层有 t 个因素，共 c 层，第 k 层的各判断矩阵一致性指标分别为 $CI_1^{(k)}$、$CI_2^{(k)}$、$\cdots$、$CI_t^{(k)}$，随机一致性指标分别为 $RI_1^{(k)}$、$RI_2^{(k)}$、$\cdots$、$RI_t^{(k)}$。

第 $k-1$ 层对目标O的权向量为 $w^{(k-1)}=(a_1,a_2,\cdots,a_t)^T$，则第 k 层组合一致性比率定义为：

$$CR^{(k)}=\frac{\sum_{j=1}^{t}CI_j{}^{(k)}a_j}{\sum_{j=1}^{t}RI_j{}^{(k)}a_j} \quad (k=3,4,\cdots,c) \tag{5-24}$$

$CR^{(1)}=0$，$CR^{(2)}$ 为准则层判断矩阵的一致性比率。第 k 层通过组合一致性检验的条件一般为 $CR^{(k)}<0.1$。

总体一致性比率定义为：

$$CR^{*}=\sum_{k=2}^{c}CR^{(k)} \tag{5-25}$$

对于重大的决策问题，应控制 CR^{*} 适当小，才能认为总体上通过一致性检验。

5.6.2 层次分析法在污水回用方式评价中的应用

5.6.2.1 建立层次结构模型

污水回用的方式有多种，在回用时需要考虑的因素很多，如技术要求、费用、效益、运行安全性等，这些因素有些是可以定量确定的，更多的是难以定量的。不同回用方式各有优劣，由于各个因素难以用单位统一的数值来表示，因此我们可以考虑将这些因素按支配关系分组形成有序的层次结构模型，依据人们对客观现实的判断给予定量表示，利用数学的方法确定每一层次全部因素相对重要性权重，得到最底层相对于最高层的相对重要性次序的组合权重。这样做的目的是简化各影响因素，便于将各个方案使用统一的标准进行比较，最终得到有用的结果。

我们将开封市污水的回用方式归类分成 3 种：

(1)回用于农业，这里仅指农作物灌溉。

(2)回用做市政用水，包括喷洒路面、绿地浇灌、景观用水等。

(3)回用于工业，包括对水质要求不高的冷却用水和各种工艺用水。

这 3 种用途将作为层次分析模型中方案层的因子 P_1、P_2、P_3。

准则层主要包括了费用、效益、技术因素、社会因素在内的共 10 个因素，即 T_1、T_2、…、T_{10}，这 10 个因素又分别归到效益、费用和其他因素中。城市污水回用层次结构模型见图 5-5。

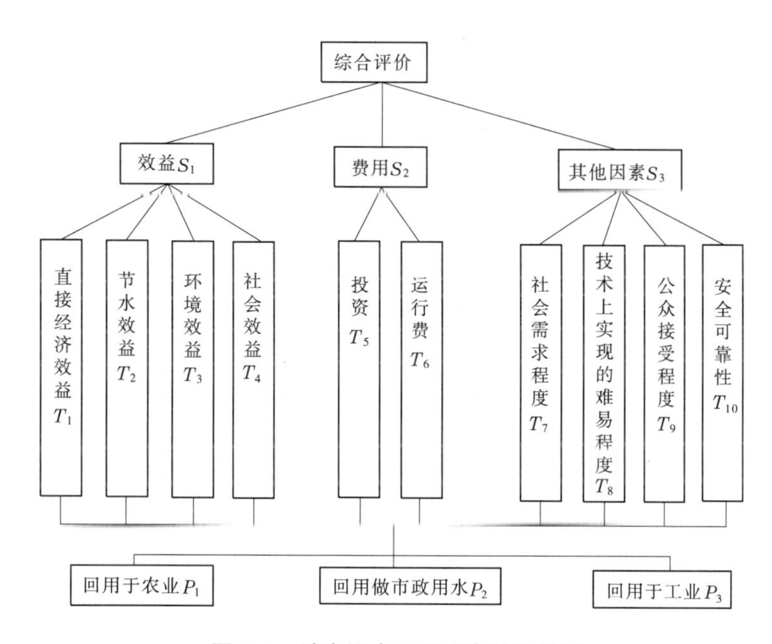

图 5-5 城市污水回用层次结构模型

5.6.2.2 判断矩阵的建立

通过对污水资源化有关问题调查，根据开封市的情况分别对各层因素建立判断矩阵，并求出各因子对该因素的影响权重。

判断矩阵 T_1	P_1	P_2	P_3	w_i
P_1	1	3	1/4	0.217 6
P_2	1/3	1	1/6	0.091 4
P_3	4	6	1	0.691 0

判断矩阵 T_2	P_1	P_2	P_3	w_i
P_1	1	5	3	0.637 0
P_2	1/5	1	1/3	0.104 7
P_3	1/3	3	1	0.258 3

判断矩阵 T_3	P_1	P_2	P_3	w_i
P_1	1	1/4	1/7	0.078 6
P_2	4	1	1/3	0.262 8
P_3	7	3	1	0.658 6

判断矩阵 T_4	P_1	P_2	P_3	w_i
P_1	1	3	5	0.654 8
P_2	1/3	1	3	0.249 9
P_3	1/5	1/3	1	0.095 3

判断矩阵 T_5	P_1	P_2	P_3	w_i
P_1	1	4	6	0.691 0
P_2	1/4	1	3	0.217 6
P_3	1/6	1/3	1	0.091 4

判断矩阵 T_6	P_1	P_2	P_3	w_i
P_1	1	3	6	0.654 8
P_2	1/3	1	3	0.249 9
P_3	1/6	1/3	1	0.095 3

判断矩阵 T_7	P_1	P_2	P_3	w_i
P_1	1	4	1/3	0.262 8
P_2	1/4	1	1/7	0.078 6
P_3	3	7	1	0.658 6

判断矩阵 T_8	P_1	P_2	P_3	w_i
P_1	1	8	5	0.741 8
P_2	1/8	1	1/3	0.075 2
P_3	1/5	3	1	0.183 0

判断矩阵 T_9	P_1	P_2	P_3	w_i
P_1	1	4	1/3	0.262 8
P_2	1/4	1	1/7	0.078 6
P_3	3	7	1	0.658 6

判断矩阵 T_{10}	P_1	P_2	P_3	w_i
P_1	1	1/3	1/5	0.109 5
P_2	3	1	1/2	0.309 0
P_3	5	2	1	0.581 6

判断矩阵 S_1	T_1	T_2	T_3	T_4	w_i
T_1	1	1/3	3	5	0.269 9
T_2	3	1	4	7	0.547 6
T_3	1/3	1/4	1	3	0.126 6
T_4	1/5	1/7	1/3	1	0.055 9

判断矩阵 S_2	T_5	T_6	w_i
T_5	1	3	0.750 0
T_6	1/3	1	0.250 0

判断矩阵 S_3	T_7	T_8	T_9	T_{10}	w_i
T_7	1	4	7	7	0.620 5
T_8	1/4	1	5	3	0.226 0
T_9	1/7	1/5	1	1/3	0.052 5
T_{10}	1/7	1/3	3	1	0.100 9

判断矩阵 O	S_1	S_2	S_3	w_i
S_1	1	3	6	0.654 8
S_2	1/3	1	3	0.249 9
S_3	1/6	1/3	1	0.095 3

5.6.2.3 判断矩阵一致性检验

根据各判断矩阵的最大特征向量 λ_{max} 和随机一致性指标 RI,计算出各矩阵的随机一致性比率 CR。各判断矩阵的 CR 值都小于0.1,均可以通过一致性检验,见表5-38、表5-39。

表5-38 矩阵一致性检验

判断矩阵	O	S_1	S_2	S_3	T_1	T_2	T_3
n	3	4	2	4	3	3	3
λ_{max}	3.018 3	4.118 4	2	4.187 7	3.053 6	3.038 5	3.032 4
CI	0.019 3	0.039 5		0.062 6	0.026 8	0.019 3	0.016 2
RI	0.58	0.90	0	0.90	0.58	0.58	0.58
CR	0.015 8	0.043 9		0.069 5	0.046 2	0.033 2	0.027 9

表5-39 矩阵一致性检验

判断矩阵	T_4	T_5	T_6	T_7	T_8	T_9	T_{10}
n	3	3	3	3	3	3	3
λ_{max}	3.018 3	3.053 6	3.018 3	3.032 4	3.044 1	3.032 4	3.003 7
CI	0.009 1	0.026 8	0.009 1	0.016 2	0.022 0	0.016 2	0.001 8
RI	0.58	0.58	0.58	0.58	0.58	0.58	0.58
CR	0.015 8	0.046 2	0.015 8	0.027 9	0.038 0	0.027 9	0.003 2

5.6.2.4 层次总排序及一致性检验

1)计算 T 层对目标的权向量

T 层权向量计算见表5-40。

表5-40 权向量计算

T 层	S 层			T 层对于目标的权重
	S_1	S_2	S_3	
	0.654 8	0.249 9	0.095 3	
T_1	0.269 9	0	0	0.176 7
T_2	0.547 6	0	0	0.358 6
T_3	0.126 6	0	0	0.082 9
T_4	0.055 9	0	0	0.036 6
T_5	0	0.75	0	0.187 4
T_6	0	0.25	0	0.062 5
T_7	0	0	0.620 5	0.059 1
T_8	0	0	0.226	0.021 5
T_9	0	0	0.052 5	0.005 0
T_{10}	0	0	0.100 9	0.009 6

2)计算 P 层对目标的权向量

P 层权向量计算见表 5-41。

表 5-41　权向量计算

P 层	T 层										P 层对于目标的权重
	T_1	T_2	T_3	T_4	T_5	T_6	T_7	T_8	T_9	T_{10}	
	0.176 7	0.358 6	0.082 9	0.036 6	0.187 4	0.062 5	0.059 1	0.021 5	0.005 0	0.009 6	
P_1	0.217 6	0.637 0	0.078 6	0.654 8	0.691 0	0.654 8	0.262 8	0.741 8	0.262 8	0.109 5	0.501 7
P_2	0.091 4	0.104 7	0.262 8	0.249 9	0.217 6	0.249 9	0.078 6	0.075 2	0.078 6	0.309 0	0.150 7
P_3	0.691 0	0.258 3	0.658 6	0.095 3	0.091 4	0.095 3	0.658 6	0.183 0	0.658 6	0.581 6	0.347 6

3)组合一致性检验

除了要对每个判断矩阵作一致性检验外,还需作组合一致性检验和总体一致性检验。

计算各层判断矩阵的一致性比率:

$$CR^{(2)}=0.015\,8<0.1$$

$$CR^{(3)}=0.047\,2<0.1$$

$$CR^{(4)}=0.035\,3<0.1$$

因此,各层皆通过组合一致性检验。

4)总体一致性检验

总体一致性比率:

$$CR^{*}=CR^{(2)}+CR^{(3)}+CR^{(4)}=0.015\,8+0.047\,2+0.035\,3=0.098\,3<0.1$$

因此可以通过总体一致性检验。

根据以上的计算得出 P 层对目标层的权重值 P_1、P_2、P_3 分别为 0.501 7、0.150 7、0.347 6。因此,$P_1>P_3>P_2$。根据这个计算结果,在开封市污水回用规划中,优先考虑的应该是权重最大的农业方面的回用,其次是工业回用,最后才是市政用水回用。

污水回用的方式有多种,在回用时需要考虑的因素很多,如技术要求、费用、效益、运行安全性等,这些因素有些是可以定量确定的,更多的是难以定量的,在此列出了 10 个因素,分别归入 3 种类别,然后结合开封市的情况,建立了农业回用、市政回用、工业回用的 AHP 模型。通过对模型的求解,可得出 3 种回用方式的权重值。

5.7　污水回用水价研究

5.7.1　水的价格构成

水是在自然界中形成的,为了满足人类对水的需求,人们修建水利工程、供水设施,水资源成为了一种商品,作为商品出现在市场上的水资源的定价应该有利于实现资源的优化配置,提高水的使用效率和效益,同时提供这种商品的供水企业也应该获得一份合理的收入,水费中应该包括企业投入的所有成本。水资源也是一种特殊的商品,水资源是不可替代的资源,其市场是垄断性的,水资源的定价在很大程度上受到政府的管制。作为一种人类生产生活所必不可少的资源,水资源的定价应体现公平和公正,以满足不同用水者的需求。水资源的可持续利用要求水价不仅体现供水企业的成本,还应该有利于水资源的保护,满足改善生态环境和防治水污染的要求。水资源的定价受到诸多因素的影响和制约,直到现在,国内外学术界也没有停止对水资源定价的研究,也没有形成统一的观点。

虽然从本质上讲,回用水也是水,在一定范围内,它可以作为新鲜水的替代品,因此可以从自来水的价格构成理论来研究回用水的价格构成,但是它的价格构成和从自然界取得的自来水相比就变得十分简单了,这里,我们将对自来水的价格构成和回用水价格构成作一个对比。

结合相关水价理论,我们可以把水价分为4个组成部分:一是水资源费;二是水利工程费;三是自来水处理费;四是污水处理费。水资源体现了水的经济资源价值,水利工程费和自来水处理费体现使用水的内部成本,污水处理费体现了水的环境价值。

5.7.1.1 水资源费

无论是生活用水、市政用水、工业用水、农业用水,都是人类劳动的产物,都是作为商品出售的,商品都是有价格的,在任何有效率的市场中,商品的价格要等于使用商品的机会成本才能达到经济效率。如果仅仅考虑供水部门处理水的边际成本作为水价制定的依据是不全面的,因为处理水的边际成本并不能反映水的全部机会成本。自然界的天然水虽然不是人类劳动的产物,但人们取用天然水资源,同样应该付出代价。作为自然资源的天然水,虽然没有经过人类劳动加工,但人们要取得天然水资源,也要付出代价。这个代价包括其他用水者减少用水的损失、其他用水类别减少用水的损失。即使个人不付出代价,社会也会为此付出代价,这个代价表现为水资源的价格,即水资源费。

产权是现代市场经济中一个非常重要的概念,简单地说,产权就是财产权利。我国宪法第一章第九条明确规定,水等自然资源属于国家所有,禁止任何组织或者个人用任何手段侵占或者破坏自然资源。因此,任何单位和个人开发使用水资源都必须支付一定的费用。水资源的稀缺性是其资源价值的基础,资源价值是水资源的稀缺性的反映,是水权在经济上的实现形式,是用水的社会成本的体现,而不是供水工程的建设管理成本的体现。我国水资源属国家所有,资源水价要由政府来征收、管理和使用,不能作为供水企业的利润,其稀缺性所体现的价值与普通商品的情况类似,即水资源越稀缺,其稀缺性价值越大;反之,水资源越丰富,其稀缺性价值越小。如果水资源没有稀缺性,人们可以不受限制地取用,水资源费也就不存在。只要水资源是稀缺的,没有足够的水来满足人们的无限需求,即使水处理不需要成本,水资源仍然会有一个价格,并且价格会增长到使总供给等于总需求。

水资源费从根本上体现了资源的稀缺价值。当资源稀缺时,一个人的使用减少了其他人使用的机会,现在较多的使用减少了将来使用的机会,因此在使用资源的机会成本中要体现这种稀缺价值。而这个稀缺价值,正是通过为取得水资源产权即水权的支付来实现的,表现为水权在经济上的实现形式。因为正是由于水资源是稀缺的,所以才有水权体系;在水资源稀缺的条件下,取得水权就意味着获得相应的利益,取得资源要向资源所有者支付费用。自然资源价值就是其产权的体现，如果资源没有稀缺性，任何人都可以以任何方式使用资源，使用资源也没有机会成本(不包括资源加工的成本)，也无所谓取得资源产权的支付。然而，事实上并不存在永远取之不完的自然资源，水资源更是如此。水资源的稀缺程度是水资源与区域人口数量、生态环境、经济结构以及社会发展状况等相关因素的综合反映。讨论水资源的稀缺性价值是针对有使用价值的水资源而言的。因此，确定水资源稀缺性价值应以其有用性价值为基础。

尽管在一些缺水的地方，回用水也会具有稀缺性，回用水价值中是不应该包含水资源费的。其原因在于，回用水的主要来源是自来水使用后排放的污水，在自来水的价格中已经包含了水资源费，或者说回用水所包含的水资源费已经在第一次使用中支付过了。水回用是将水资源进行多次重复利用，并没有增加新鲜水的取用量。因此，企业被允许和鼓励自行将污水进行处理并循环利用，而决不会对此种回用收取相应的费用。

5.7.1.2 水利工程费

水利工程费是指为弥补水文勘探、水质监测和河道、水库、沟渠等水利工程设施的建设与运行维护管理成本而收取的费用，应包括税金和适当的利润。

水资源是一种自然资源，尽管取得水资源的方法非常简单，但是多数人所使用的水并不是直接从水源取用的天然水，而是经过了一定的中间过程。以城市自来水为例，自来水通常从湖泊、地下、河流或者建于河流上的水库中取水，经过输水管道引入城市供水部门，处理后水质达到要求才通过管道供用水户使用。自来水在制造过程和使用过程中投入了大量的人力、物力、财力，因此在自来水价格中必须包括这部分成本，另外，供水部门应缴纳的税金和供水部门的利润也包括在内。

回用水的使用方式很多，对于不同的使用方式，其水利工程费差别很大。与自来水不同，回用水的水源是城市污水，回用水在使用前也需要经过一定的中间过程，如用于农业灌溉的回用水，需要经过取水、储存过程并通过输水渠道引入灌区，在此过程中所产生的费用应计入水利工程费中。

5.7.1.3 自来水处理费

自来水处理费是为弥补获取原水、加工和输送分配自来水等发生的成本，即建设和运行维护与自来水相关设施的成本而收取的费用，应包括税金和适当的利润。在实践中，自来水设施与水利工程设施并没有统一的物理区分界线，关键是看设施是属于水利工程单位管理还是属于自来水单位管理，但需确保在收费时不在水利工程费和自来水处理费中重复计算某项费用。

回用水是城市污水处理后的低质水，回用水在使用前需要对污水进行处理然后输送给用户。水处理过程决定了回用水的回用途径，回用水的处理费用是回用水价格构成的关键部分。这里所说的处理费用是一个广义的概念，在回用水处理费中应该包括回用水生产过程中的成本，销售、管理、财务费用，税金，回用水供水企业的利润。这部分成本可以通过回用水供水企业的财务报表进行核算。

5.7.1.4 污水处理费

前面已经讨论过，水资源在使用后会排出一定量的废水，这些废水造成污染，给社会和个人带来了危害，为了治理污染、保护水环境，需要付出一定代价，这部分代价反映到水价中就是排污费,这就是水价中的环境水价。

回用水是否要考虑排污费的问题,关键是要看回用的结果是否增加了污水的排放。回用水在使用后也可能产生一定的废水排放,从使用方式上来看,回用水作为生活用水和工业回用时产生一定的污水排放,而用于农业灌溉、清洁用水、景观生态用水、地下水回灌时,回用水或者被消耗掉了,或者使用后根本就不会带来污染,当然,也就不会存在环境水价。因此,对于不同用途的回用水的价格应该区别对待。

5.7.2 回用水的定价

5.7.2.1 外部性和排污费

外部性理论是在1991年由著名的经济学家马歇尔提出的,并由他的学生庇古丰富和发展了外部性理论。所谓外部性是指实际经济活动中生产者和消费者的活动对其他的生产者和消费者产生的超越活动主体范围的利害影响。外部性分为外部经济性和外部不经济性,生产者和消费者在其活动过程中给其他人带来了不利影响,而又没有对其他人给予相应补偿称为外部不经济性。如上游地区发展工业生产产生了大量废水,这些废水未经处理即排入河流,导致河流遭受污染,河流水质下降,下游地区的生产者在使用这些水源的时候为了使水质达到要求,需要在水处理上花费更多的费用,这就是外部不经济性的一个例子。

生产者生产的目的都是为了追求效益最大而成本最小。治理污染需要花费人力、物力从而带来成本的提高,在利润动机的支配下,生产者不会主动考虑选择对环境污染进行治理,或者试图减小生产对环境的不利影响,而是将生产造成的环境损害所需的成本转嫁给了社会,即私人成本的社会化。私人成本的社会化导致资源开发利用的外部不经济性,造成了资源的浪费和破坏。从根本上解决资源开发活动中的外部不经济性的办法是使外部成本内部化。外部成本的内部化有很多途径和方法,一个主要的途径是采用经济手段对外部不经济性进行补偿。在自来水中加收排污费就是使外部成本内部化的一种方法。

前面我们已经提到,回用水和自来水的主要区别就在于水质,在回用水使用中最关键的问题也是水质,只有达到一定的水质标准才能用于相应的用途,在回用水的成本中,很大一部分是水质处理过程中产生的,那么是不是所有花费在污水处理上的费用都算入回用水的成本中去呢?我们知道,即使不进行污水回用,从环境方面考虑,城市污水也应该进行一定程度的处理,以满足排放要求,该部分处理所需费用不是水回用产生的,不属于回用水的成本,只有为了回用而进行的后续处理所需要的费用才应该计入回用水成本中去。在实际生产中,多数对污水的处理工作可能是在一套污水处理设备中完成的,而不一定是按照排放要求和回用要求明确地区分成两个互不相干的过程。另外,尽管自来水的价格中包含了排污费,但是并不代表所有的城市污水在排放之前都进行了处理并且达到了排放的标准。

自来水在使用后不可避免地要排放一定量的废污水,若废污水在排放过程中并未按照排放要求进行处理,那么用于回用目的的处理中,必然要花费更多的费用。将城市污水进行处理以达到回用要求的过程中所产生的处理费用应当在自来水成本和回用水成本之间分摊。

传统的经济理论并未考虑或者没有完全考虑外部不经济性，自来水价格中包含的排污费的作用是将使用自来水的外部性内部化，尽管许多地方在自来水中加入了排污费这一项，但是废水的处置费用并没有完整地计算在内，人们在使用水资源的同时将一笔隐蔽的费用转嫁给了社会。

5.7.2.2 最优污染水平的确定

最优污染水平的确定涉及环境容量问题，环境容量是指大气、水、土壤等环境所允许承纳的污染物质的数量，它是自然生态环境的基本属性之一。经济发展离不开环境容量，而环境容量资源具有稀缺性和可流失性的特点。稀缺性是指环境容量资源总量有限，不能满足人们无止境的需求；可流失性是指环境容量资源以其功能提供服务，而其功能价值又是同时间因素结合在一起的，既可被利用，也可随时间流失。环境容量资源的特点，决定了我们在珍惜爱护环境资源的前提下，应充分利用环境资源。由于自然界中环境容量资源的存在，当污染量小于环境容量时，自然界可以容纳和净化污染物，例如某地区排放少量的经过处理净化的工业废气，可以利用大气环境容量资源，使污染物被大气稀释到不至于造成明显的环境污染的程度，并使污染物在自然界的正常循环中被分解或净化，对环境的影响就得到控制；但当污染物的排放量明显超过环境容量时，就造成环境污染和生态破坏，产生了外部效应。那么是不是把污染水平控制在环境容量之内甚至是完全没有污染物排放就是最优污染水平呢？很显然不是，资源开放的目的是实现最大的经济效益，如果一味地追求低污染排放量，则必然影响经济效益的实现。但是我们也不能不顾一切地以牺牲环境为代价来发展经济，解决这一矛盾的方法是寻找一个合适的污染水平。根据环境经济学的观点，最优污染水平是指能够使社会纯收益最大化的污染水平。

一般根据边际治理费用与边际外部(损害)成本确定最优排放水平。

如图5-6所示，用纵轴 C 表示边际费用和成本，横轴 Q 表示污染治理量，MC 为边际治理费用曲线，它是治理费用函数的一阶导数，它表示在不同的治理水平上，每增加一单位污染治理量所增加的治理费用。在图中边际治理费用曲线是一条向右上倾斜的曲线，因为随着治理量的增大，增加治理一单位污染的难度越来越大，花费的费用也越来越高。MEC 为边际外部(损害)成本，边际外部成本是外部成本的一阶导数，它表示在不同的污染治理水平上，剩余每个单位污染引起的外部损害成本。MEC 向右下方倾斜，因为

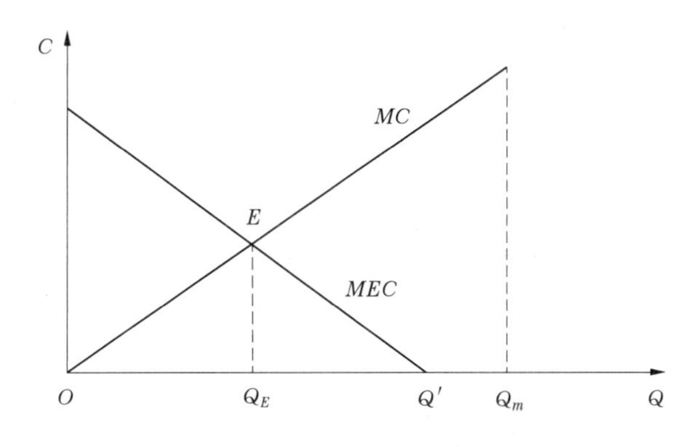

图5-6 最优污染水平示意图

随着污染治理量的增大,剩余污染越来越少(由于环境的自净能力发生作用而没有积累效应作用),剩余每单位污染引起的损害也随之减小。Q_m 表示最大污染排放量,MEC 以 Q' 为终点,这里 $Q_m - Q'$ 即为环境容量。当 $Q > Q'$,即污染物排放量在环境容量之内时,环境不会受到污染物的影响,边际外部成本为零。

E 点为 MEC 和 MC 的交点,边际治理费用等于边际外部成本,此时所对应点就是最优污染水平,社会纯收益达到最大值。在 E 点的左侧,尽管增加污染治理量将会导致污染治理费用的增加,但由于边际治理费用大于边际外部成本,增加污染治理量可以获得更大的社会纯收益。在 E 点右侧,尽管增加污染治理量仍然可以降低边际外部成本,但是边际治理费用大于边际外部成本,治理量的增加将导致治理污染费用的更快增加,并使社会纯收益下降,因此对这部分污染量进行治理是不合算的。

根据以上理论分析,为了获得最大的社会纯收益,社会应将污染治理量维持在 E 点的位置,此时的污染治理量为 Q_E。

上述过程可以用如下的数学式表达:

设社会纯收益为 TSB,治理量为 Q 时总外部成本为 TEC,总治理费用为 TC,则有:

$$TSB = TC + TEC \tag{5-26}$$

社会目标是使 TSB 最大。由于 TC、TEC 都是 Q 的函数,所以 TSB 也是 Q 的函数,TSB 取得极大值的条件为:

$$\frac{\mathrm{d}(TSB)}{\mathrm{d}Q} = 0 \tag{5-27}$$

$$\frac{\mathrm{d}(TSB)}{\mathrm{d}Q} = \frac{\mathrm{d}(TC)}{\mathrm{d}Q} + \frac{\mathrm{d}(TEC)}{\mathrm{d}Q} = 0 \tag{5-28}$$

故

$$\frac{\mathrm{d}(TC)}{\mathrm{d}Q} = -\frac{\mathrm{d}(TEC)}{\mathrm{d}Q} \tag{5-29}$$

即边际治理费用与边际外部成本(绝对值)相等时,社会纯收益最大,达到最优排放水平。

5.7.2.3 污水处理费用的分摊

得到了最优污染水平的定义,我们就可以从理论上分析出污水处理成本应该如何在回用水和自来水中分摊。假定不进行污水的回用处理,为了达到最大的社会纯收益,污水排放目标应该是最优污染水平,凡是在最优排放水平以上的污染物的处理费用都属于自来水使用的成本,只有最优排放水平以下的污染处理费用才应该计入回用水的成本中。

以上我们所说的是一个理论上的分析,事实上,我们不可能得到这么一个准确的最优排放水平,即使得到这样的最优污染水平,我国目前也无法推行这样的标准。

为了保护江河、湖泊、运河、渠道、水库和海洋等地面水以及地下水水质保持良好状态,减少水污染,维护生态平衡,促进国民经济发展,国家制定了《污水综合排放标准》(GB8978—1996)。该标准根据排水系统出水受纳水体的功能要求,把污水综合排放标准分为 3 个级别。当把经过预处理的污水回用于某一区域时,除了要保证回用水的使用及其最终排放不影响受纳环境水体的使用功能外,还要保证其最终的出水符合与受纳水体的功能相对应的国家污水综合排放标准及地方污水排放标准,并要符合污染物总量控制要求。由于我们不可能使污染排放量精确地达到最优污染水平，因此国家在制定污水排放标准以及确定排污收费时只能尽可能地使排放量接近最优污染水平，根据这一标准就可以来确定污水处理费用的分摊问题，进而得知回用水的处理成本。由于全国各地区发展的不平衡性，各地区的污染治理程度差别很大。实际计算中，我们可以简单地把一级强化处理或者二级处理之后的处理费用作为回用水的处理成本。前文中已经提到，污水经过二级处理甚至一级强化处理基本上可以满足或部分满足灌溉用水的需求，因此将污水回用于农业时，总成本中将不包括水处理的费用。

5.7.2.4 自来水价格对回用水价格的影响

回用水是作为自来水的替代品出现的，只有在以下两个条件同时具备的条件下，回用水才有可能广泛地使用：一是水资源严重不足，必须寻找新的水源；二是回用水具有价格优势，即它必须比自来水成本低廉。

长期以来，水被看做是必需的公共物品，水价一直维持在比较低的水平，自来水价格严重偏离成本，人们缺乏节水意识，浪费严重，用水效率很低。同时，由于水价低于成本，供水行业处于严重亏损状态，国家补贴负担沉重，与自来水的低价相比，回用水的成本就显得比较高，甚至远高于自来水的价格，回用水当然没有市场。近几年我国进行了水价改革，供水的价格开始提高。

2003 年 9 月，开封市进行了一次水价调整，居民生活用水实行计量水价。基础水价由现行的 0.75 元/m^3 调整到 1.1 元/m^3，每户每月上调 0.35 元/m^3，调整幅度为 47%。基本水量定为每户每月 12m^3，12～18m^3 部分按 1.65 元/m^3 计收，19m^3 以上部分按 2.2 元/m^3 计收。工业生产用水由现行的 0.95 元/m^3 调整到 1.2 元/m^3，上调 0.25 元/m^3，调幅为 26%；经营服务用水由现行的 1.25 元/m^3 调整到 2.2 元/m^3，上调 0.95 元/m^3，调幅为 76%；行政事业单位用水由现行的 0.9 元/m^3 调整到 1.2 元/m^3，上调 0.3 元/m^3，调幅为 33%；特殊行业用水为新增类别，价格为 3.5 元/ m^3。目前开封市还没有回用水价格，以北京市中水价格 1 元/ m^3 作对比，回用水价格虽具有一定的优势，但并不十分明显。

5.7.2.5 公众心理与支付意愿对回用水使用的影响

除了回用水自身成本的问题，公众心理上对回用水的接受程度和范围也是污水回用能否成功推广的一个重要因素。公众一般缺乏对回用水的了解，通常回用水的卫生问题是公众最为关心的，公众对回用水的接受能力也决定了公众的支付意愿。

已经有研究者对这两个问题进行了调查，调查均通过问卷方式进行，调查结果基本一致，公众对于回用水用途的偏好顺序大致为浇洒绿地、冲厕、洒马路、景观用水、洗车，多数公众对于不直接接触身体的用途比较赞同，而对于洗澡、洗衣等用途，多数人持反对意见。支付意愿调查证明，自来水水价对支付意愿有很大影响，自来水价格越高，人们能承受的回用水价格也越高，这样的结果也在意料之中。

因此，加强对公众的宣传，消除公众对回用水安全的疑虑，以及提高自来水的价格，都能有效地提高公众对回用水的接受程度。

5.7.2.6 回用水定价的建议

回用水在定价上可以参照自来水的定价方式，因此从功能上讲，回用水是自来水的一种替代品。在自来水的供水行业,普遍采用的是成本定价法,这对于回用水供水定价同样适用。对于供水者来讲,原则上应该要求回收成本,获得效益,用水者希望公平合理,对于整个社会来讲,回用水的使用应该节约,实现资源的高效配置,并且有利于环境的改善。

回用水的价格水平可以通过计算平均成本或计算边际成本确定,平均成本定价是一种广泛采用的传统定价方法,它依据供水服务的平均成本确定水价的价格水平,需要通过对相关历史数据分析来确定供水企业的收入需求。然后依据用水行为方式特征划分不同类型用户,在不同类型用户间进行服务成本的分配,计算出各类用户的供水平均服务成本,作为费率结构设计的依据。边际成本的测算则是建立在对未来需求和供水系统投资建设的预期与规划之上,它是在选择的规划期内对供水边际成本进行测算并进行费率设计。通常认为使用边际成本定价有利于提高水资源开发过程中的效率,实现水资源的优化配置。

实际定价可能还要考虑以下方面:用户类型和各类用户的承受能力,在它们之间采取交叉补贴政策;对奢侈性用水与高耗水行业采取刺激节约用水的高价政策;采用较为复杂的价格结构,季节性定价。

采用差别定价模式是回用水定价很好的选择。三度差别定价是根据需求价格弹性的差别进行市场划分的定价方式,这样有利于取得利润。开封市将供水市场划分为生活用水、工业用水、宾馆用水、商贸用水、机关用水,根据用户对水需求价格弹性从大到小排列为:生活用水>工业用水>商贸用水和宾馆用水,而水价的制定正好与此相反,生活用水价格最低,商贸用水和宾馆用水价格最高。这是因为,需求弹性越大,用水者对水价越敏感,水价过高时用水者将大大减少用水量,这反而影响利润的获得,对于需求弹性较大的生活用水,为了保证公众的基本用水需求,不宜将水价定得过高。相反,需求弹性越小,用水者对供水价格的敏感程度越低,即使水价较高也不会对其用水量有太大的影响,因而制定较高的水价有利于获得利润。根据这一情况,回用水的定价也可以采用同样的方式,一方面,回用水价格低于自来水价格,对于需求弹性较小的用水户来说,既然减小用水量是不可能的,那么使用价格较低的回用水将会成为一个不错的选择,而对于需求弹性较大的用户,除了使用回用水,减少水的使用量同样可以降低水费支出。另一方面,根据支付意愿的调查显示,较高的自来水价格将使用水者对回用水价格有更高的支付意愿,因此对这部分用户采用较高的水价是有充分依据的。

除了采用对不同用户制定不同水价的三度差别定价外,采用阶梯水价将有利于推广回用水的使用。阶梯水价是根据用户的用水量划分不同的级别,不同的级别采用不同的水价,阶梯水价又包括了递减阶梯水价和递增阶梯水价。例如,设定两个用水量标准 Q_1、Q_2($Q_2 > Q_1$),当用户用水量 Q 不超过 Q_1 时,水价为 P_1,当用户用水量 Q 大于 Q_1 而小于 Q_2 时,超出的部分将按 P_2 计价,当用户用水量超过 Q_2 时,超出部分将按照 P_3 计价。

在不同用水量时,水费总额为:

$$C = Q \cdot P_1 \qquad (Q_1 \geqslant Q \geqslant 0) \tag{5-30}$$

$$C = Q_1 \cdot P_1 + (Q - Q_1) \cdot P_2 \qquad (Q_2 \geqslant Q > Q_1) \tag{5-31}$$

$$C = Q_1 \cdot P_1 + (Q_2 - Q_1) \cdot P_2 + (Q - Q_2) \cdot P_3 \quad (Q > Q_2) \tag{5-32}$$

如果 $P_3 > P_2 > P_1$，则称之为递增阶梯水价；反之，$P_3 < P_2 < P_1$，则称为递减阶梯水价。

在自来水供水中，人们通常提倡采用递增阶梯水价，其目的是为了节约用水，但是这只对需求弹性较大的用户有好的效果。在回用水使用中，如果对需求弹性较小的用户采用递减的阶梯水价，意味着企业采用更多的回用水代替自来水，将会进一步降低水费的支出，这对于鼓励企业使用回用水是十分有利的。

上面所说的回用水的定价主要是针对城市回用水用户而言的，事实上，对于农业回用，定价将变得更为简单一些，因为农业灌溉对回用水的要求不高，城市污水处理厂的二级出水可以直接用于农业灌溉，因此污水处理费不计入农业回用水的成本中，另外，农业回用水输水的渠道可以使用已有的灌溉渠道或者在原有渠道的基础上作适当修改。由于缺乏实例数据，这里无法给出定量的结果，但是，回用水用于农业灌溉的实际成本与从河道引水灌溉的成本相当，随着近年来农业水价改革的进行，农业水价也在不断提高，灌区农民用水也要向水管理部门缴纳水费，水费中不仅包括灌区水管理部门的管理费、运行费用、维护费用等，还包括水资源费。相比之下回用水可以免费从污水处理厂获取，省去了水资源费。对开封市而言，利用城市污水处理厂的出水对周围农田进行灌溉比从黄河引水的输水距离更近，因此成本也相对低廉。

第6章　开封市污水灌溉技术研究

6.1　引　言

6.1.1　我国污水灌溉发展历史回顾

我国自20世纪50年代就开始采用污水灌溉的方式回用污水，但是真正将污水经深度处理后回用于城市生活和工业生产仅有20年的历史。率先采用污水回用的是大连市污水的再利用，随着社会经济的发展和人们环境意识的不断提高，污水回用逐渐扩展到缺水城市的许多行业。但直到80年代中期，此项节水措施尚处于起步阶段。80年代末，随着我国大部分城市水危机的频频出现和污水回用技术趋于成熟，污水回用的研究与实践才得以迅速发展。

我国污水灌溉的发展大体可划分为3个阶段:1957年以前为自发灌溉时期。自古以来，我国就有利用废水灌溉的习惯，自20世纪40年代起，在北京附近开始利用工业与生活废污水进行农田灌溉。1957～1972年为初步发展时期。1957年建工部联合农业部、卫生部把污水灌溉列入国家科研计划，从此开始兴建污水灌溉工程，污水灌溉得到了初步发展。1972年至今为迅速发展时期。尽管1972年在石家庄召开了全国污水灌溉会议，制定了“积极慎重”的发展方针，并制定了污水灌溉暂行水质标准，但由于自20世纪80年代中后期以来，随着我国北方地区水资源短缺的加剧和我国南方地区乡镇企业的迅猛发展，我国污水灌溉面积得到迅速扩大。据统计，我国1999年污水排放量达401亿m^3，污水灌溉面积从1963年的4.2万hm^2发展到1998年的361.8万hm^2，占全国灌溉总面积的7.3%，特别是20世纪70年代末至90年代中期，污水灌溉面积由33.33万hm^2猛增到333.33万hm^2。从地域分布上，我国污水灌溉的农田主要集中在北方水资源严重短缺的海、辽、黄、淮4大流域，约占全国污水灌溉面积的85%。大型污水灌溉主要分布在我国北方大中城市的近郊区，如北京污水灌溉区、天津武宝宁污水灌溉区、辽宁沈抚污水灌溉区、山西太原污水灌溉区和新疆石河子污水灌溉区。从污水农业利用特点来看，这些地区属于水肥并重的污水灌溉区。此外，秦岭、淮河以南和青藏高原以东为我国污水灌溉中的重肥污水灌溉区。北京市自20世纪50年代初期就开始利用污水灌溉农田，到目前为止，北京市的污水灌溉面积约为8万hm^2，年污水灌溉量约2.2亿m^3，占全市污水排放量的27%。北京市的污水灌溉农田主要分布于通州区、大兴区和朝阳区，约占污水灌溉总面积的87%。

从污水灌溉利用特点考虑，我国污水灌溉可划分为两类。①北方水肥并重污灌区:沿大兴安岭西侧，内蒙古高原东部和南部边缘，黄土高原西部边缘直至祁连山东缘，在这条线以东以南，秦岭、淮河以北地区为北方水肥并重污灌区，污灌面积达76.2万hm^2，占全国污灌面积的86.6%，是全国污灌面积最集中的地区；②南方重肥污灌区：秦岭、淮河以南，青藏高原以东，为南方重肥污灌区，污灌面积为9.27万hm^2，青藏高原以北的广大地区，污灌面积为2.59万hm^2，占全国污灌面积的2.94%。

近年来，污水灌溉不断发展，灌溉面积不断扩大，现在污水已经成为城镇近郊灌溉用水的重要水源，尤其是北方干旱缺水地区，水资源缺乏已经成为制约经济发展和影响人们生活的重要因素，将废污水开辟为第二水源，使废污水资源化，势在必行。根据统计，污水灌溉旱田一般情况下可增产50%～150%，水稻可增产30%～50%，水生蔬菜可增产50%～300%。废污水中一般含有大量的有机物，以蛋白质、碳水化合物、脂肪、尿素、氨氮、氮、磷、钾等为多，废污水中还含有钙、镁、锰、铜、锌、钼等多种微量元素。

6.1.2 研究区污水灌溉技术发展概况

开封市地处淮河流域涡河水系上游，市区有惠济河、黄汴河、马家河、东郊沟（化肥河）、东护城河等河流，这些地表水体共同组成开封市排水水系。本项目所评价的纳污水体为惠济河、马家河。惠济河是淮河的支流，全长167.2km，马家河属惠济河支流，全长30km，于开封县界汇入惠济河。

惠济河是豫东地区的一条主要排水河道。它发源于开封市济梁闸，流经开封（郊区、县）、杞县、睢县、柘城、鹿邑6县（市），于安徽亳州大刘庄入涡河，全长173.76km，在河南省境内166.5km，其中有堤段125km，柘城陈口以下47km为地下河段，河床宽深，排涝能力较大，历史上曾达到50～100年一遇标准。支流18条，其中左岸有13条（从上往下是北郊沟、东郊沟、惠北泄水渠、柏慈沟、淤泥河、崔林河、茅草河、通惠河、申家河、废黄河、永安河、太平沟及明净沟），右岸有5条（从上往下是黄汴河、南郊沟、马家河、小蒋河及小洪河）。全流域呈柳叶形，面积4 130km^2（开封市为1 679.1km^2，商丘市为2 141.9km^2，周口市为309 km^2），人口300余万人，耕地30万hm^2，桥梁66座，涵闸97座。

惠济河两侧污水灌溉历史最长时间约有40年，但随着井灌和引黄河水灌溉，污灌面积逐渐减少，大部分村庄已经属于污水和清水混灌，即间歇式污灌。

惠济河年均接纳工业废水2 233万m^3，其中化肥厂废水2 110万m^3，占总废水量的94.5%，其他还有炼锌厂、磷肥厂、开封药业公司、开封高压阀门厂等，主要污染源是排泄化肥厂废水。虽然经过初步处理，但排入化肥河的废水仍呈明显的富砷（As）特征，据开封市环保局2000年汇总近3年监测数据，砷含量达0.41mg/L，明显超出国家规定的灌溉污水砷含量0.1mg/L。其他成分还有锌（Zn）0.046mg/L、铅（Pb）0.046mg/L、镉（Cd）0.002mg/L、悬浮颗粒（SS）等。

从1957年开始，开封市相继建立了黑岗口、三义寨、柳园口、赵口4个灌区，灌溉面积31.94万hm^2，占全市耕地面积的88%。开封市是典型的以种植业为主的农业大市，盛产的粮食作物以小麦、水稻、玉米、大豆为主，经济作物以花生、西瓜、棉花为主。开封市主要以种植旱作物为主。

6.2 污水灌溉技术试验

6.2.1 材料与方法

6.2.1.1 试验场地基本情况

2003 年 9 月～2004 年 7 月对冬小麦进行了清水灌溉和污水灌溉对比试验，清水灌溉试验在开封市惠北水利科学试验站进行，污水灌溉试验在开封市兴隆乡太平岗村污灌区进行。污灌试验区位于开封市东 15km 的兴隆乡太平岗村二组。地理位置处于北纬 34.78°、东经 114.51°，海拔 68.05m，多年平均地下水埋深 3.40m。灌区属半湿润半干旱气候带，为大陆性季风气候，年平均气温 14.1℃，最高月平均气温 32.6℃（7 月份），最低月平均气温 -2.4℃（1 月份），年平均相对湿度 70.4%，年平均降水量 585.3 ～627mm，6～9 月占年降水量的 70%～80%，灌区冬春季多风少雨，气候干燥，蒸发量 1 225.4～1 316mm，全年中 3～8 月为相对集中蒸发期，蒸发量占年蒸发量的 69%，年平均日照时数为 2 267.6h，光温资源丰富，无霜期 210～240d。

该地区地势平坦，地面比降为 1/2 500～1/3 000。土壤为黄河冲积平原土质，质地为壤土或沙壤土，有机质少，pH 值为 8.45～8.60，孔隙度为 43.40%～50.26%，密度为 1.32～1.50g/cm³。主要作物有水稻、玉米、棉花、花生、大豆等。自然条件在河南省平原地区具有一定的代表性。

整个试验分为大田试验和室内分析两部分，大田试验分别在开封市惠北水利科学试验站和兴隆乡太平岗村污灌区同时进行，室内试验在河南省科学院化工实验室进行。

6.2.1.2 处理设计

1)试验材料

供试土壤为黄河冲积物发育的壤土，其基本理化性质见表 6-1。供试作物为冬小麦（品种为豫麦 34）。播种日期为 2003 年 10 月 18 日，行距 22cm，2004 年 5 月 30 日收割。

表 6-1 供试土壤的基本理化性质

土层 (cm)	有机质 (g/kg)	全氮 (g/kg)	速效磷 (mg/kg)	速效钾 (mg/kg)	质地	pH 值
0～15	7.75	0.71	13.64	99.92	轻壤土	8.45
15～30	5.15	0.57	6.42	84.59	轻壤土	8.60

2)试验小区设计

典型试区面积为 51.4×31.4（长×宽）=1 614（m²）（2.4 亩），分 4 畦，1、4 畦和 2、3 畦外侧的 15m 为试验小区的保护区，保护区内为试验小区，试验小区面积为 21.4×15.7（长×宽）=336（m²），示意图见图 6-1。

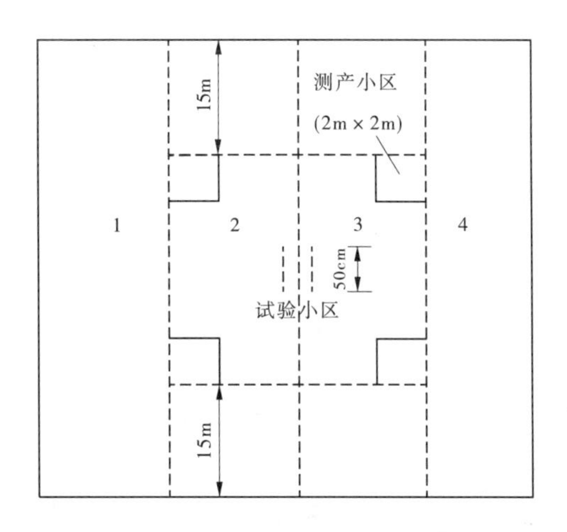

图 6-1　典型试区和试验小区示意图

6.2.1.3　**普查内容**

1)污灌基本情况调查

污水来源、污水类型(城市污水、工业废水、混合污水)、污灌历史、污灌中存在的问题。

2)土壤普查

土壤类型(土类名称、土壤分布面积及分布规律)、成土母质、土壤组成(矿物质、有机质、氮、磷、钾和微量元素)、土壤特性(pH 值、质地、代换量、饱和度)、土壤污染情况、土壤微生物及生物(如真菌、蚯蚓)、土壤有机物。

3)作物基本情况调查

作物种类、污灌面积、污灌种植比例、污灌灌溉制度、作物产量及品质、作物受害情况。

4)冬小麦农艺、耕作措施调查

试区内冬小麦总行数、灌水、施肥、打药(数量、时间)、栽培与耕作措施、管理措施等。

5)气象观测

主要观测降雨量、气温、湿度、日照、风速等项目。

6.2.1.4　**采样与观测内容**

1)灌溉水水质分析

(1)采样点:沿引水处的河流横断面取 3 个点,即左岸、中间、右岸。

(2)采样时间:播种、越冬、拔节、乳熟、收获 5 次,灌溉前加测一次。

(3)试验内容:BOD、COD、pH 值、汞、砷等项目。

2)需水量试验

(1)采样点:取土点 2 个(2、3 畦各 1 个点),取土深度 0、20cm、40cm、60cm、80cm、100cm。

(2)采样时间:播种前一次,月初、月末各一次,收获后一次;灌溉后、降雨(15mm)一天后加测一次。

3)土壤理化分析

(1)采样点:取土点 2 个(2、3 畦各 1 个点),取土深度 0～20cm、20～40cm、40～60cm 3 层。

(2)采样时间:播种、越冬、拔节、乳熟、收获5次;灌溉后、降雨(15mm)一天后加测一次。

(3)试验内容:pH值,氮、磷、钾养分,汞、砷等。

4)小麦体内汞、砷分析

(1)采样点:采样点2行(2、3畦各1行),每行10株。

(2)采样时间:播种、越冬、拔节、乳熟、收获5次。

(3)试验内容:茎、叶、穗内的汞、砷含量分析。

5)小麦干物质积累测定

(1)采样点:采样点2行(2、3畦各1行),每行10株(有代表性)。

(2)采样时间:播种、越冬、拔节、乳熟、收获5次。

(3)试验内容:生育期内地上部分(茎、叶、花、穗)冬小麦整株干重。

6)冬小麦生态调查

(1)采样点:采样点2行(2、3畦各1行),每行50cm,每行10株(有代表性),要求采样点2行基本固定并设有保护设施,见图6-1。

(2)采样时间:播种、越冬、拔节、乳熟、收获5次。

(3)调查内容:生育期调查(播种、出苗、越冬、返青、拔节、抽穗、乳熟、黄熟、收获的日期)、株高调查、叶面积系数。

(4)调查方法:生育期调查以日/月表示,株高调查为用直尺量测(以cm表示),叶面积系数测定方法与水稻同。

7)小麦产量测定

(1)采样:测产小区(2m×2m)设4个小区,要求4个测产小区(2m×2m)固定并设有保护设施,见图6-1。

(2)采样时间:收获期。

(3)测产内容:子粒产量、秸秆重。

(4)总产量测定:典型试区(2.4亩)冬小麦总产量测定,过磅称重。

6.2.1.5 试验方法

1)灌溉水水质分析

pH值:玻璃电极法(GB6920—86);化学需氧量:重铬酸盐法(GB11914—89);总磷:钼蓝比色法(GB/T11893—89);总氮:浓硫酸—硫酸钾—硫酸铜消解—蒸馏—纳氏比色法(GB11894—89);氨氮:浓硫酸—硫酸钾—硫酸铜消解—蒸馏—纳氏比色法(GB7479—87);铅:原子吸收分光光度法(GB7475—87);汞、砷:原子荧光光度法。

2)土壤含水量

采用取土烘干法(《灌溉试验规范》(SL13—2004))。

3)土壤理化分析

全氮:凯氏法;全磷:酸溶—钼锑抗比色法或碱溶—钼锑抗比色法;土壤pH值:只测定耕层土壤,室内测定用电位法,室外测定用永久色阶比色法。

4)植物样品的化学分析

植物样品是采用湿法消解。采用标准为JY/T015—1996。将植株样品磨碎,过60目筛。取部分样品用浓硫酸—高氯酸消解法消解(贺立源,梁华东,1992;南京农业大学,1998)。凯氏定氮法进行全氮分析;钒钼黄比色法测全磷;火焰光度计法测全钾;铅:原子吸收分光光度法(GB7475—87);汞、砷:原子荧光光度法。

5)叶面积测定

叶面积测定用网格法,首先将所采的植株样品进行叶片分离,然后将所有叶片分成若干级别,分别测定每一级别的叶片数,每一级别选出具有代表性的5片叶子,以叶片最长和最宽处测量叶片长度和宽度,计算表观叶面积。然后每个样品选取2片具有代表性的叶子用网格纸(每小格面积0.25cm^2)测定真实叶面积。从而算出表观叶面积和真实叶面积的折换系数。

6)考种

包括有效穗数、总穗数、实粒、瘪粒、千粒重、产量等。

6.2.2 结果分析与讨论

6.2.2.1 水体环境质量评价

1)灌溉水质监测结果

采用标准方法对灌溉水质(8项指标)进行监测分析,试验区引水点惠济河水体水质环境各项目监测结果见表6-2。

表6-2 样本污水成分 (单位:mg/L)

取样日期(月-日)	COD	总氮	总磷	钾	汞	砷	铅	pH值
02-23	182				0.000 5	0.000 2	0.015	7.68
03-25	215	82.0	2.54	15.7	0.000 3	0.12	0.012	7.03
04-06	313	32.2			0.000 3	0.026	0.015	6.95
04-15	611	69.4	1.43	14.0	0.000 3	0.11	0.015	7.25
04-28	184	75.9	2.71	14.4	0.000 3	0.23	0.015	7.29
05-20	345	61.8	4.19	3.06	0.000 3	0.13	0.30	6.59
国家水质标准	300	30	10		0.001	0.1	0.1	5.5~8.5

2)灌溉水质环境评价标准及方法

采用国家《农田灌溉水质标准》(GB5084—1992)作为评价标准,适用于水作、旱作和蔬菜等灌溉用水。采用评价参数值即单项污染指数法和样本超标率进行现状评价。当$n<1$时,表示灌溉水质轻度污染;当$n>1$时,表示灌溉水质受污染,且n越大污染越严重。

$$n = \frac{K - K_b}{K_b} \tag{6-1}$$

式中:n为样本污染指数;K为样本监测值;K_b为农田灌溉水质标准值。

3)水质评价分级标准

按灌溉水质单项污染超标指数划分为5级水质分级标准，确定灌溉水质污染程度，见表6-3。

表6-3 灌溉水质评价分级标准

分级	污染指数	污染程度	污染水平
1	＜0	清洁	清洁
2	0	尚清洁	预警水平
3	0～0.3	轻度污染	警戒水平
4	0.3～0.7	中度污染	超警戒水平
5	0.7以上	严重污染	严重超警戒水平

4)水质评价结果

采用单项污染指数，计算后得出灌溉水体污染评价结果，见表6-4。

表6-4 灌溉水体污染评价结果 （单位：mg/L）

取样日期（月-日）	COD	总氮	总磷	钾	汞	砷	铅	pH值
02-23	—				—	—	—	—
03-25	—	1.73	—	—	—	0.2	—	—
04-06	0.04	0.07			—	—	—	—
04-15	1.04	1.31	—	—	—	0.1	—	—
04-28	—	1.53	—	—	—	1.3	—	—
05-20	0.15	1.06	—	—	—	0.3	0.30	—
国家水质标准	300	30	10		0.001	0.1	0.1	5.5～8.5

考虑到作为农田灌溉用水，氮素对作物有利，等于为庄稼增施氮肥。又考虑到过多的氮素会严重污染水体，这就要求对富氮污水农业回用时单独进行处理。生活污水可以认为是一种液体肥料，生活污水中含有丰富的N、P、K等矿物元素，而且还含有有机质和多种微量元素，合理利用它灌溉农田，既可以提高土壤肥力又可改善土壤结构，增大土壤库容，达到以肥调水、水肥协调、互相促进的增产作用，节约化肥的用量，故近些年来污灌面积不断扩大并有继续扩大的趋势。

生活污水也是一种灌溉水源，按照作物的需水量要求适时、适量、准确地灌溉可以节省清洁水源，利用污水进行灌溉，不仅弥补了需水季节的水源不足，缓解了当地的水资源压力，而且减少了地下水的开采，保证了下游地区地下水的补给，为整个地区地下水资源的可持续利用及经济的快速发展作出了贡献。

生活污水灌溉应加强田间管理，生活污水经过简单处理之后还含有一些有害的病菌，在灌溉过程中虽经土壤微生物的分解和消化，但试验中发现田间的杂草和病害明显增多，因而要加强田间管理，确保污水资源的合理利用。

污水水源中含有不同种类的污染物质，有害物质含量较高，其中重金属污染物的危害最为严重。重金属是一类具有潜在危害的无机污染物，可在土壤和食物中富集，造成对土壤和作物的污染，损害人类健康。污水水体重金属污染为砷和铅，特别是砷含量处于轻度污染—中度污染，2004 年 4 月 28 日水样中砷含量严重超标。

建议在污灌区进行种植结构调整，采取以各种经济型作物、木本植物为主体的生态工程措施来治理和改造重金属污染土壤，在修复土壤的同时，切断有毒有害物质进入人体和家畜的食物链，避免污染物直接对人类产生危害。根据土壤土质、地下水位、气象等情况对污灌区进行合理规划、科学布局，确定科学的灌溉方式和管理制度，充分利用不同土壤类型的自净作用，最大限度地减少对土壤的污染。

6.2.2.2　土壤环境质量评价

1）土壤环境质量监测结果

采用标准监测分析方法，对清水灌溉和污水灌溉对比试验条件下的土壤环境各监测项目进行了分析，其中 2003 年 11 月 23 日取样分析结果见表 6-5。

表 6-5　土壤环境各监测项目分析结果（取样日期：2003 年 11 月 23 日）

取样地点	取样深度（cm）	盒号	化学成分（mg/L）				
			As	Hg	Pb	K	P
污灌点	0～20	1	16.3	<0.01	43.0	15 802	396
	20～40	2	8.0	<0.01	7.4	15 387	353
	40～60	3	6.9	<0.01	3.8	15 361	345
清灌点	0～20	7	6.6	<0.01	6.5	14 785	462
	20～40	8	9.1	0.1	4.8	15 221	433
	40～60	10	4.9	0.1	2.5	14 410	433

2）土壤环境质量评价标准及方法

根据该区土壤主要监测项目重金属（汞、砷、铅）污染情况，采用国家颁布的《土壤环境质量标准》（GB15618—1995 ）中的二级标准作为评价标准。农田土壤质量评价包括监测元素和监测区域评价，其参数值采用单项污染指数法。

$$n = \frac{K - K_b}{K_b} \tag{6-2}$$

式中：n 为土样污染指数；K 为样本监测值；K_b 为土壤评价标准值。

3）土壤质量环境评价分级标准

用评价模型评价出单项污染指数，必须进行土壤环境质量分级，才能更加清楚地反映区域土壤环境质量。

《土壤环境质量标准》（GB15618—1995）中将土壤环境质量标准分为 3 级：一级标准为保护区域自然生态，维持自然背景的土壤环境质量的限制值；二级标准为保障农业生产，维护人体健康的土壤环境质量的限制值；三级标准为保障农林业生产和植物正常生长的土壤环境质量的临界值。

根据土壤应用功能和保护目标,土壤环境质量划分为3类:Ⅰ类主要适用于国家规定的自然保护区(原有背景重金属含量高的除外)、集中式生活饮用水源地、茶园、牧场和其他保护地区的土壤,土壤质量基本上保持自然背景水平;Ⅱ类主要适用于一般农田、蔬菜地、茶园、果园、牧场等土壤,土壤质量基本上对植物和环境不造成危害和污染;Ⅲ类主要适用于林地土壤及污染物容量较大的高背景值土壤和矿产附近等地的农田土壤(蔬菜除外),土壤质量基本上对植物和环境不造成危害和污染。《土壤环境质量标准》(GB15618—1995)中关于汞、砷、铅的限制值和临界值见表6-6。

表6-6　土壤环境质量标准值　(单位:mg/L)

土壤级别	一级	二级			三级
pH值	自然背景	<6.5	6.5~7.5	>7.5	>6.5
汞(Hg)≤	0.15	0.30	0.50	1.0	1.5
砷(As)旱地≤	15	40	30	25	40
砷(As)水田≤	15	30	25	20	30
铅(Pb)≤	35	250	300	350	500

4)土壤质量环境评价结果

污灌区和清灌区0~20cm土层的重金属监测结果对比见表6-7。

表6-7　污灌区和清灌区0~20cm土层的重金属监测结果对比(2003~2004年)

(单位:mg/L)

取样日期(月-日)	As		Hg		Pb	
	污灌	清灌	污灌	清灌	污灌	清灌
11-03	16.3	6.6	<0.01	<0.01	43.0	6.5
12-16	17.2	7.2	<0.01	<0.01	27.5	4.8
02-25	7.0		<0.01		10.6	
04-05	15.1	8.0	<0.01	<0.01	30.8	5.4
04-17	18.3		<0.01		44.6	
04-20	16.2	8.1	<0.01	<0.01	36.8	7.4
04-28	14.8	8.5	<0.01	<0.01	34.8	6.4
05-05	16.6	8.1	<0.01	<0.01	33.4	5.6
05-13	18.4	8.4	<0.01	<0.01	39.6	6.1
05-20	17.4	8.0	<0.01	<0.01	37.9	5.6
05-28	16.6		<0.01		30.8	

将表6-6和表6-7对照可以看出,清灌区土壤中各项指标均在自然背景值以内,没有重金属污染,土壤环境质量为Ⅰ类。与水质评价结果相同,土壤中基本没有汞污染。

将表 6-4、表 6-5、表 6-6、表 6-7 对照可以看出，污灌区土壤中各项指标均在自然背景值以上，砷超出一级土壤标准值(自然背景值)的 23%，超出清灌区实测值的 130%；铅超出一级土壤标准值(自然背景值)的 27%，超出清灌区实测值的 537%。但汞、砷均未超出二级土壤标准值，土壤环境质量为Ⅱ类，可以用于一般农田、蔬菜地、茶园、果园、牧场等土壤，土壤质量基本上对植物和环境不造成危害和污染。

应当指出的是，污灌区土壤中铅、砷含量超出清灌区土壤中铅、砷含量较多，应引起高度重视，积极采取行之有效的措施保护土壤免受污染。污灌区土壤重金属在空间上与其包气带岩性结构剖面相对应，呈现出明显的峰值分布特征，表层(即耕作层)是重金属的主要富集区，由此而可能造成粮食污染。污灌区应根据本灌区的土壤特点和污水水质特点，找到制约污水利用的关键性污染物，并据此制定合理的灌水技术。综合考虑本灌区重金属等污染物对环境影响的分析结果，未来 30 年内，开封市污灌区必须实行清污混灌和轮灌。如果提高污水的处理率，则未来开封市的污水利用率会大大提高。

6.2.2.3 清水、污水灌溉对冬小麦的影响

1)清水、污水灌溉对冬小麦叶面积的影响

冬小麦不同生育期叶面积见表 6-8。由表 6-8 可知，冬小麦的叶面积 4 月初快速增长，在 4 月底达到最大值，以后逐日衰减。污水灌溉小区叶面积普遍比清灌区大，表明污水灌溉对冬小麦叶片生长有一定的促进作用。可见，污水灌溉并结合施肥对冬小麦叶片生长较为有利。

表 6-8 冬小麦不同生育期叶面积 (单位：cm^2)

灌水方式	日期			
	2 月 25 日	3 月 25 日	4 月 28 日	5 月 20 日
污灌	11.4	27.3	39.1	24.2
清灌	3.5	9.8	30.8	23.1

5 月初期间，污灌区冬小麦的叶面积相对较大，下降速度也较平缓。说明污水灌溉带来的养分能维持冬小麦较长时间的生长。

2)清水、污水灌溉对冬小麦株高的影响

对于污水处理小区而言，污灌区的株高大于清灌区，见表 6-9。说明污水处理小区冬小麦株高有增高的趋势。

表 6-9 冬小麦株高 (单位：cm)

灌水方式	日期			
	2 月 25 日	3 月 25 日	4 月 28 日	5 月 20 日
污灌	26	58	88	78
清灌	13.5	32.5	76	66

3)清水、污水灌溉对冬小麦产量的影响

在相同水量和施肥条件下，污灌区冬小麦产量为 6 826.1kg/hm^2，清灌区产量为

5 859.6kg/hm²。污灌区能从污水中获得部分养分,平均产量高于对照清灌区,可见污灌能在一定程度上提高冬小麦产量。因此,结合污灌并适量施肥,可以提高小麦的产量。

4)清水、污水灌溉对冬小麦产品质量的影响

污水灌溉对农产品质量的影响一直是人们十分关注的问题,这种影响包括两个方面:一是污灌对品质指标如蛋白质、糖、VC 等项目的影响程度,另一方面是污水中各种有毒有害污染物在作物籽粒中或可食部分的累积残留状况。污灌是否一定使农作物品质下降尚无定论,但从实际抽样监测结果看,污灌与清灌小麦籽粒中蛋白质含量变化很小。污灌区和清灌区冬小麦 3 种重金属元素的累积量见表 6-10。

表 6-10　污水、清水灌溉条件下冬小麦中重金属元素的累积量

取样日期(年-月-日)	生育期	部位	化学成分(mg/L)					
			As		Hg		Pb	
			污灌	清灌	污灌	清灌	污灌	清灌
2003-12-05	分叶期	叶	2.98	1.2	0.07	0.67	11.98	4.8
2004-03-25	拔节期	茎	2.54	1.25	<0.01	0.56	7.0	6.1
		叶	1.22	1.23	<0.01	<0.01	4.1	4.1
2004-04-28	乳熟期	茎	0.86	0.45	<0.01	<0.01	2.4	2.8
		叶	2.85	1.37	<0.01	<0.01	8.3	4.9
2004-05-20	黄熟期	茎	0.55	0.21	<0.01	<0.01	3.1	2.8
		叶	2.36	1.86	<0.01	<0.01	8.0	8.1
2004-05-29	收割期	茎	<0.01	<0.01	<0.01	<0.01	1.8	2.4
		种	<0.01	0.49	<0.01	<0.01	2.4	2.2

由表 6-10 可清楚地看出,污灌区的冬小麦中 Pb、As 的累积量大多高于清灌区。应当指出的是,这些数据还不能给冬小麦品质是否受到重金属的污染下一个定论,也说明了进一步研究污灌对作物品质的影响非常必要。

国家标准(GB1351—1999 代替 GB1351—1986)中规定了小麦的有关定义、分类、质量指标、检验方法及包装要求、贮存要求,本标准适用于收购、贮存、运输、加工、销售的商品小麦。对重金属含量没有具体指标,其评价指标体系处于探索阶段。另一个问题是冬小麦体内重金属积累呈下降趋势,特别是分叶期以前体内重金属积累达到最大值,这一生理现象有待进一步深入研究。

6.3　污水灌溉制度评价

农作物的灌溉制度是指作物播种前及全生长期内的灌水次数,每次灌水的日期、灌水定额以及灌溉定额,可分为充分灌溉条件下的灌溉制度和非充分灌溉条件下的灌溉制度两种。充分灌溉条件下的灌溉制度是指适时、适量地对农作物进行灌溉,即当土壤含水量

(或田间水层)达到某一允许的下限值(即适宜土壤含水量或田间水层下限)时,则进行灌溉,灌溉上限值一般应使土壤含水量(或田间水层)达到田间持水率(或田间适宜水层上限)。其目的是使作物生长条件得到最大限度的满足,从而获得高产。非充分灌溉条件下的灌溉制度是在总灌溉水量(灌溉定额)小于作物整个生育期的总灌溉需水量时,通过分析作物在不同生长阶段缺水减产情况,确定满足作物灌水次数、灌水日期、灌水定额及土壤水分的最优组合,其目的是在供水不足的条件下获得最高的产量。

对污水灌溉而言,制定合理的灌溉制度不仅满足了作物的需水要求,又可以利用土壤微生物和农作物的净化能力对污水进行处理,从而改善水体环境。但是过多的污染物又会引起土壤的污染,污染物总量的大小取决于灌溉水量。因此,在制定污水灌溉制度时,应在充分考虑污水灌溉对土壤—水—作物系统的环境影响的基础上,最大限度地利用污水资源。本研究通过制定清水灌溉制度,再利用环境容量确定污水灌溉制度,以达到土地资源可持续利用的目的。

6.3.1 清水灌溉制度

目前,确定作物灌溉制度常采用以下 3 种方法:①分析总结群众丰产灌水经验;②根据灌溉试验资料制定;③通过农田水量平衡分析计算确定。在制定作物灌溉制度时,只有将这三种方法结合起来,所制定的灌溉制度才比较完善。本研究按照开封市的气象资料利用彭曼公式计算作物的需水量,利用农田水量平衡原理计算并结合群众灌水经验和灌溉试验确定冬小麦的灌溉制度。

6.3.1.1 作物需水量

作物需水量是指作物在土壤水分适宜、生长正常、大面积高产条件下的棵间土面(或水面)蒸发量下植株蒸腾量之和,它是制定合理的灌溉制度的基础。它的大小与气象条件(温度、日照、湿度、风速)、土壤含水状况、作物种类及其生长发育阶段、农业技术措施、灌溉排水措施等有关。这些因素对需水量的影响是互相联系的,也是错综复杂的,目前尚难从理论上对作物需水量进行精确的计算。在生产实践中,一方面是通过田间试验的方法直接测定作物需水量;另一方面常采用某些计算方法确定作物需水量。现有计算作物需水量的方法,大致可归纳为两类,一类是直接计算出作物需水量,另一类是通过计算参照作物需水量来计算实际作物需水量。本研究采用通过计算参照作物需水量的方法来计算实际作物需水量。这类方法也称间接法。目前,联合国粮农组织(FAO)建议作物需水量的计算公式采用下式:

$$ET = ET_0 \cdot K_c \cdot K_s \tag{6-3}$$

式中:ET 为作物需水量,mm/d;ET_0 为参考作物需水量,mm/d;K_c 为作物系数;K_s 为土壤水分修正系数,可近似取 1.0。

1)参考作物需水量(ET_0)计算

参考作物需水量采用 1992 年修正的彭曼公式计算:

$$ET_0 = \frac{0.408\Delta(R_n - G) + \gamma \cdot \dfrac{900}{273 + T} \cdot u_2 \cdot (e_a - e_d)}{\Delta + \gamma(1 + 0.34u_2)} \tag{6-4}$$

式中：Δ 为温度—饱和水汽压关系曲线上在 T 处的切线斜率，kPa·℃，$\Delta = \dfrac{4\ 098e_a}{(T+273.2)^2}$；$T$ 为平均气温，℃；e_a 为饱和水汽压，kPa，$e_a = 0.611\exp\left(\dfrac{17.27T}{T+237.3}\right)$；$R_n$ 为净辐射，MJ/(m²·d)，$R_n = R_{ns} - R_{nl}$，其中 R_{nl} 为净长波辐射，MJ/(m²·d)，$R_{nl} = 2.45\times 10^{-9}(0.9n/N+0.1)(0.34-0.14\sqrt{e_d})(T_{kx}^4+T_{kn}^4)$，$R_{ns}$ 为净短波辐射，MJ/(m²·d)，$R_{ns} = 0.77(0.19+0.38n/N)R_a$，$n$ 为实际日照时数，h，N 为最大可能日照时数，h，$N = 7.64W_s$，W_s 为日照时数角，rad，$W_s = \arccos(-\tan\varphi\cdot\tan\delta)$，$\varphi$ 为地理纬度，rad，δ 为日倾角，rad，$\delta = 0.409\sin(0.017\ 2J-1.39)$，$J$ 为日序数(1月1日为1，逐日累加)，R_a 为大气边缘太阳辐射，MJ/(m²·d)，$R_a = 37.6d_r(W_s\cdot\sin\varphi\cdot\sin\delta+\cos\varphi\cdot\cos\delta\cdot W_s)$，$d_r$ 为日地相对距离，$d_r = 1+0.033\cos(0.017\ 2J)$；$e_d$ 为实际水汽压，kPa，$e_d = \dfrac{e_{d(T_{min})}+e_{d(T_{max})}}{2} = \dfrac{1}{2}e_{a(T_{min})}\cdot\dfrac{RH_{min}}{100}+\dfrac{1}{2}e_{a(T_{max})}\cdot\dfrac{RH_{max}}{100}$，其中 RH_{max} 为日最大相对湿度(%)，T_{min} 为日最低气温，℃，$e_{a(T_{min})}$ 为 T_{min} 时饱和水汽压，kPa，$e_{d(T_{min})}$ 为 T_{min} 时实际水汽压，kPa，RH_{min} 为日最小相对湿度(%)，T_{max} 为日最高气温，℃，$e_{a(T_{max})}$ 为 T_{max} 时饱和水汽压，kPa，$e_{d(T_{max})}$ 为 T_{max} 时实际水汽压，kPa；G 为土壤热通量，MJ/(m²·d)，$G = 0.38(T_d - T_{d-1})$，T_d、T_{d-1} 分别为第 d、第 $d-1$ 日气温，℃；γ 为湿度表常数，kPa/℃，$\gamma = 0.001\ 63P/\lambda$，$P$ 为气压，kPa，$P = 101.3\left(\dfrac{293-0.006\ 3Z}{293}\right)^{5.26}$，$Z$ 为计算地点海拔，m，λ 为潜热，MJ/kg，$\lambda = 2.501-(2.361\times10^{-3})\cdot T$；$u_2$ 为2m高处风速，m/s，$u_2 = 4.87u_h/\ln(67.8h-5.24)$，$h$ 为风标高度，m/s，u_h 为实际风速，m/s。

由开封市的气象资料计算参考作物需水量见图6-2。

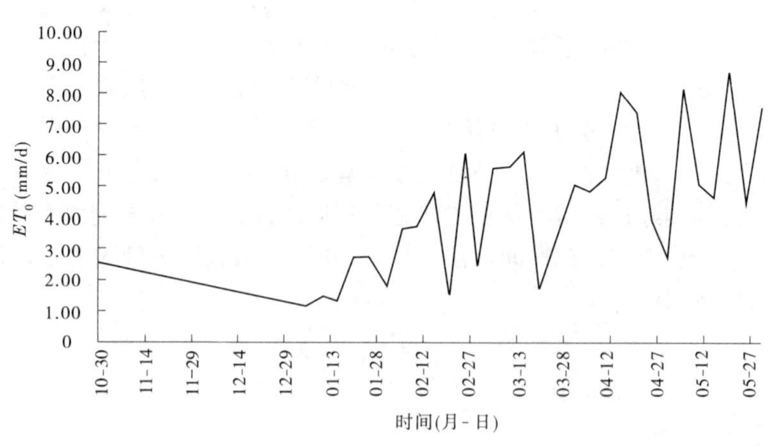

图6-2 参考作物需水量

2)作物系数

作物系数是为了从参照作物需水量计算实际作物需水量而引入的。它从作物生理和物理的角度反映某种作物与参照作物之间的特性差异。作物系数的变化过程与生长季节中叶面积指数的变化过程十分相近。播种期和苗期很小,随着作物进入快速发育期,叶面积快速增大,作物系数迅速上升,当作物冠层发育充分时,作物系数达到最大值,并在一段时期内保持稳定,这一时期作物基本覆盖地面,土面蒸发的影响相对很小,随着作物进入成熟期,叶片衰老脱落,作物系数随之下降。为简化计算,FAO 推荐对标准状态下的作物系数采用分段单值平均法表示,即把作物系数的变化过程概化为 4 个阶段(初始生长期、快速发育期、生育中期、成熟期)的 3 个值 K_{cini}、K_{cmid}、K_{cend},如图 6-3 所示。

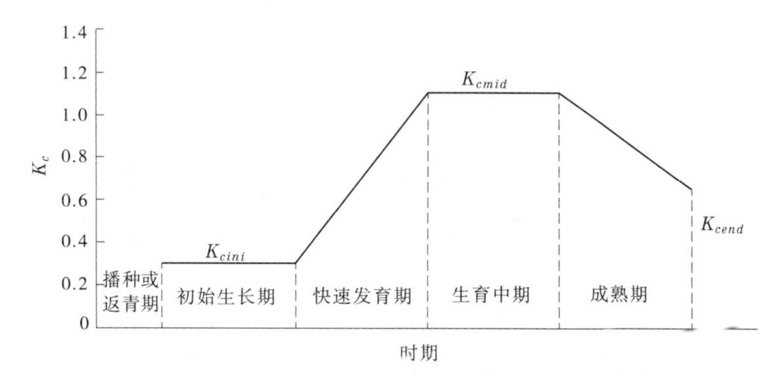

图 6-3 概化为时间平均值的作物系数变化过程线

作物系数受土壤、气候、作物生长状况和管理方式等多种因素影响,因此作物系数应由当地试验资料确定。在没有试验资料的地区,可以利用 FAO 推荐的 84 种作物的标准作物系数和修正公式,根据当地气候、土壤、作物和灌溉条件进行修正(FAO—56,1998)。本研究采用 FAO 推荐的单值法计算作物系数。由于冬小麦生育期长,而且有大约 3 个半月属冰冻期,仅用一个 K_{cini} 描述返青前的冬小麦作物系数是不行的,考虑到冰冻期小麦处于休眠状态,此时土壤蒸发和作物蒸发量均很小,这时期的作物系数应小于其他时期,所以冬小麦全生育期的作物系数需用 4 个值来描述,即 K_{cini}、K_{cfro}、K_{cmid}、K_{cend}。其各阶段作物系数的确定按下列步骤进行:

(1)从联合国粮农组织新近出版的《作物腾发量——作物需水量计算指南》(FAO —56,1998)一书的表中查出作物在标准条件下的作物系数。所谓标准条件,是指在半湿润气候区(空气湿度≈45%,风速≈2m/s),供水充足、管理良好、生长正常、大面积高产的作物条件。从 FAO —56 给出的表中查出冬小麦在不同阶段的作物系数值如表 6-11 所示。

表 6-11 标准条件下冬小麦在不同阶段的作物系数值

$K_{cini(Tab)}$	$K_{cfro(Tab)}$	$K_{cmid(Tab)}$	$K_{cend(Tab)}$
0.7	0.4	1.15	0.6

(2)按当地气候调节 K_{cmid} 和 K_{cend}。计算公式为:

$$K_{cmid} = K_{cmid(Tab)} + [0.04(U_2 - 2) - 0.004(RH_{\min} - 45)]\left(\frac{h}{3}\right)^{0.3} \quad (6\text{-}5)$$

$$\left.\begin{aligned} K_{cend} &= K_{cend(Tab)} + [0.04(U_2 - 2) - 0.004(RH_{\min} - 45)]\left(\frac{h}{3}\right)^{0.3} \quad (K_{cend(Tab)} \geqslant 0.45) \\ K_{cend} &= K_{cend(Tab)} \quad (K_{cend(Tab)} < 0.45) \end{aligned}\right\} \quad (6\text{-}6)$$

式中：U_2 为该生育阶段内 2m 高度处的日平均风速；RH_{min} 为该生育阶段内日最低相对湿度的平均值；h 为该生育阶段内作物的平均高度。

(3)计算初始生长期的 K_{cini}。作物初始生长期土面蒸发占总腾发量的比重较大，因此计算时必须考虑土面蒸发的影响。一次灌溉或降雨后土面蒸发可分为两个阶段：第一阶段为大气蒸发力控制阶段，此阶段内土面蒸发强度不随表层土壤储水量变化；第二阶段为土壤水分控制阶段，此阶段内土面蒸发强度随表层土壤储水量的减少而下降。根据上述原理计算公式如下：

$$\left.\begin{aligned} K_{cini} &= \frac{E_{so}}{ET_0} \qquad (t_w \leqslant t_1) \\ K_{cini} &= \frac{TEW - (TEW - REW)\exp\left[\frac{-(t_w - t_1)E_{so}\left(1 + \frac{REW}{TEW - REW}\right)}{TEW}\right]}{t_u ET_0} \qquad (t_w > t_1) \end{aligned}\right\} \tag{6-7}$$

式中：REW 为在大气蒸发力控制阶段蒸发的水量，mm；TEW 为一次降雨或灌溉后总计蒸发的水量，mm；E_{so} 为潜在蒸发率，mm/d；t_w 为灌溉或降雨的平均间隔天数；t_1 为大气蒸发力控制阶段的天数，$t_1 = REW/E_{so}$。

TEW 和 REW 的计算式为：

$$\left.\begin{aligned} TEW &= Z_e(\theta_{F_c} - 0.5\theta_{W_p}) \qquad (ET_0 \geqslant 5\text{mm/d}) \\ TEW &= Z_e(\theta_{F_c} - 0.5\theta_{W_p})\sqrt{\frac{ET_0}{5}} \qquad (ET_0 < 5\text{mm/d}) \end{aligned}\right\} \tag{6-8}$$

$$\left.\begin{aligned} REW &= 20 - 0.15S_a \qquad (\text{对 } S_a \geqslant 80\% \text{ 的土壤}) \\ REW &= 11 - 0.06CI \qquad (\text{对 } CI \geqslant 50\% \text{ 的土壤}) \\ REW &= 8 + 0.08CI \qquad (\text{对 } S_a < 80\% \text{ 并且 } CI < 50\% \text{ 的土壤}) \end{aligned}\right\} \tag{6-9}$$

式中：Z_e 为土壤蒸发层的深度，通常为 100～150mm；θ_{F_c}、θ_{W_p} 分别为蒸发层土壤的田间持水量和凋萎点含水量；S_a、CI 分别为蒸发层土壤中的砂粒含量和黏粒含量。

如果初始生长期内灌溉或降雨量很小，不能保证每次都充分湿润蒸发层土壤，则需要对 TEW 和 REW 进行修正：

$$TEW_{cor} = \min(TEW, W_{avail}) \tag{6-10}$$

$$REW_{cor} = REW\left[\min\left(\frac{W_{avail}}{TEW}, 1\right)\right] \tag{6-11}$$

式中：W_{avail} 为降雨或灌溉后在土壤蒸发层储存的水量，mm。

由上式，根据开封市的自然条件(见表 6-12)计算冬小麦的作物系数如表 6-13 所示。

表 6-12　开封市自然条件下各类参数统计表

生育初期(10-30～12-10)					生育中期(04-11～04-28)			成熟期(04-29～05-28)		
θ_{F_c}(%)	θ_{W_p}(%)	S_a(%)	CI(%)	ET_0(mm)	U_2(m/s)	RH_{min}(%)	h(m)	U_2(m/s)	RH_{min}(%)	h(m)
35	14	14	50	2.03	2.71	31.8	0.66	2.79	34.2	0.66

表 6-13　开封市冬小麦作物系数

K_{cini}	K_{cfro}	K_{cmid}	K_{cend}
0.54	0.4	1.20	0.65

3)作物需水量

计算开封市冬小麦需水量如图 6-4 所示。

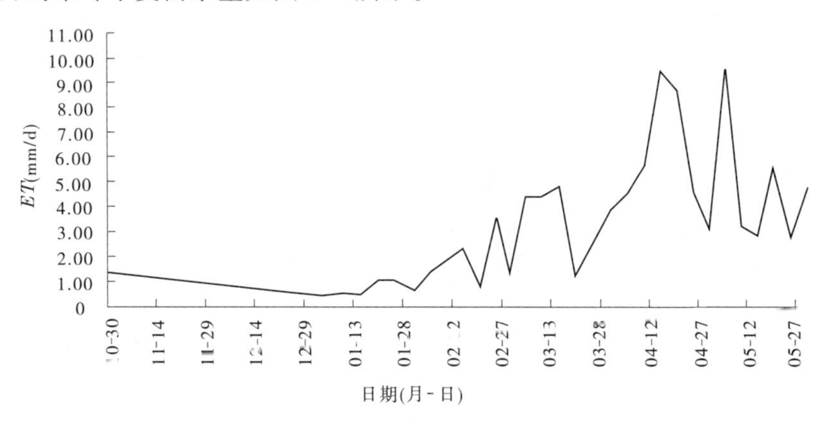

图 6-4　开封市冬小麦需水量变化过程

6.3.1.2　灌溉制度

用水量平衡分析法制定旱作物的灌溉制度时,它的时间范围是从作物播种起始算起,到完全收获为止的全生育期。其空间界限为土壤计划湿润层以上,分析研究该土层内土壤储水量的盈亏变化,要求土壤储水量的变化能适应各时期作物生长发育所需要的最适宜的土壤水分状况。

1)水量平衡方程

对旱作物,在整个生育期中任何一个时段 t,土壤计划湿润层(H)内储水量的变化可以用下列水量平衡方程表示:

$$W_t - W_0 = W_r + P_0 + K + M - ET \qquad (6\text{-}12)$$

式中:W_0、W_t 分别为时段初和任一时段 t 时的土壤计划湿润层内的储水量;W_r 为由于计划湿润层增加而增加的水量,如计划湿润层在时段内无变化则无此项;P_0 为保存在土壤计划湿润层内的有效雨量;K 为时段 t 内的地下水补给量;M 为时段 t 内的灌溉水量;ET 为时段 t 内的作物田间需水量,即 $ET = et$,e 为时段 t 内平均每昼夜的作物田间需水量。以上各值可以用 mm 或 m^3/hm^2 计。

为了满足农作物正常生长的需要,任一时段内土壤计划湿润层内的储水量必须经常保持在一定的适宜范围以内,即通常要求不小于作物允许的最小储水量(W_{min})和不大于作物允许的最大储水量(W_{max})。在天然情况下,由于各时段内需水量是一种经常的消耗,而降雨则是间断的补给。因此,当在某些时段内降雨很小或没有降雨时,往往土壤计划湿润层内的储水量很快降低到或接近于作物允许的最小储水量,此时即需进行灌溉,补充土层中消耗掉的水量。其灌水定额可用下式计算:

$$m = W_{max} - W_{min} = 10\,000\gamma H(\theta_{max} - \theta_{min}) \tag{6-13}$$

式中：m 为灌水定额，m^3/hm^2；H 为该时段内土壤计划湿润层的深度，m；γ 为计划湿润层土壤的干容重，t/m^3；θ_{max}、θ_{min}分别为该时段内允许的土壤最大含水率和最小含水率（以占干土重的百分比计）。

2）灌溉制度参数确定

a. 土壤计划湿润层深度 H

土壤计划湿润层通常是指旱作物农田实施灌水时，计划调节控制土壤水分状况的土层深度。它主要取决于作物的根系生长状况及作物的根系活动层深度，同时也与土壤性质、土壤结构与肥力状况，以及地下水埋深和土壤微生物活动等因素有关。

土壤计划湿润层深度应通过灌溉试验资料分析确定。通常，对于旱作物播前灌水，为了在土壤内储存更多的水分，一般土壤计划湿润层深度采用最大值（80～100cm）。而在作物生长初期，根系虽然较浅，作物消耗水分也较少，但为维持土壤微生物活动，并为以后根系生长创造条件，就需要在一定土层深度内有适当的水量，一般计划湿润层深度要比根系活动层深度大一些，采用 30～40cm。随着作物的生长和根系的发育，需水量增多，计划湿润层深度也逐渐增加，至生长末期，作物根系停止发育，需水量减小，计划湿润层深度亦不宜继续加大，一般不超过 80～100cm。在地下水位较高，有盐碱化威胁的地区，计划湿润层深度不宜大于 60cm。冬小麦的计划湿润层深度可参考以下数值：幼苗期 30～40cm，分蘖期 40～50cm，拔节期 50～60cm，抽穗期 60～80cm，灌浆成熟期 80～100cm。

b. 土壤储水量 W

土壤储水量 W，是指单位面积储存在一定深度土体内的水量。若已知土壤含水率，则可按下式计算土壤储水量：

$$W = 10\,000\gamma H\theta \tag{6-14}$$

式中：W 为土壤储水量，m^3/hm^2；γ 为土壤干容重，t/m^3；H 为计划湿润层深度，m；θ 为土壤含水率（占干土重的百分比）。

c. 土壤适宜含水率及其上、下限

土壤适宜含水率是确定旱作物灌溉制度的重要依据。它与作物种类，各生育阶段的需水特点、土壤肥力和土壤盐分状况等因素有关，一般应通过灌溉试验或调查总结群众灌溉经验确定。由于作物需水的持续性与农田灌溉或降雨的间歇性，土壤含水率不可能经常保持某一最适宜含水率数值而不变。为了保证作物正常生长，充分满足作物各时期的需水要求，土壤含水率应控制在允许最大土壤含水率和最小土壤含水率之间变化。土壤最大含水率一般以不致造成深层渗漏为原则，最小含水率大于凋萎系数。所以，一般适宜土壤含水量上限为田间持水量，下限应大于凋萎系数。

d. 有效降雨量 P_0

保存在土壤计划湿润层内的有效降雨量可用下式计算：

$$P_0 = \alpha P \tag{6-15}$$

式中：α 为降雨入渗系数，其值与一次降雨量、降雨强度、降雨延续时间、土壤性质、地面覆盖及地形等因素有关。一般认为一次降雨量小于 5mm 时，α 为 0；当一次降雨量在 5～50mm 之间时，α 为 1.0～0.8；当一次降雨量大于 50mm 时，α 为 0.7～0.8。

e. 地下水补给量 K

地下水补给量是指地下水借土壤毛细管作用上升至作物根系吸水层而被作物利用的水量，其大小与地下水埋藏深度、土壤性质、作物种类、作物需水强度、计划湿润土层含水量等有关。在设计灌溉制度时，其值可根据当地或条件类似地区的试验、调查资料估算。当地下水位较深时，可取 $K=0$。

3)灌溉制度

a. 作物播前灌水定额

播前灌水的目的在于保证作物种子发芽和出苗所必需的土壤含水量或储水于土壤中以供作物生育后期之用。播前灌水往往只进行1次，一般可按下式计算：

$$M_1 = 1\ 000H(\theta_{max} - \theta_0)n \tag{6-16}$$

式中：M_1 为播前灌水定额，m^3/hm^2；H 为土壤计划湿润层深度，mm，应根据播前灌水要求决定；n 为相应于 H 土层内的土壤孔隙率，以占土壤体积百分比计；θ_{max} 为田间持水率，以占孔隙的百分比计；θ_0 为播前 H 土层内的平均含水率，以占孔隙的百分比计。

根据群众的灌水经验，开封市一般不进行冬小麦播前灌，因此本研究在计算冬小麦灌溉制度时，对播前灌也忽略不计。

b. 冬小麦生育期灌溉制度

根据上述原理，用列表法推求开封市2003～2004年冬小麦生育期的灌溉制度。如表6-14所示。

c. 冬小麦灌溉制度

结合群众丰产灌水经验得出开封市冬小麦的灌溉制度如表6-15所示。

表6-14 开封市2003～2004年冬小麦生育期的灌溉制度计算表 （单位：m^3/hm^2）

日期(月-日)	生育期	计划湿润层含水量	5日有效降雨量	净耗水量	实际储水量	灌水量
					1 022.55	
10-30	苗期	1 400.7～630.3		62.56	960.00	
11-05				56.37	903.63	
11-10			312.45	61.74	1 154.34	
11-15				36.43	1 117.91	
11-20				66.92	1 050.99	
11-25				49.10	1 001.89	
11-30				58.01	943.88	
12-05			125.1	28.62	1 040.36	
12-10	越冬期	1463.25～804.75		33.47	1 156.80	
12-15				24.21	1 132.59	
12-20				53.94	1 078.65	

续表 6-14

日期(月-日)	生育期	计划湿润层含水量	5日有效降雨量	净耗水量	实际储水量	灌水量
12-25	越冬期	1 463.25～804.75		48.47	1 030.18	
12-30				59.61	970.57	
01-05				21.03	949.54	
01-10				26.66	922.88	
01-15				24.37	898.51	
01-20				48.77	849.74	
01-25				48.91	1 400.83	600
01-31				32.53	1 368.30	
02-05				64.94	1 303.36	
02-10				83.45	1 219.91	
02-15				106.81	1 113.10	
02-20				40.38	1 072.72	
02-25				163.51	909.21	
02-28				65.42	843.79	
03-05	返青期	1 463.25～658.5		199.76	1 401.60	750
03-10				201.54	1 950.06	
03-15				218.93	1 731.13	
03-20				60.38	1 670.75	
03-25	拔节期	1 788.45～804.75		107.68	1 114.35	
03-31				180.49	933.86	
04-05				207.45	1 776.41	1 050
04-10				254.56	1 521.85	
04-15	抽穗期	2 438.7～1 585.2		429.22	1 695.75	
04-20				395.07	2 350.68	1 050
04-25				210.51	2 140.17	
04-30	成熟期	2 601.3～1 820.85	70.2	146.25	2 064.15	
05-05			109.8	437.94	2 411.01	675
05-10			115.2	147.69	2 378.52	
05-15				135.46	2 243.06	
05-20				253.57	1 989.49	
05-25				130.34	1 859.15	

表 6-15　开封市冬小麦灌溉制度

灌水次序	生育期	灌水日期	灌水定额(m^3/hm^2)	灌溉定额(m^3/hm^2)
1	越冬期	1 月下旬	600	3 450
2	返青期	3 月上旬	750	
3	拔节期	4 月上旬～中旬	1 050	
4	抽穗期	4 月下旬	1 050	

6.3.2　污水灌溉制度研究

6.3.2.1　污水灌溉期

选用合适的灌溉期，既充分利用污水，解决农业用水不足的问题，又可以最大限度地避免污水灌溉带来的各种负面影响。

在制定污水灌溉制度时，当有了一定的污水灌溉水量后，需要在全生育期进行合理分配，使得对作物的有害影响达到最小。根据现有的污灌经验，污水灌溉的优先顺序依次为播前灌、非苗期、苗期，气温低时优于气温高时。遵循以上原则得到冬小麦具体的污水灌溉优先顺序为播前水、冬灌水、返青水、拔节水。一般来说，由于小麦灌浆期是小麦籽粒吸收养分的时间，这个时期不宜采用污水灌溉，否则，籽粒易吸收污染物质，有可能使小麦籽粒受到污染。

6.3.2.2　污水灌溉制度

根据清水灌溉制度，对冬小麦全生育期所有灌水(灌浆期除外)通过组合污水和清水灌水次数得到 12 种污水灌溉制度，这 12 种污水灌溉制度如表 6-16 所示。其中第一种组合的污灌水量最大，为最危险情况。第一种组合中的最大污灌次数除灌浆期外为 4 次，对应的年污水利用总量为 3 450m^3/hm^2。

表 6-16　12 种污水灌溉制度

年污水灌溉次数	4 次	3 次			2 次				1 次			0 次
年污水灌溉量(m^3/hm^2)	3 450	2 850	2 700	2 400	2 100	1 800	1 650	1 350	1 050	750	600	0

6.3.2.3　不同污灌制度下污染物对环境的影响

污水灌溉制度在满足作物需水量的基础上，应当充分考虑污水灌溉对土壤—水—作物系统的环境影响。目前，人们往往注意到短期评价，如由于 BOD_5、COD_{Cr}、硫化物等易被土壤分解净化的污染物超标而引起的作物明显受害以致减产现象。而对于像重金属那些具有累积效应污染物引起的危害考虑较少，因为其影响往往难以表征出来，但一旦到有影响时，其危害已经很严重，而且治理也很困难。

尽管开封市水质分析证明重金属的污染指数没有超标，但由于重金属的累积特点，为了研究在未来较长一段时期内重金属对环境的污染，选择重金属作为污水灌溉对环境影响的重点因子进行评价。评价方法为在目前的土壤背景下，不同水质系列灌溉时，计算各种重金属的环境容量,进而考虑污水灌溉对环境的影响。评价水质系列为大王庙断面2003年平均水质,大王庙断面2003年最不利水质,重金属浓度为城市污水处理厂出水二级标准,农田灌溉水质标准的1倍、2倍时5个水质系列。同时对其他污染物的环境影响做了定性的描述。

1)不同污灌制度下重金属对环境的影响

a. 评价因子的选择

根据水质分析,选总砷、总汞、总铅3种重金属作为评价因子。

b. 土壤背景值和环境污染评价标准

土壤背景值选取本项目清水灌溉试验田进行环境评价时得到的平均值,见表6-17。

表6-17 评价的有关标准及参数的综合 (单位:mg/kg)

重金属项目	总砷	总汞	总铅
土壤标准(旱地)	25	1	350
土壤背景值	7.24	0.01	4.1

土壤环境质量评价以1995年颁发的《土壤环境质量标准》(GB15618—1995)为准,灌区土壤pH值为7.75~8.52,因此选用国家土壤环境质量标准二级标准中pH>7.5所对应的指标。

c. 环境容量法评价重金属对污灌区环境影响的有关参数和分析方法

(1)土壤和作物有关参数的选取。当利用污水对旱作物进行灌溉时,重金属的污染大多累积在0~20cm,虽有微弱的纵向迁移,深度也仅达40cm或60cm。所以,可以认为重金属均累积在耕层,土壤耕层采用20cm,其相关数据见表6-18。

表6-18 有关土壤的相关数据

土壤耕层深(cm)	土体密度(kg/m^3)	耕层土质量(kg/hm^2)
20	1 500	3×10^6

(2)分析方法。利用环境容量法计算重金属在土壤中的累积情况有两种方法。一种是不考虑淋溶、作物吸收、地表径流,认为污水中所有的重金属均累积在土壤耕层20cm范围内;另一种是在前一种的基础上考虑作物吸收的环境容量法。由于作物吸收的重金属占灌溉水中重金属的比例较小,因此考虑作物吸收的环境容量法和不考虑得到的环境容量差别不是很大。一般在对作物吸收、淋溶等没有可靠成果的情况下,用不考虑这些因素的环境容量法进行计算是一项偏于安全的方法。本研究采用不考虑这些因素的环境容量法计算重金属在土壤中的累积情况。其计算模式如下:

$$Q = (C_0 - B) \cdot V \tag{6-17}$$

式中:Q为土壤环境容量,g/hm^2;C_0为土壤环境标准值,g/t(土壤);B为区域土壤背景值,g/t(土壤);V为单位面积耕层土重,t/hm^2。

(3)评价指标。对土壤的污染指数采取无量纲公式:

$$I_i = \frac{C_i - C_0}{C_b - C_0} \tag{6-18}$$

式中：C_i 为土壤中污染物的实际浓度；C_0 为土壤中污染物的起始浓度；C_b 为土壤中污染物浓度的标准值，超过标准即视为污染；I_i 为污染指数，当 $I_i \geqslant 1$ 时，认为土壤中的重金属浓度超标。

(4)计算结果。根据式(6-18)计算三种重金属的土壤环境容量，计算结果见表6-19。

表6-19　三种重金属土壤环境容量

重金属	土壤环境标准(mg/kg)	土壤背景值(mg/kg)	耕层土重(t/hm^2)	土壤环境容量(g/hm^2)
砷	25	7.24	3 000	53 280
汞	1	0.01	3 000	2 970
铅	350	4.1	3 000	1 037 700

对于开封市水质而言，三种重金属中最先出现的污染因子是砷。土壤背景为清水灌溉土，采用最大年污水用量，不考虑作物吸收，最不利水质系列灌溉328年后土壤砷超标。如利用惠济河大王庙断面年平均水质计算，灌溉617年后土壤砷超标。不同水质系列下，年污水采用最大灌溉总量，土壤和粮食作物中污染物砷超标年限见表6-20。

表6-20　不同水质系列下，年污水采用最大灌溉总量，土壤和粮食作物中砷超标年限

水质系列	大王庙断面年平均值	大王庙断面年最不利值	二级出水标准	1倍标准水质	2倍标准水质
超标年限	617	328	30	154	77

如按惠济河大王庙年最不利水质系列、惠济河大王庙年平均水质系列、1倍标准和2倍标准水质系列分别灌溉328年、600年、200年、200年，以及按二级出水标准水质系列灌溉100年，不同灌溉制度下重金属砷的污染指数如图6-5～图6-9所示。

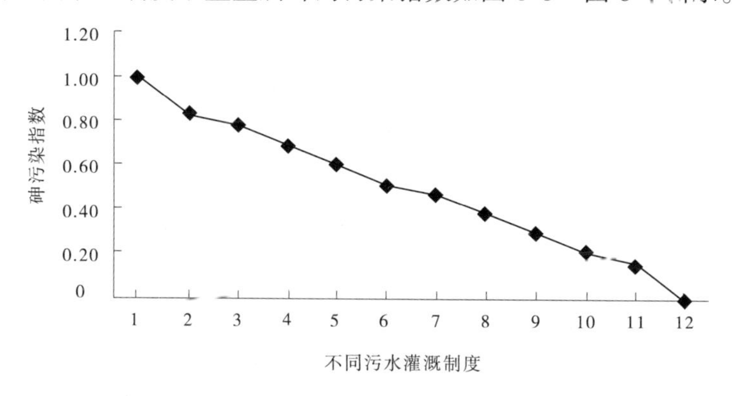

图6-5　大王庙断面年最不利水质系列灌溉328年后砷污染指数

由图6-5～图6-9分析可以得出，惠济河大王庙最不利水质系列、惠济河大王庙年平

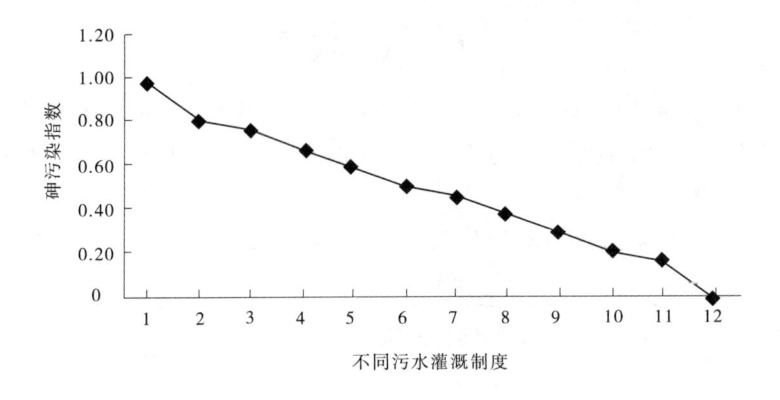

图 6-6　大王庙断面年平均水质系列灌溉 600 年后砷污染指数

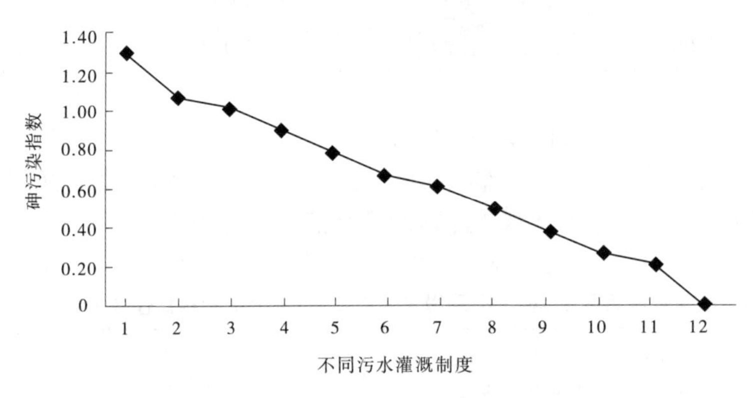

图 6-7　1 倍标准水质系列灌溉 200 年后砷污染指数

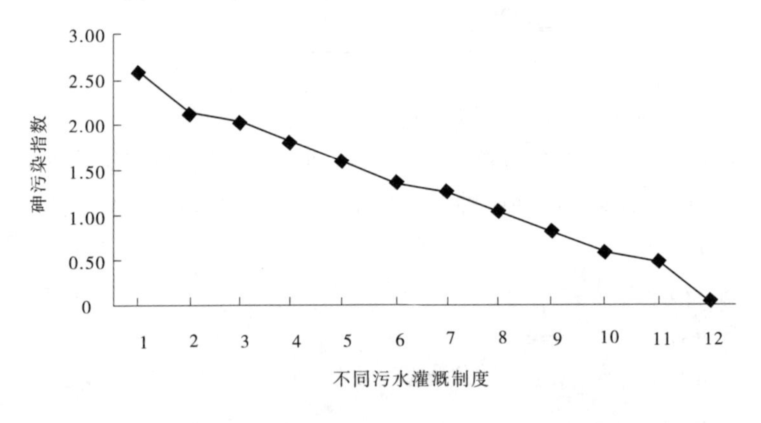

图 6-8　2 倍标准水质系列灌溉 200 年后砷污染指数

均水质系列在最不利灌溉制度分别灌溉 328 年、600 年后污染物砷超标，年污水灌溉量为 3 450m^3/hm^2；1 倍标准水质系列用第 3 种灌溉制度（每年污水灌溉次数为 3 次，年污水灌溉量为 2 655m^3/hm^2）灌溉 200 年后污染物砷超标；2 倍标准水质系列用第 8 种灌溉制度（每年污水灌溉次数为 2 次，年污水灌溉量为 1 320m^3/hm^2）灌溉 200 年后污染物砷超标；二级出水标准水质系列用第 9 种灌溉制度（每年污水灌溉次数为 1 次，年污水灌溉量为 1 050m^3/hm^2）灌溉 100 年后污染物砷超标。

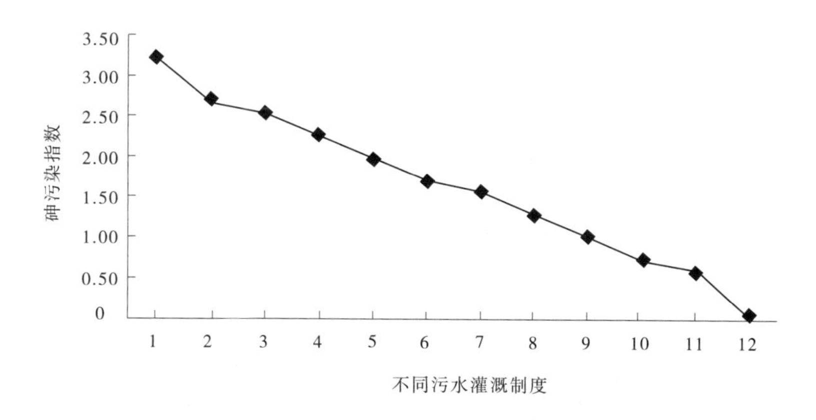

图 6-9　二级出水标准水质系列灌溉 100 年后砷污染指数

2)其他污染物对环境的影响

a. BOD_5 和 COD_{Cr}

BOD_5 和 COD_{Cr} 一般不影响作物生长,如只要污水中 COD_{Cr}、BOD_5 不超过规定标准的数十倍,确是很好的有机肥,但是,它们会污染地表水、地下水,造成地表水体富营养化等,使农业环境状况恶化,本研究分析的 4 个水质系列中只有惠济河大王庙断面水质 COD_{Cr} 超标,应引起重视。

b. 酚和氰

酚和氰是我国污灌区地下水受污染的主要污染物。但是大量试验证明,酚和氰在土壤中可被强烈净化,吸收到作物体内后易被作物同化;一般农田灌溉下,污水中酚是不太可能渗污地下水的。地下水受酚、氰污染的主要原因是污水中酚、氰的含量过高且长期过水的污水干渠渗透性强。开封市属黄河冲积扇平原的一部分,含水层渗透性强,属于易污染地质结构。在本次水质评价中,惠济河大王庙断面挥发酚有超标现象,最不利污染指数为 1.65,年平均污染指数为 1.24。考虑到实际地质条件,开封市实行污水灌溉应该对污染物酚引起重视,以保证长期过水的渠道或河道中的挥发酚不超标。

6.3.2.4　污水灌溉量

灌水期内的污水总量与水质有关,其清水需要量为使得总生育期内的平均水质可满足灌溉水质标准的水量。对年污水和清水灌溉定额而言,混灌和轮灌相同。在开封市灌溉年限分别以 100 年、200 年计时,各种水质系列单位面积的年污水灌溉量如表 6-21 所示。

表 6-21　各水质系列的年污水灌溉量

水质系列		大王庙断面年平均值	大王庙断面最不利值	二级出水标准	1 倍标准值	2 倍标准值
年污灌量 (m^3/hm^2)	100 年	3 450	3 450	1 050	3 450	2 655
	200 年	3 450	3 450	525	2 655	1 320

由表 6-21 可以看出,在开封市若以 100 年计制定污水灌溉制度,当用大王庙断面年平均值、大王庙断面最不利值和 1 倍标准值 3 个水质系列灌溉时,冬小麦全生育期(除灌

浆期外)都可用污水灌溉,年污水灌溉量为 3 450m³/hm²;当灌溉水质为 2 倍标准和二级出水标准时,年污水灌溉量分别为 2 655m³/hm² 和 1 050m³/hm²。若以 200 年计制定污水灌溉制度,大王庙断面年平均值和大王庙断面最不利值水质系列的年污水灌溉量为 3 450m³/hm²,1 倍标准、2 倍标准和二级出水标准水质系列年污水灌溉量分别为 2 655 m³/hm²、1 320m³/hm² 和 525m³/hm²。

6.4 结 论

(1)开封市是一个淡水资源日益紧缺的城市。随着城市建设、工农业的发展和人民生活水平的提高,用水量不断增加,污水排放量也将随之增大,水资源危机进一步加剧。污水是水量稳定、供给可靠的一种潜在水资源,有着广阔的利用前景。科学、合理地利用污水灌溉可缓解工农业争用清洁水的矛盾,改善环境,并节省污水深度处理的费用。

(2)污水灌溉时应根据当地的土壤特点和污水水质特点,找到制约污水利用的关键性污染物,并据此制定合适的灌水技术。根据群众灌水经验并结合开封市的土壤、气候条件得到开封市冬小麦的年灌水定额为 3 450m³/hm²,污水灌溉的年最大灌水定额为 3 450m³/hm²,具体污水用量要根据污水水质特点和设计灌溉年限确定。开封市水质最先使土壤超标的重金属污染物为砷。当砷的浓度达到 5 个水质系列——大王庙断面年平均值、大王庙断面最不利值、1 倍标准值、2 倍标准值和污水处理厂二级出水标准水质时,设计灌溉年限 100 年、200 年的年最大灌水定额分别为 3 450m³/hm²、3 450m³/hm²、3 450m³/hm²、2 655m³/hm²、1 050m³/hm² 和 3 450m³/hm²、3 450m³/hm²、2 655m³/hm²、1 320m³/hm²、525m³/hm²。当年最大污水灌溉量小于 3 450m³/hm² 时,一般采用清污混灌或轮灌。采用轮灌时,污水灌溉的优先顺序为冬灌水、返青水、拔节水。

(3)利用污水灌溉可以给农业生产带来很大的正效益,如节肥、增产和节能等,但随着污灌年限的延长,也可能造成农田污染,从而带来负效益。污水灌溉的负效益通常用土地治理费用表示。就目前水质和土壤条件,污水灌溉的正效益为:①节约氮肥、磷肥 69.8 元/(hm²·a);②增产 1 159.2 元/(hm²·a);③节能 103.5 元/(hm²·a)。污水灌溉的负效益平均为 79 元/(hm²·a),平均净效益为 1 253.5 元/(hm²·a)。

(4)科学的污水灌溉技术体系是当今一个亟待完善的课题。它应该包括从污灌区的选址、灌溉系统的布置、灌溉制度、灌水技术、作物、灌区管理、灌区环境评价及预测等一系列的整体内容。

第7章 惠济河水质信息管理系统开发与应用

7.1 研究意义

水质污染是我国面临的最严重的环境问题之一。强化水环境管理,防治水质污染是我国环境保护的一项紧迫任务,要解决我国的水环境问题,一靠政策,二靠科学技术。也就是说,要依靠水环境管理决策的科学化,依靠水环境科学技术的现代化。而要实现这两条,都离不开水环境质量管理信息系统的开发。

7.2 水质模型的建立

7.2.1 水质模型的发展概况

自1925年斯特里特-费尔普斯(Streeter-Phelps)第一次建立水质模型以来,国际上对水质模型的开发与研究可分为如下4个发展阶段:

第一阶段(1925~1965年):开发了比较简单的生物化学需氧量和溶解氧(BOD-DO)的双线性系统模型。对河流和河口问题采用了一维计算方法。

第二阶段(1965~1970年):随着计算机的应用以及对生物化学耗氧过程认识的深入,除继续研究发展BOD-DO模型的多维参数估值问题外,水质模型发展为6个线性系统,计算方法从一维进到二维,除河流、河口问题外,开始计算湖泊及海洋问题。

第三阶段(1970~1975年):研究发展了相互作用的非线性系统模型。涉及到营养物质磷、氮的循环系统,浮游植物和浮游动物系统,以及生物生长率同这些营养物质、阳光、温度的关系,浮游植物和浮游动物生长率之间的关系。其相互关系都是非线性的,一般只能用数值法求解,空间上用一维和二维方法进行计算。

第四阶段(1975年以后):除继续研究第三阶段的食物链问题外,还发展了多种相互作用系统,涉及到与有毒物质的相互作用。空间尺度已发展到三维,随着模型的复杂化,要准确描述模型的性质是很困难的。某些模型中状态变量的数目已大大增加,有20个或更多状态变量的水质模型已不少见,目前对环境的污染问题,已发展到将地面水、地下水的水质水量与大气污染相互结合,建立综合模型的研究阶段,但是水质模型的实际应用是过去十几年内才迅速开展的。

7.2.2 水质模型的分类

由于事物的复杂性和多样性,按不同的观察角度可有如下不同的水质模型分类:

(1)按水质组分的空间分布特性,可分为一维模型、二维模型和三维模型。沿某一坐标方向,水质组分有变化,而沿其他坐标方向浓度梯度为零,称为一维模型。二维模型和三维模型则分别是沿 2 个坐标方向和 3 个坐标方向浓度梯度均不为零的情况。当 3 个坐标方向浓度梯度均为零,水质组分处于均匀混合状态时,称为均匀混合模型或零维模型,亦称黑箱模型,它经常是一种概化复杂问题的手段,着眼于建立输入与输出的关系,而忽略水质组分在空间分布上的差异。模型维数的选择主要取决于模型应用的目的和条件,并不是维数越高就越好。

(2)按水质组分的时间变化的特性,可分为稳态模型和动态模型。水质组分不随时间变化时为稳态模型,反之则为动态模型。当水流运动为非恒定状态时,水质组分是随时间变化的;而当水流运动为恒定状态时,水质组分则可能是不随时间变化的,也可能是随时间变化的。在水污染控制规划中,常应用相应于一定设计条件下的稳态模型,而当分析污染事故、预测水质时,常应用动态模型。

(3)按模型变化的多寡,即按模型所表述的水质组分的数目,可分为单组分水质模型和多组分模型。当模型变量为 BOD 或 COD 时,有时称为有机污染水质模型。当模型变量为 BOD 和 DO 时,称 BOD-DO 耦合模型。当模型变量扩大到水生生物时,称水生生态模型。模型变量及其数目的选择,主要取决于模型应用的目的以及对于实际资料和实测数据拥有的程度。

水质模型还可以按模型的其他特征分类。如按水质组分是否作为随机变量,可分为随机模型和确定性模型;按水质组分的迁移特性,可分为移流模型、扩散模型和移流—扩散模型;按水质组分的转化特性可分为纯迁移模型、纯反应模型和迁移—反应模型等。

7.2.3 水质模型的基本原理和求解过程

7.2.3.1 零维水质模型及其求解

如果将一个河段或一个单元水体看成是完全混合反应槽,当水质为非稳态,流量为不稳定流量时,由质量平衡关系可建立以下的基本方程:

$$\left.\begin{aligned}\frac{\mathrm{d}V_c}{\mathrm{d}t} &= Q_0 c_0 - Q_1 c + \sum S'(c,t)\\ \frac{\mathrm{d}V}{\mathrm{d}t} &= Q_0 - Q_1 + q\end{aligned}\right\} \tag{7-1}$$

当 V 为常数时:

$$\frac{\mathrm{d}c}{\mathrm{d}t} = \frac{Q_0}{V}c_0 - \frac{Q_1}{V}c + \sum S(c,t) \tag{7-2}$$

当反应槽内的源漏项,仅为反应衰减项 $-kc$ 时,则零维水质模型的基本方程变为:

$$\frac{\mathrm{d}c}{\mathrm{d}t} = \frac{Q_0}{V}c_0 - \frac{Q_1}{V}c - kc \tag{7-3}$$

7.2.3.2 一维河流水质模型的基本方程及求解

一维河流水质模型的基本方程可表达为:

$$\frac{\partial C}{\partial t} = -\frac{Q}{A}\cdot\frac{\partial C}{\partial x} + D_x\frac{\partial^2 C}{\partial x^2} + \sum S' \tag{7-4}$$

式中：C 为 t 时河水污染物的浓度；Q 为河水流量；A 为断面面积；x 为河水纵向流动坐标距离；D_x 为污染物的纵向弥散系数；$\sum S'$ 为各源（或漏）的总和。

在稳定状态下，纵向弥散作用可以忽略，此时一维稳态河流水质模型的基本方程可表达为：

$$u \frac{\partial C}{\partial x} = \sum S' \tag{7-5}$$

式中：u 为河水流速。

例如，对于 BOD：

$$u \frac{\mathrm{d}L}{\mathrm{d}x} = -(K_1 + K_3)L \tag{7-6}$$

式中：L 为 BOD 浓度；K_1 为 BOD 降解系数；K_3 为 BOD 沉浮系数。

上述基本方程，在给定的边界条件下，可推导得相应的解析解模型，常见的有以下几种。

（1）单指标模型：

$$\left.\begin{aligned} &\mathrm{BOD}: L = L_0 \exp[-(K_1 + K_3)x/u] \\ &\mathrm{N}: L_{\mathrm{N}} = L_{\mathrm{N}(0)} \exp(-K_{\mathrm{N}} x/u) \\ &\mathrm{COD}: L_{\mathrm{COD}} = L_{\mathrm{COD}(0)} \exp(-K_{\mathrm{COD}} x/u) \end{aligned}\right\} \tag{7-7}$$

（2）Streeter－Phelps BOD－DO 模型（K_1，K_2）：

$$\left.\begin{aligned} &L = L_0 \exp(-K_1 x/u) \\ &O = O_S - (O_S - O_O)\exp(-K_2 x/u) + \frac{K_1 L_0}{K_1 - K_2}[\exp(-K_1 x/u) - \exp(-K_2 x/u)] \end{aligned}\right\} \tag{7-8}$$

$$\left.\begin{aligned} &L = L_0 \exp[-(K_1 + K_3)x/u] \\ &O = O_S - (O_S - O_O)\exp(-K_2 x/u) + \frac{K_1 L_0}{K_1 + K_3 - K_S} \end{aligned}\right\} \tag{7-9}$$

7.2.3.3 二维河流水质模型基本方程及其解

大中型河流中，岸边排放的污染物需要经过一段很长的距离才能在该断面上达到均匀分布，在混合区内的水质模拟需要用二维模型（由于河流水深相对很小，竖向很快就能混合均匀）。

任意污染物二维河流水质模型方程可写为：

$$\frac{\partial C}{\partial t} = D_x \frac{\partial^2 C}{\partial x^2} + D_y \frac{\partial^2 C}{\partial y^2} - u_x \frac{\partial C}{\partial x} - u_y \frac{\partial C}{\partial y} + \sum S' \tag{7-10}$$

式中：C 为 t 时（x，y）处河水污染物浓度；D_x、D_y 分别为纵向弥散系数和横向扩散系数；u_x、u_y 分别为纵向（x）和横向（y）的河水流速；$\sum S'$ 为各源（或漏）的总和。

在稳态条件下，$\frac{\partial C}{\partial t} = 0$，且通常可忽略纵向弥散和横向水流迁移，于是方程（7-10）可简化为：

$$D_y \frac{\partial^2 C}{\partial y^2} - u_x \frac{\partial C}{\partial x} + \sum S' = 0 \tag{7-11}$$

若忽略各种源漏,仅考虑迁移和扩散则又可简化为:

$$D_y \frac{\partial^2 C}{\partial y^2} = u_x \frac{\partial C}{\partial x}$$

例如,对于 BOD:

$$u_x \frac{\mathrm{d}L}{\mathrm{d}x} = D_y \frac{\mathrm{d}^2 L}{\mathrm{d}y^2} - (K_1 + K_3)L \tag{7-12}$$

则二维河流水质模型,在 $C(0,0)=C_1$ 的定解条件下,可得到任意污染物的解析解模型:

$$C(x,y) = \frac{C_1 Q_1}{h\sqrt{4\pi D_y x u}} \exp\left(-\frac{uy^2}{4D_y x}\right) \tag{7-13}$$

式中:$C(x,y)$为坐标距离为 x、y 处的河水中污染物浓度; C_1、Q_1 分别为岸边排污口($x=0$, $y=0$ 处)排污的浓度和流量,$C_1 \cdot Q_1 = M$,即单位时间污染物释放量;h 为平均水深;u 为 x 方向的河水平均流速;D_y 为横向扩散系数。

7.2.4 模型的选择

一般情况下,对中小型河流属于一维稳态的河段,采用一维稳态水质模型进行模拟计算。但为适应国家《地表水环境质量标准》(GB3838—1988)中规定的允许排污口附近有一个不达到功能水质的混合区,以及实际大中型河流中存在的混合带(或污染带)需要作出评价和控制的需要,采用二维稳态水质模拟模型,以模拟计算混合区的长度与某些混合区内的水质。

一维河流稳态水质模拟模型采用修正过的 O′Connor BOD－DO 模型,模型中包含了 BOD 衰减、BOD 沉浮、大气复氧、NH_3－N 衰减、NO_2^-－N 衰减等 5 个特征参数(K_1、K_2、K_3、K_{N1}、K_{N2}),该模型可给出符合国家《地表水环境质量标准》(GB3838—1988)要求的有关有机污染型指标的水质模拟信息。当特征参数数据不足时,该模型又可简化为含 K_1、K_2、K_3、K_{N1} 的 O′Connor BOD－DO 模型,也可简化为含 K_1、K_2、K_3 的 Thomas BOD－DO 模型,或简化为仅含 K_1、K_2 的 Streeter－Phelps BOD－DO 模型,甚至简化为仅有 K_1(或 K_{COD}或 K_P)的衰减模型。

二维河流稳态水质模型,采用在稳流、扩散的二维稳态水质模型基础上,经推导得到的包含紊流、扩散、衰减三者联合作用的 BOD/NH_3－N/NO_2^-－N/NO_3^-－N/DO 二维稳态解析解水质模型,其适用范围得以很大扩展。这种多重耦合的二维稳态水质模型,包含了 K_1、K_2、K_3、K_{N1}、K_{N2}和横向扩散系数 D_y 6 个特性参数。

由于本次研究的河流水深比较浅(平均水深不到 1m),并且流量小(平均流量仅为 0.23m/s),所以本次研究选用了一维的稳态河流水质模拟模型。该模型不仅能满足水质监测和模拟的精度要求,而且有着计算简单和所需确定的参数少的优点,它也是目前最为成熟的、应用于实际较为理想的模型,并且在国内外都普遍采用。

7.2.5 惠济河水质模型的建立

7.2.5.1 水质模型建立的基本步骤

水质模型的建立需要一个逐步深化和反复的过程,不是一次认识所能完成的,因为它涉及对多种因素分析,需要多学科的知识和互相配合,综合性很强。不同河流或水体具有各自的特点,模型很难互相套用。但最基本的做法可分为以下几个主要步骤:

(1)确定模型的结构。这是一个对实际水环境问题加以抽象和概化的问题,包括选择适当的水质组分、分析水质组分的迁移转化特征、选择适当的数学表述形式、确定初始条件和边界条件。

(2)选择和确定模型的参数,亦称参数估值。如弥散系数、耗氧系数、复氧系数等反映迁移转化特性的经验常数的选样。模型系数可用经验公式估算或通过室内外试验加以确定。

(3)模型检验。应用所建立的模型,模拟实际已发生过的过程。如果计算结果和实测结果相比较,达到预期的精度,则认为所建立的模型具有预测的能力,是成功的。否则应对模型参数加以修正,必要时对模型结构进行修正,直至得到满意的模拟结果。应用于参数估值的实测数据与应用于模型检验的实测数据应是相互独立的。

7.2.5.2 惠济河水质模型的建立

本次所建立的水质模型是模拟惠济河汪屯—大王庙河段的水质演化扩散规律。在此段河段内没有大的支流汇入,水流比较平稳,河面开阔,平均水深很浅。并且没有经过乡(镇)以上级别的城市,污染源相对较少,只有在陈留断面上游200m处和罗寨断面下游500m处有两个相对较大的排污口。因此,综合以上条件得到该河段的概化模型如图7-1所示。

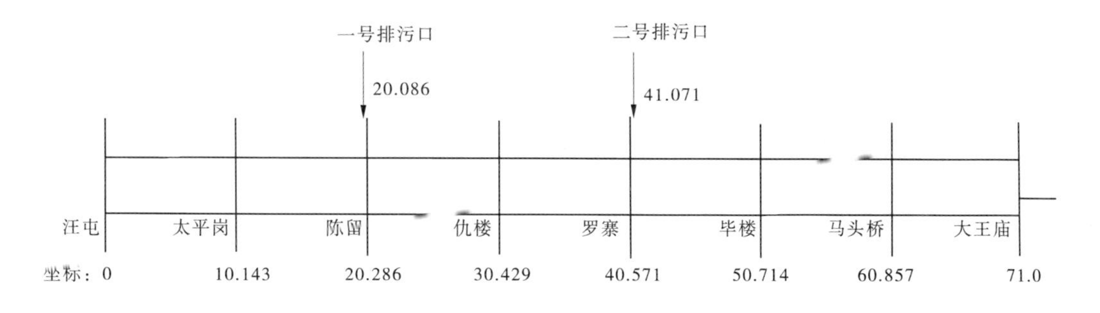

图7-1 水质模拟概化图

7.2.5.3 水质参数的计算

从前面可知,每一种水质模型都有几个待定的参数,而这些参数是与具体的河流、污染源的坐标位置、污染物的成分和模型的边界条件分不开的。目前水质参数确定的方法主要有3种,即经验公式法、查相应的指标法和待定参数法。由于本次研究有相应的实测资料,因此选用待定参数法。

这种方法主要是根据所选用的水质方程求出参数的表达式,然后再把实测数值代入,求解参数。这种方法直观可靠、精度高。只要实测数据没问题，就肯定能得到一个准确的模型。

以一维河流水质模型为例，其方程为：

$$C_x = C_0 \cdot e^{-(K_1+K_2)\cdot \frac{x}{v}} \qquad (7\text{-}14)$$

式中：C_0 为初始断面的污染物浓度；C_x 为 x 断面处的污染物浓度；x 为相对于初始断面的坐标值；v 为河水的平均流速；K_1、K_2 分别为污染物的扩散系数和衰减系数。

则由式(7-14)可得：

$$K = -\frac{v \cdot \ln \frac{C_x}{C_0}}{x} \qquad (7\text{-}15)$$

式中：$K = K_1 + K_2$。

因此，只要已知某河段任意两个断面的污染物的含量就能计算出水质模型参数，从而建立起该河段的水质模型。

7.2.5.4 水质模型的确立

通过上述模型的选择和模型参数的确立就基本建立起了一维河流水质模拟模型。本次研究选用惠济河水质超标比较严重的化学需氧量(COD)、5日生化需氧量(BOD_5)、氨氮、总磷、总氮、总钾和重金属(汞、砷、铅)以及pH值和水温等进行研究建模。又由于模型的建立一般采用枯水期平均流量(此种低流量一般相当于一年中80%～85%的保证率)。河道和排污状况均按稳定状态考虑。河流水质的监测和模拟值，相应的流量是日平均流量。

为了进行河流水质模拟计算，应具备有关的水文参数，考虑到水文参数获得条件的限制，水质模拟计算模型应能适应不同的条件，故本次研究选用4月份的实测资料进行建模。

7.3 计算结果分析

7.3.1 计算结果

本系统的主要工作原理是当给定初始断面的各种污染物的污染指标和几个排污口的污染物排放量后，即可以模拟出整条河流各个断面的污染物含量。在程序中不仅可以查询任意断面的污染物浓度，而且本软件把主要断面的水质模拟结果以表格和图形两种形式表现出来，如图7-2与图7-3所示，既直观又便于打印、输出等操作。

7.3.2 结果分析

本研究把实测的一组数据(以COD为例)与模拟结果进行了对比，如表7-1所示。

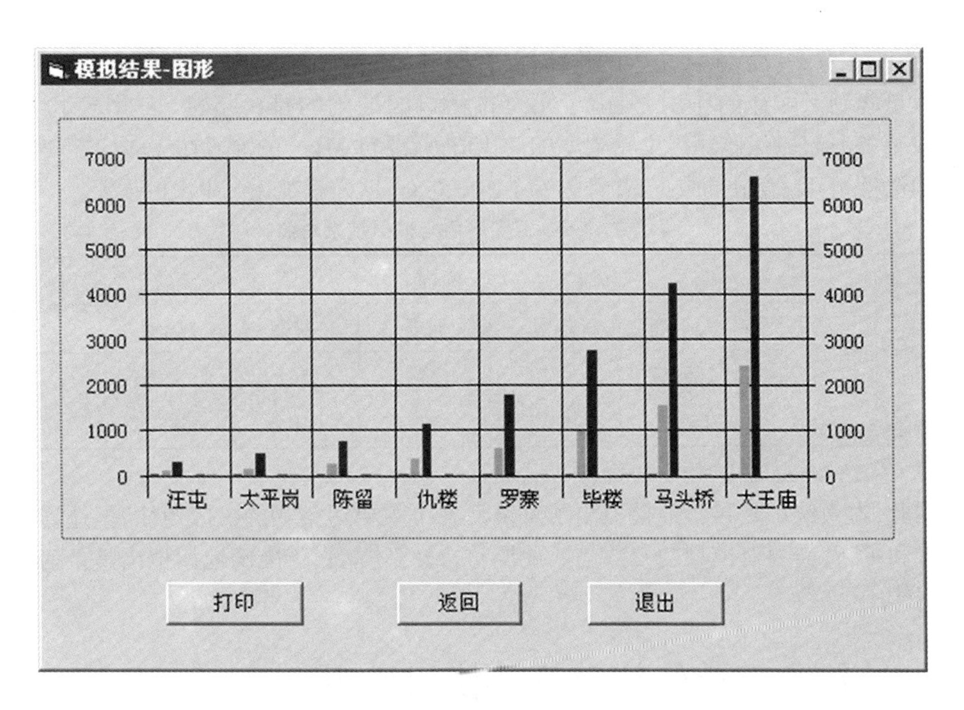

图 7-2　水质模拟结果的图形表示

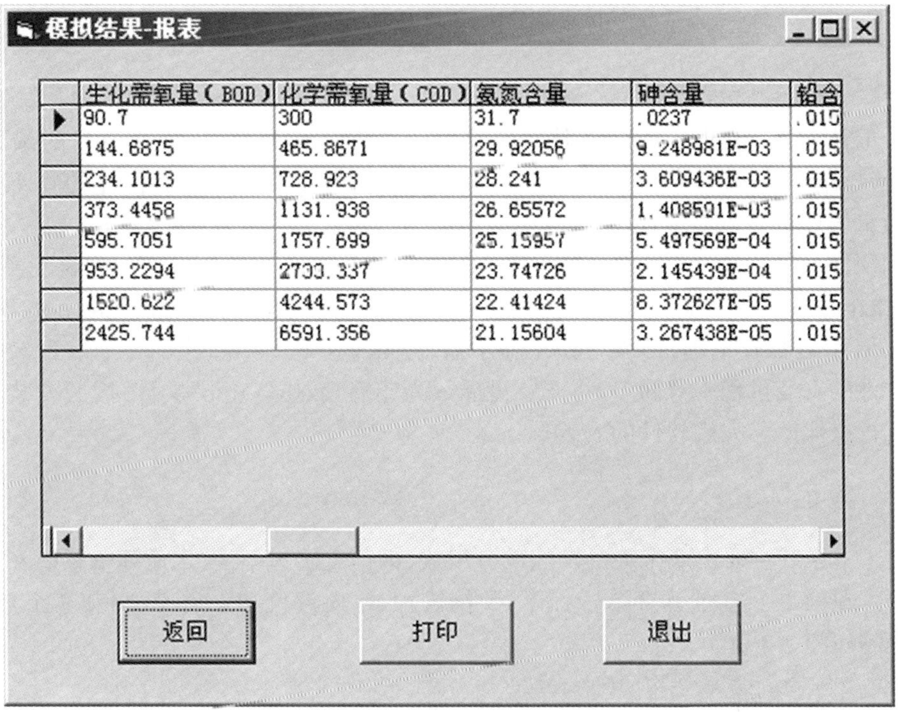

模拟结果-报表

生化需氧量（BOD）	化学需氧量（COD）	氨氮含量	砷含量	铅含
90.7	300	31.7	.0237	.015
144.6875	465.8671	29.92056	9.248981E-03	.015
234.1013	728.923	28.241	3.609436E-03	.015
373.4458	1131.938	26.65572	1.408591E-03	.015
595.7051	1757.699	25.15957	5.497569E-04	.015
953.2294	2733.337	23.74726	2.145439E-04	.015
1520.622	4244.573	22.41424	8.372627E-05	.015
2425.744	6591.356	21.15604	3.267438E-05	.015

返回　打印　退出

图 7-3　水质模拟结果的表格表示

由表 7-1 可知，在汪屯到太平岗 COD 的实测值和模拟结果的相对误差在 10% 以下，模拟结果比较令人满意。但在惠济河的后半段模拟结果远远大于实测值，究其原因有以下几点:①在罗寨以后有一个大的排污口,它所排放的污染物以盐类和重金属为主,对化学需氧量起到了稀释的作用,但由于没有排污口的准确的排污指标,因此产生了误差;②要对整条河流追踪监测污染物浓度的变化值,就要对71km的河段在3d内进行连续观测记录,但实际上只有2d的数据,并且相差了10d左右,这样就难免产生大的误差。

表7-1 COD值实测值与模拟结果对照 (单位:mg/L)

项目	断面名称						
	汪屯	太平岗	陈留	仇楼	罗寨	毕楼	马头桥
实测值	90.7	155.67	238	248	565	293	385
模拟结果	90.7	150.5	253.1	380.5	610.3	685.4	720.5

因此,本系统虽然科学地模拟出了惠济河各个主要污染物的扩散规律,但还需要不断地完善和更新,需要对模型的参数不断地调整,最终才能真正准确地模拟出整条河的水质变化规律。

7.4 计算机程序的编制及其使用说明

7.4.1 概述

"惠济河水质管理信息系统"采用Microsoft公司的Visual Basic 6.0作为开发工具,具有友好的用户界面和完善的数据管理及计算功能。软件的界面采用当前最常用的Windows 2000模式,32位的真彩配色使用户赏心悦目。该软件将数据库的管理和水质模拟与水质评价有机地结合在一起,能够帮助用户轻松地完成复杂的任务。

此软件要求的最低硬件配置为:Pentium 90MHz,CD-ROM,VGA的显示器,24M内存;操作系统为:Windows 9x,Windows 2000,WindowsXP;软件最佳的工作环境为:Windows 2000操作系统,15英寸以上显示器,分辨率为800×600以上。

软件的安装过程十分简单,将安装盘插入光驱后,双击"setup"文件,按照安装程序的提示进行操作即可完成软件的安装。

7.4.2 流程图

由于本系统主要由3个大的功能部分组成,即信息管理系统、水质评价系统和水质模拟系统。包括1个主程序、3个子程序(数据管理、水质评价和水质模拟)和3个数据库。其流程图如图7-4所示。

7.4.3 程序说明

7.4.3.1 开始界面

当用户打开本系统时最先看到的是开始界面,说明该系统的名称、主办单位、研发单位、时间和版本等内容,如图7-5所示。

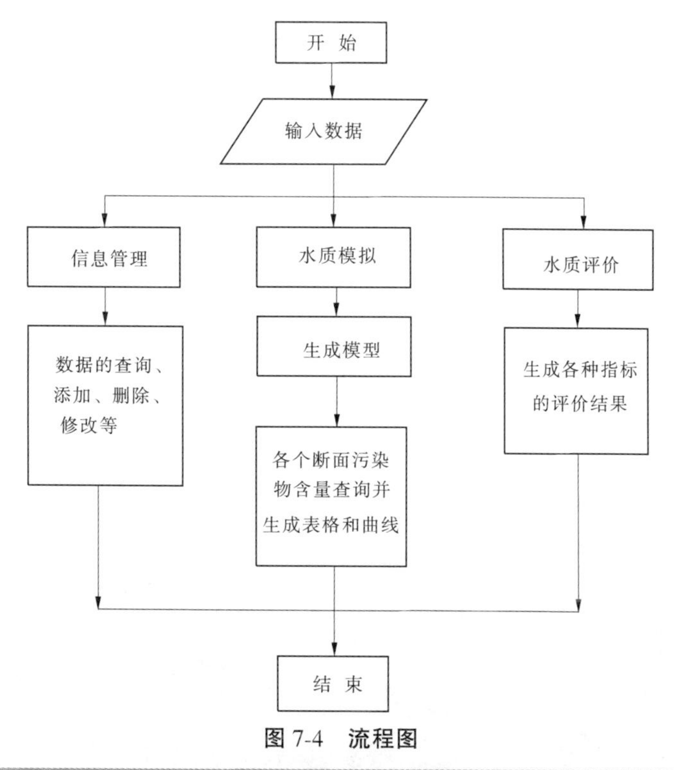

图 7-4 流程图

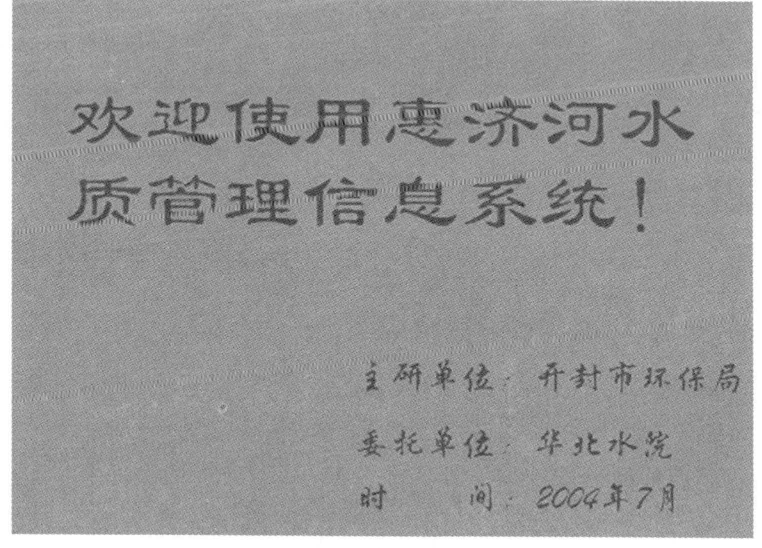

图 7-5 开始界面

7.4.3.2 **登陆界面**

用户在使用此软件时必须先登录，即输入用户名和密码。错误的用户名或密码是不能进入系统的。登录系统的设置使得软件具有安全性。登陆界面如图 7-6 所示。

7.4.3.3 **主界面**

主界面由标题栏、菜单栏、工具条、工作区和下面的状态栏组成，如图 7-7 所示。

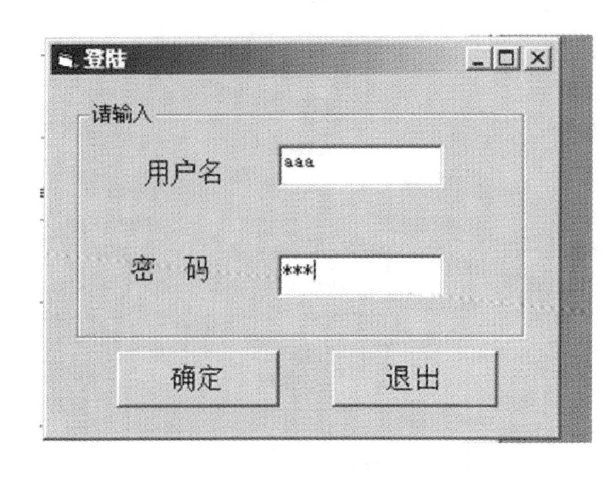

图 7-6 登陆界面

图 7-7 登陆后主界面

7.4.3.4 数据管理系统

数据管理系统主要有数据的查询和数据的修改、添加、删除功能。其中查询界面如图 7-8 所示。

7.4.3.5 水质模拟系统

水质模拟系统主要是对惠济河汪屯—大王庙段水质的扩散规律进行模拟。主要由 4 个步骤组成,分别如图 7-9～图 7-12 所示。

7.4.3.6 水质评价系统

水质评价系统主要是对水质的各个污染物分别进行水质功能评价和等级评价,如图 7-13 所示。

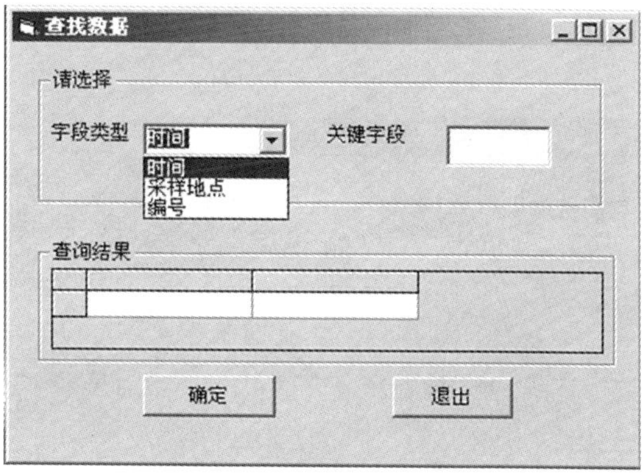

查找数据

请选择

字段类型 时间 关键字段

时间
采样地点
编号

查询结果

确定 退出

图 7-8　数据查询界面

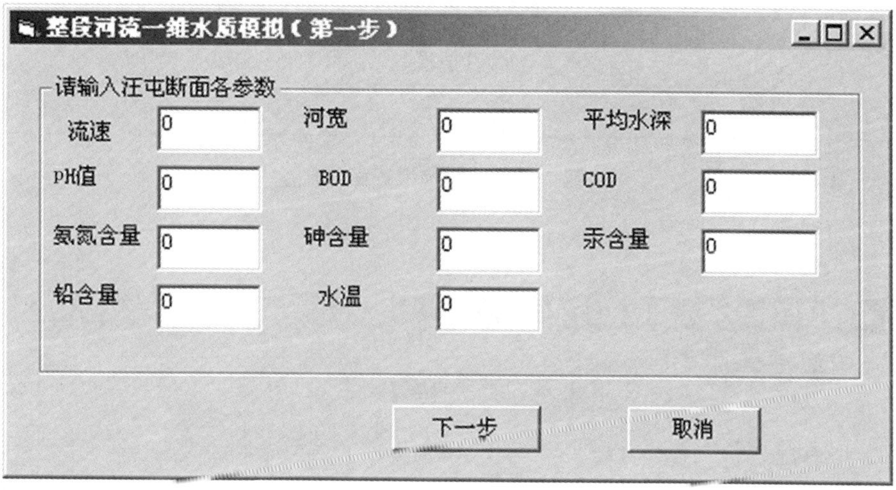

整段河流一维水质模拟（第一步）

请输入汪屯断面各参数

流速 0 河宽 0 平均水深 0

pH值 0 BOD 0 COD 0

氨氮含量 0 砷含量 0 汞含量 0

铅含量 0 水温 0

下一步 取消

图 7-9　水质模拟界面(1)

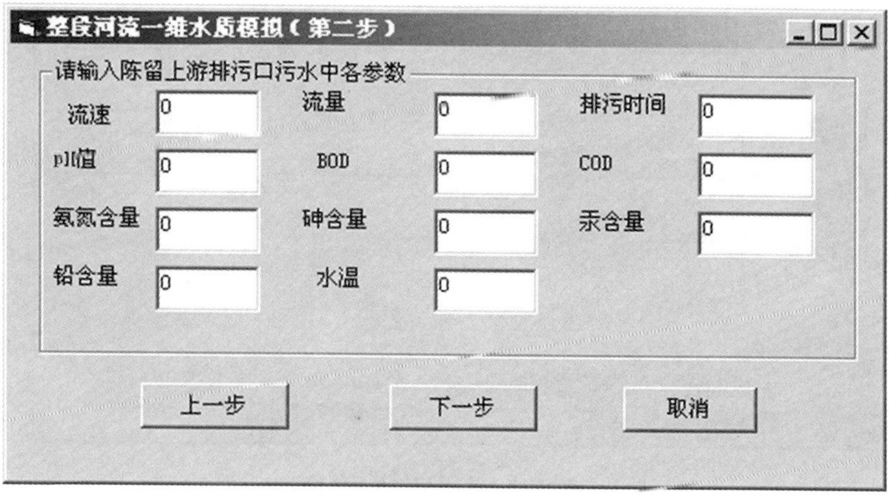

整段河流一维水质模拟（第二步）

请输入陈留上游排污口污水中各参数

流速 0 流量 0 排污时间 0

pH值 0 BOD 0 COD 0

氨氮含量 0 砷含量 0 汞含量 0

铅含量 0 水温 0

上一步 下一步 取消

图 7 10　水质模拟界面(2)

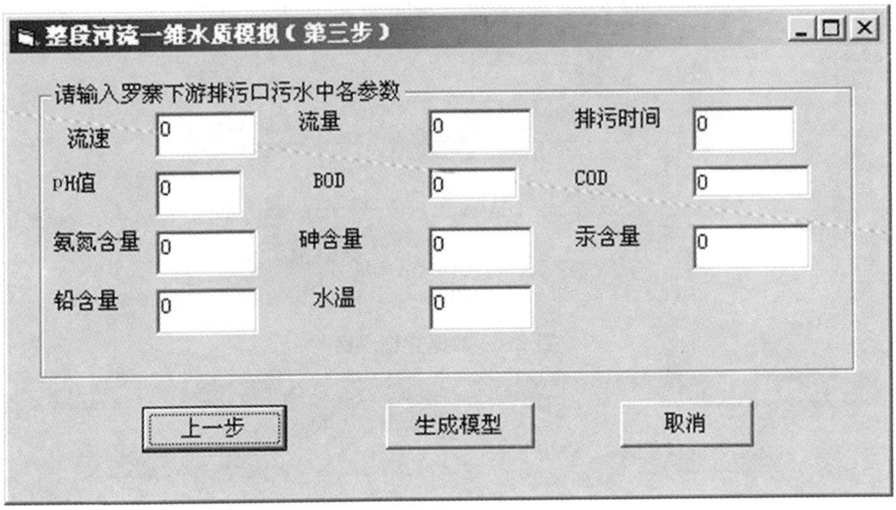

整段河流一维水质模拟（第三步）

请输入罗寨下游排污口污水中各参数

流速 0　流量 0　排污时间 0

pH值 0　BOD 0　COD 0

氨氮含量 0　砷含量 0　汞含量 0

铅含量 0　水温 0

上一步　生成模型　取消

图 7-11　水质模拟界面(3)

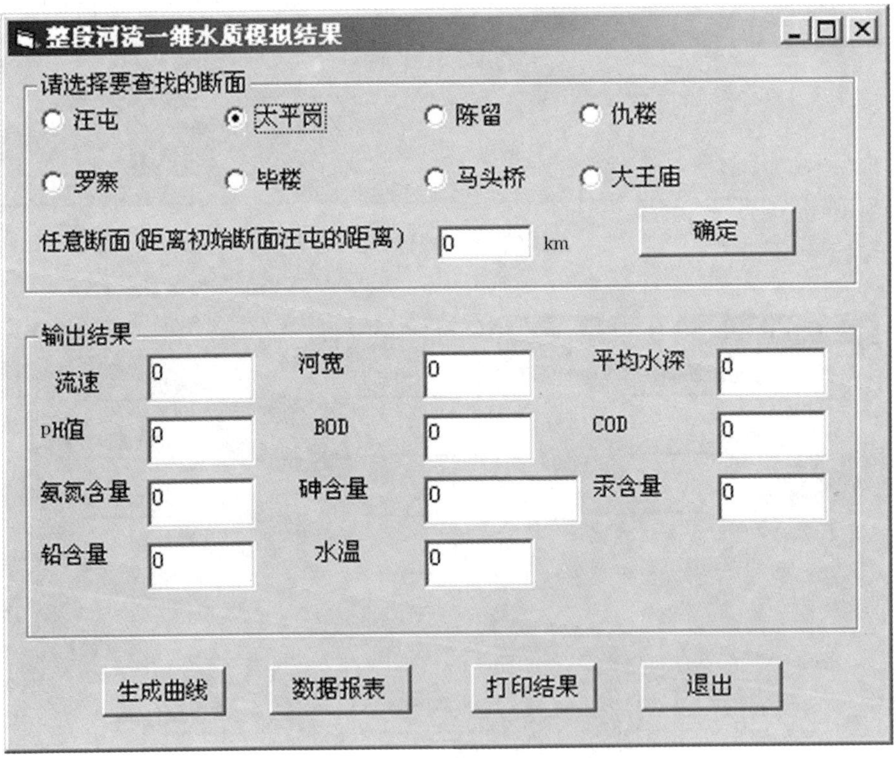

整段河流一维水质模拟结果

请选择要查找的断面

汪屯　太平岗　陈留　仇楼

罗寨　毕楼　马头桥　大王庙

任意断面(距离初始断面汪屯的距离) 0 km　确定

输出结果

流速 0　河宽 0　平均水深 0

pH值 0　BOD 0　COD 0

氨氮含量 0　砷含量 0　汞含量 0

铅含量 0　水温 0

生成曲线　数据报表　打印结果　退出

图 7-12　水质模拟界面(4)

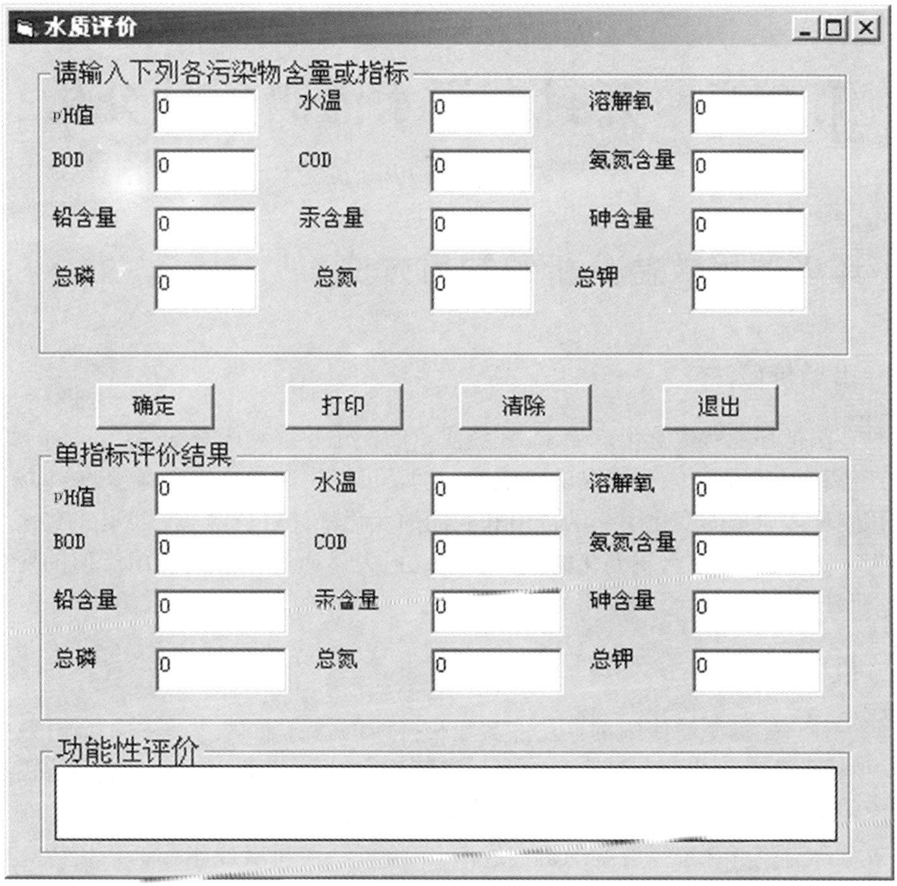

水质评价
请输入下列各污染物含量或指标
pH值
水温
溶解氧
BOD
COD
氨氮含量
铅含量
汞含量
砷含量
总磷
总氮
总钾
确定
打印
清除
退出
单指标评价结果
pH值
水温
溶解氧
BOD
COD
氨氮含量
铅含量
汞含量
砷含量
总磷
总氮
总钾
功能性评价

图 7-13　水质评价界面

第8章　开封市污水灌溉效益分析

8.1　环境费用效益分析的常用方法

8.1.1　市场价值法

这种方法把环境看成是生产要素,环境质量的变化导致生产率和生产成本的变化,从而导致产值和利润的变化,而产品的价值和利润是可以用市场价格来衡量的,市场价值法就是利用因环境质量的变化引起的产值和利润的变化来计量环境质量变化的经济效益或经济损失。例如,灌溉水水质变化的经济效益或损失是通过被灌溉农田产值的变化来计量的,是计算污灌带来的影响常用的评价方法。

8.1.2　机会成本法

任何一种自然资源的使用都存在许多互相排斥的备选方案,为了做出最有效的经济选择,必须找出社会经济效益最大的方案。资源是有限的,选择了这种使用机会就放弃了另一种使用机会,也就失去了另一种获得效益的机会。我们把其他使用方案中获得的最大经济效益称为该资源选择方案的机会成本,单位资源的机会成本称为该资源选择方案的影子价格。

8.1.3　恢复防护费用法

全面评价环境质量改善的效益,在很多情况下是很困难的。实际上,许多有关环境质量的决策是在缺少对环境效益进行货币评价的基础上进行的,对环境质量的最低估计可以从为了消除或减少有害环境影响所需要的经费中获得,我们把恢复或防护一种资源不受污染所需的费用作为环境资源破坏带来的最低经济损失。

8.1.4　影子工程法

影子工程法是恢复防护费用法的一种特殊形式,它是环境被破坏后人工建造一个工程来代替原来的环境功能。而建造此工程的费用就可以作为环境破坏所造成的损失。

8.1.5　人力资本法

环境质量的变化对人类健康有很大影响。人力资本法将人看做劳动力,是生产要素之一。在污染环境下生活和工作,人会生病或过早死亡,耽误生产或丧失劳动力,不能和正常人一样为社会创造财富,还要社会负担医疗费、丧葬费,并且还要他人护理,因而又耽误了他人的劳动工时,这些都是社会的经济损失。人力资本法将环境污染引起人体健康的经济损失分为直接经济损失和间接经济损失两部分。直接经济损失有:预防和医疗费用、死亡丧葬费。间接经济损失有非医务人员护理、陪护而影响劳动工时所造成的损失。

8.1.6 调查评价法

在缺乏价格数据时不能应用市场价值法,这时可以通过向专家或环境的使用者进行调查,以获得对环境资源或环境保护措施效益的评估。常用的方法有专家评估法、投标博弈法。

8.2 再生水农业回用费用效益计算

研究表明,用未经处理的污水灌溉农田,由于污水中含有各种有毒有害物质,主要是重金属、难降解有机毒物和生物性污染物等,污水灌溉有可能对人体健康、农田土壤、作物、地下水和地表水造成一定的污染和危害。用再生水取代原污水进行灌溉,可以保证农业灌溉对水质的要求,减少灌溉对人体健康的影响,避免由于用污水灌溉造成的环境污染。

城市污水回用中的效益既有可以定量的部分,也有只能定性而难以准确定量的部分,即便是可以定量的部分有些也需要借助一些间接的方法计算,因此这样计算的结果只能作为污水回用效益的一个参考,并不是精确值。本项研究将再生水灌溉的总效益分为直接经济效益和间接环境效益,直接效益是农业产出增加和成本减少的效益,间接效益是避免了原污水灌溉污染的环境效益。

$$B = \sum_{i=1}^{m} E_i + \sum_{j=1}^{n} G_j \tag{8-1}$$

式中:B 为回用水灌溉的总效益;E_i 为回用水灌溉的单项直接效益($i=1,2,\cdots,m$);G_j 为回用水灌溉的单项间接效益($j=1,2,\cdots,n$)。

这里所要研究的是回用水灌溉的效益,主要考虑以下几个方面:

(1)提供了灌溉水源,保证了农田收入;

(2)为农田灌溉提供了部分养分,促进粮食增产;

(3)减少了污水可能对环境造成的污染;

(4)避免了对人体健康影响的效益;

(5)减少了污水的排放,减轻了污染物质对环境的影响。

8.2.1 污水灌溉带来的直接效益

开封市夏收粮食作物以小麦为主,种植面积超过 27 万 hm^2,秋收粮食作物以玉米、水稻和大豆为主,油料作物包括花生、油菜和芝麻,近几年来花生种植面积均超过 9 万 hm^2,棉花的种植面积在 7 万 hm^2 以上,瓜果蔬菜的种植面积超过 15 万 hm^2,而且有逐年增加的趋势。

根据有关资料,2000 年各作物每亩总产值为:小麦 301.00 元,玉米 352.0 元,水稻 655.00 元,大豆 372.00 元,棉花 730.00 元,花生 504.00 元,辣椒 1 556.00 元,菜花

1 201.00元,红萝卜 616.00 元,大白菜 789.00 元,芹菜 1 390.00 元,西瓜 904.00 元,大蒜 1 401.00 元。各作物平均每亩投资费用为:小麦 153.28 元,玉米 84.79 元,水稻 152.98 元,大豆 37.00 元,棉花 150.13 元,花生 118.83 元,辣椒 172.51 元,菜花 102.61 元,红萝卜 165.00 元,大白菜 143.00 元,芹菜 152.23 元,西瓜 137.66 元,大蒜 333.29 元。假定使用污水灌溉前后种植结构和种植技术以及市场条件都保持不变,即种植成本和种植产值都保持不变。经过对主要作物种植成本和产值的测算,开封市每亩土地的平均收益约为 760 元。

$$E_1 = \frac{\varepsilon \cdot E_r}{Q} \tag{8-2}$$

式中:E_1 为单方再生水灌溉带来的直接效益,元/ m^3;ε 为农田灌溉分摊系数,取 0.4;E_r 为清水灌溉的亩均收益,元/亩,取 760 元/亩;Q 为亩均灌水量,m^3/亩,取 240m^3/亩。

$$E_1 = \frac{0.4 \times 760}{240} = 1.27(\text{元} / m^3)$$

8.2.2 节约肥料的效益

城市污水中都含有数量较多的氨氮成分(见表 8-1)。即使经过污水处理厂处理也不能除去其中的氨氮成分。因此,使用污水灌溉同时给土壤提供了水分和养分,既能提高作物产量又减少了肥料的使用量。

表 8-1 城市污水所含的养分状况 (单位:mg /L)

养分	污水类型	
	混合污水	工业废水
氨氮	8.1~19.6	14.1
五氧化二磷	3.0~4.0	4.0

$$E_2 = \frac{C_F \cdot N}{Q} \tag{8-3}$$

式中:E_2 为节约肥料的效益,元/ m^3;C_F 为肥料的价格,元/kg,按市场价取 2 元/kg;N 为每亩农田污水灌溉中所含肥料量,kg/亩,取 6kg/亩;Q 为亩均灌水量,m^3/亩。

$$E_2 = \frac{2 \times 6}{240} = 0.05(\text{元} /m^3)$$

8.2.3 减少土壤污染的效益

使用回用水灌溉可以避免使用原污水灌溉造成的土壤的污染,避免的耕地污染损失即可作为回用水灌溉的效益,因为农田生产资源的价值很难作出确切的估计,因此计算耕地污染带来的经济损失就十分困难,但受到污染的农田一般可以通过治理恢复到原来的水平,治理所需要的费用是可以估算出来的。

污水中的无机物对土壤影响较大,重金属以及有害的非金属元素在通过土壤时虽然可以通过化学吸附、化学反应、沉淀等途径被除去,但这些有害的元素会在土壤中富集,当浓度过大时会产生较大危害。但污水对土地的污染是一个缓慢的过程,在土壤完全丧失其功能之前,很难对其损失进行计算。

目前,多数污水灌溉区土壤中污染物含量没有超过国家规定的污染标准,还可以继续使用,不需要进行治理。但是如果继续长期灌溉,土壤污染状况必然越来越严重,因此应该采取适当的措施减轻污水对土壤的危害。

8.2.4 减少地下水污染的效益

污水灌溉使用不当将造成灌区地下水污染和城市水源污染。污水灌溉对地下水的污染情况由多种因素决定,如污水灌溉的年限,污染物的种类和性质,土壤的类型和性质,进入土壤中的水量和成分,区域的地形、地貌和水文地质条件等。对这些因素必须经过实地调查和试验研究,方能分析和确定它们对地下水的影响。

地下水一旦受到了污染将很难恢复,因此当地下水因污染丧失了某种功能时,其后果将是非常严重的。目前我国污灌区的地下水污染的原因多是污水灌溉使用了未经处理的污水,水质不符合农田灌溉水质标准,污染物超标。另外,不合理地利用污水灌溉农田也是造成环境污染的原因,不适合污灌的地区不能进行污灌,如土地渗透性强、地下水位高、含水层露头处以及集中的饮用水源处。

使用符合农田灌溉水质标准的回用水进行污水灌溉,并配合适当的灌溉技术,可以避免污灌对地下水造成污染。

地下水污染造成的损失可采用影子工程法进行计算,其方法是用新建的水源替代原来受污染的水源,然后计算新水源的工程费用,就可以作为地下水污染造成的损失。而采取回用水灌溉的方法避免这种损失反过来又可看做是取得效益。

开封市污灌区通常远离城市,一旦地下水受到污染失去供水能力,通常采取打新井的方法解决。新井深度大于80m,一般可达120m左右。打一口井的费用需要4万元,其他配套设备需要0.8万元,可供1 000人使用,使用期限为15年,每年的人力、耗电与维修等费用需要1.8万元。

平均到每年的费用用下式计算:

$$K = kA = k\frac{i(1+i)^n}{(1+i)^n - 1} \tag{8-4}$$

式中:K 为年固定费用(折旧费),万元;k 为工程投资,万元;A 为等额资金回收系数;i 为年利率,取 $i=7\%$;n 为计算期,取15年。

$$A = 0.109\,8$$
$$K = (4+0.8)\times 0.109\,8 = 0.53(\text{万元})$$

故年费用为:

$$0.53 + 1.8 = 2.33(\text{万元})$$

以人均耕地1.2亩计算,1 000人耕地面积为1 200亩,每亩每年灌水量为240m^3,每年灌溉用污水量为$1\,200\times 240 = 288\,000(m^3)$。

使用回用水可以避免地下水的污染,避免地下水污染的损失作为回用水使用的效益。

$$G_1 = 23\,300/288\,000 = 0.081(\text{元}/m^3)$$

8.2.5 健康效益的计算

8.2.5.1 污水灌溉对居民健康的影响

污水灌溉对人体健康的影响主要是通过以下3个方面进行的:一是污水灌溉污染了农作物,间接地影响了居民健康。根据调查,污染降低了大米的黏度,使其口味变差,有的污灌区群众反映,污灌区粮菜味道不好,蔬菜易腐烂,不易储存,土豆畸形、黑心。长期食用含有较多有害物质的农作物,对人体有较大危害,有可能引起多种疾病。二是污灌不当造成浅层地下水污染。在许多污灌区的农村地下水为饮用水源,因此浅层地下水的污染对人体健康有很大危害。三是污灌对环境卫生的影响。当污灌水中的污染物大于农田的自净能力时,将造成环境的污染,污水中的有毒有害物质以及病菌、寄生虫卵,直接危害人体健康,导致肝炎、腹泻等肠胃疾病的增多。据调查,许多污灌区肝病、胃炎、肺心病、癌症等疾病的发病率高于对照区。

8.2.5.2 人体健康损失

污灌造成的人体健康损失可用人力资本法进行计算。

$$YPLL = \sum_{i=1}^{n}(EY - DY_i) \tag{8-5}$$

$$YPLL_a = YPLL/n$$

式中:$YPLL$ 为潜在寿命损失年;$YPLL_a$ 为每例死亡者平均潜在寿命损失年;EY 为期望寿命年龄;DY_i 为死亡时的实际年龄($i=1,2,\cdots,n$)。

污水灌溉所造成的健康损失 Y_L 表现在:一是有关疾病死亡率增加的损失 Y_{L1};二是有关疾病发病率增加的损失 Y_{L2}。

$$Y_L = Y_{L1} + Y_{L2} \tag{8-6}$$

疾病死亡率增加的损失 Y_{L1}:

$$Y_{L1} = M_1(YPLL_a)P_1 \tag{8-7}$$

$$M_1 = MR_d \tag{8-8}$$

式中:M_1 为因污染导致的过早死亡的人数,人;P_1 为污灌区社会人均年工资额,元/年;M 为所分析地区总人口数,人;R_d 为因污水灌溉导致的污灌区死亡率的增加(通过对比清灌区得出)。

疾病发病率增加的损失 Y_{L2}:

$$Y_{L2} = \sum_{i=1}^{n} M(R_{pi} - R_{oi})C_{pi} \tag{8-9}$$

式中:R_{pi} 为受污染后第 i 种疾病的患病率($i=1,2,\cdots,n$);R_{oi} 为对照区第 i 种疾病的患病率($i=1,2,\cdots,n$);C_{pi} 为每种疾病的平均治疗费用,元。

如果该区域使用回用水进行灌溉,环境的改善避免该部分健康损失,取得社会效益。

$$G_2 = (Y_{L1} + Y_{L2})/Q_I \tag{8-10}$$

式中:Q_I 为该地区一年的污水灌溉量,m^3。

为了解污水灌溉对居民健康的影响,对开封市两条水质超Ⅴ类河道附近居民进行了实地调查，其中贾鲁河河长 58km，惠济河河长 55km。调查面积 632km^2。涉及了尉氏县贾鲁河沿岸的 8 个乡(镇)62 个自然村；惠济河沿岸开封市郊区 1 个自然村，开封县 3 个乡(镇)11 个自然村；杞县 5 个乡(镇)12 个自然村，其中尉氏县人口 111 600 人，耕地面积 16.74 万亩，农作物以小麦为主，人口组成男性占 62.3%、女性占 37.7%。开封市郊区汪屯乡汪屯村人口 3 100 人，耕地面积 3 000 亩，农作物以小麦为主，种植蔬菜占耕地面积的 34.1%。开封县 11 个自然村总人口 21 450 人，耕地面积 3.22 万亩，农作物以小麦为主，人口组成男性占 56%、女性占 44%。杞县 12 个自然村总人口 24 000 人，耕地面积 3.36 万亩，农作物以小麦为主，人口组成男性占 54.6%、女性占 45.4%。

所调查的地区，居民主要受以下几种情况危害：

(1)浅层地下水受到污染，居民长期饮用；

(2)用污染的河水灌溉农作物(粮食、蔬菜)并食用；

(3)长年受河道污染水散发气味的影响；

(4)蚊虫多，易发生传染疾病。

以开封县 11 个自然村作为典型区域进行计算。该区域总人口 21 450 人，耕地面积 3.22 万亩，平均每村 1 950 人，平均每村耕地为 0.293 万亩。调查结果显示，污灌区患病率达 30%，死亡率在 2.6‰，平均死亡年龄按 55 岁计算。清灌区患病率为 20%，死亡率在 0.5‰。每年用于治疗的费用人均不少于 1 500 元，12 岁以下的儿童看病人均 300 元左右。在总人口中，12 岁以下儿童的比例为 25.9%。以 2000 年为标准，开封农村家庭人均收入 2 096 元。河南省农民平均预期寿命 69.3 岁。

由于污灌区死亡率增加的损失为：

$$Y_{L1} = 1\,950 \times (0.002\,6 - 0.000\,5) \times (69.3 - 55) \times 2\,096 = 122\,739(\text{元})$$

由于发病率增加的损失为：

$$Y_{L2} = 1\,950 \times (0.30 - 0.20) \times (0.259 \times 300 + 0.741 \times 1\,500) = 231\,894(\text{元})$$

污水灌溉所造成的健康损失为：

$$Y_L = Y_{L1} + Y_{L2} = 122\,739 + 231\,894 = 354\,633(\text{元})$$

该地区每年灌溉用污水量为：

$$Q_I = 2\,930 \times 240 = 703\,200(\text{m}^3)$$

采用回用水灌溉避免人体健康损失的社会效益等于污水灌溉造成的损失。

$$G_2 = 354\,633/703\,200 = 0.504\ \text{元}/(\text{m}^3)$$

8.2.6 再生水农业回用的成本

以开封污水处理厂为例来计算成本，农田灌溉回用的单方水成本为：

$$C_{\text{农}} = C_{\text{处理}} + C_{\text{其他}} \tag{8-11}$$

式中：$C_{\text{农}}$为污水灌溉农田的单方水成本，元/m^3；$C_{\text{处理}}$为污水处理厂单方水处理成本，元/m^3；$C_{\text{其他}}$为管道输送和调蓄设施等单方水成本，元/m^3，按处理成本的 20% 估算，即 $C_{\text{其他}} = C_{\text{处理}} \times 20\%$。

其中单方水处理成本：

$$C_{处理} = (C_{总} / N + C_{运行}) / (Q_{日} \times 365) \tag{8-12}$$

式中：$C_{总}$ 为污水处理厂总投资，万元，取 12 000 万元；N 为污水处理厂服务年限，取 20 年；$C_{运行}$为污水处理厂年运行费，万元，取 1 400 万元；$Q_{日}$ 为污水处理厂每日处理污水量，万 m^3，取 8 万 m^3。

$$C_{农} = C_{处理} + C_{其他} = 0.685 + 0.137 = 0.82(元 / m^3)$$

8.2.7 单方回用水灌溉的效益

经过调查计算，单方回用水灌溉的直接效益为：

$$B_1 = E_1 + E_2 = 1.27 + 0.05 = 1.32(元 / m^3)$$

单方回用水灌溉的总效益为：

$$B = E_1 + E_2 + G_1 + G_2 = 1.27 + 0.05 + 0.081 + 0.504 = 1.905(元 / m^3)$$

单方回用水灌溉的净效益为：

$$B_n = B - C_{农} = 1.905 - 0.82 \approx 1.09(元 / m^3)$$

8.3 工业回用水、市政回用水的供水效益

8.3.1 工业回用水的供水效益

目前开封市还没有对回用水定价。工业用水中大部分为对水质要求不高的冷却用水，将城市污水适当处理后用于这部分工业用水，可以大大减小工业对新鲜水的需求。使用回用水相当于使用同等数量的工业用水，可按工业用水价格估算供水效益为 1.2 元/m^3。

8.3.2 市政回用水的供水效益

再生污水回用于市政用水的对象主要为浇洒、绿化、洗车、建筑施工、冲厕、景观用水，一般不用于和人体直接接触的用途。回用水的使用节约了自来水，同样按水价估算供水效益为 1.2 元/m^3。

除了以上供水效益，将城市污水回用为工业用水和市政用水可以减少新鲜水的开发及处理设施投资。污水回用在提供新水源的同时还可以减少新鲜水的用量，因此相应减少了城市水厂处理设施的投资。

8.4 推广效益

8.4.1 经济效益

开封市属于资源型缺水城市，本地区水资源远远不能满足水量需求。该地区年用水量的一半以上引自黄河，而在用水中大部分水量都用于农业灌溉。根据对开封市用水量

的供需平衡分析，2010 年按 75%频率计算缺水量为 14 301 万 m^3，按 95%频率计算缺水量为 71 162 万 m^3。从技术的角度，再生水的农业灌溉最易实现，污水处理厂的二级出水可以直接用于农业回用，可在部分使用未经处理污水灌溉的地区推行回用水灌溉，或者替代部分黄河水用于灌溉。按每年以 1 亿 m^3 再生水回用量进行计算，其中 80%用于农业灌溉，农业回用的年直接经济效益为 1.056 亿元，总效益为每年 1.524 亿元，总费用为每年 6 320 万元，净效益为每年 8 920 万元。

8.4.2 社会效益与环境效益

随着污水处理程度的加大，污水回用近年来将得到较快发展，在未来的几年内，污水回用在开封市进行推广利用具有积极意义。污水回用为我们提供了一个非常经济的新水源，减少了社会对新鲜水资源的需求，改善了供水条件，缓解了各行业争水的矛盾，同时也保护了优质的饮用水源，有利于社会的稳定与发展。通过将污水处理后回用，减少了污染物排放量，从而减轻了对城市周围的水环境影响，有利于公众健康，污水经处理后作为城市景观河道的补充水，改善了城市水环境的质量，美化了城市，有利于开封市旅游业的发展。

第9章　开封市污水资源化管理与污水处理技术推广应用对策分析

(1)建立区域统一指导下的水务一体化管理体制。

水的区域特性和人类社会对水的依赖需求,决定了各类水资源(包括污水资源)管理、利用必须统一。应当改变现行条块分割、"多龙管水"的格局,实行区域水务管理一体化、分级负责的科学管理体制。省、市、县3级人民政府均应设立统一的水资源管理机构。区域内一切水事活动实行统一管理,包括防洪、蓄水、供水、用水、节水、排水、污水处理、污水资源开发利用、污水回用的监控管理等。

(2)完善污水资源管理保护法规,建立健全法规体系,实现污水资源的可持续开发利用。

污水资源的可持续开发利用是国家对水资源管理的具体行政行为。建立健全法规体系是依法开发利用污水资源的前提。现行对水资源管理的法规体系还不够完善,或不适应当前社会经济发展的要求。法规应强调水资源统一管理和可持续发展的原则,增加或充实水资源保护的内容和条款,以法律形式明确水行政主管部门的责任和权利。水行政主管部门应对水资源利用与保护行为实施有效的监控,重点对水功能区污染物控制总量、城市水源地保护、取水退水行为及入河排污口进行执法监察,依法查处重大水资源污染和生态破坏的事件。

(3)以水功能区管理为重点、污染物入河总量控制为目标,建立污染物入河许可制度,完成污染物削减任务,实现保护目标。

开封市城市设施陈旧,人口密集,水资源管理技术落后,尤其是一些重点污染河段,水质已不能满足功能要求,对河道生态及用水安全影响很大。为了保证水资源的持续利用,当前应以水功能区管理为重点,以污染物入河总量控制为目标,强化对功能区内各排污口和入河支流口的监控,推行污染物入河许可制度,落实各排污口的削减任务。

(4)加强城市生活饮用水源区的保护,严格控制入河污染物,改善城镇人民生活环境。

城市生活饮用水源的水质安全是关系人民生活健康的大事,为水资源保护的重点。开封市城市生活饮用水一部分来自引黄水,一部分开发利用地下水,因此应当采取措施,保护引黄工程和引黄水资源不被污染,防止地下水污染,应采取措施防止污染水体下渗或者与引黄水混合,造成二次污染。对排污口进行水质动态监控,随时掌握水质状况,根据研究成果,应适当调整或关闭一些污染严重的厂矿和排污口,并加大污水处理工程的建设,确保城市生活饮用水的安全,改善城镇人民生活环境。

(5)逐步推广和建立节水型农业发展模式;调整工业结构,更新设备,提高工业用水重复利用率;城镇生活用水应推广节水器具,进一步提高污水处理技术。

保护水资源包括水量保护和水质保护两方面内容,节水是水资源保护的重要环节。开封市农业用水占水资源开发利用量的80%以上,农业节水和污水资源化潜力很大。应逐步调整农业种植结构,实行节水灌溉,推广喷灌、滴灌和旱作品种,提高灌溉水有效利用系数。工业节水包括调整产业结构、设备更新和提高用水重复利用率三方面内容,应采取有力措施加强内部管理,减少跑、冒、滴、漏,增加废水处理和回收设施,改善生产工艺和生产设备,限制或减少高耗水产业。随着城市化步伐的加快,城镇生活用水量逐年增加,在大中城市应推广节水器具,大力开展节水宣传,提高人民群众节约用水的自觉性。利用经济杠杆,逐步提高水价和水资源费征收标准,促进节约用水,建立节水防污型社会。

(6)加强地下水资源的保护。

地下水是开封市城乡人民生活用水和工农业用水的重要来源。保护地下水,首先应实行定量开采,把允许开采量控制在补给量范围以内,逐步控制和缩小漏斗区的面积,在有条件的地区可进行经处理后的地下水人工补源、冬灌夏用。引黄地区要尽量实行井渠并用。地下水水质受地面水和工矿污染物的影响,要避免污染性大的工矿企业对地下水水质造成的破坏。河道废污水是地下水污染的主要来源,受污染的河水大量渗入地下,造成地下水污染。特别要指出的是,地下水一旦遭到污染,就不容易在短期内消除。因此,要特别重视对城市河段的治理。工厂废污水要做到达标排放,严禁向渗井、渗坑内排放污水,城市排污管线要雨污分流,以利于污水的治理和污水资源化。尽快编制地下水保护行动计划,利用工程措施和非工程措施,加大地下水资源保护的力度。

(7)强化水资源保护监督体系。

强化监督是实现水资源保护的重要手段。要提高监督管理的地位和职能,落实水资源保护经费,加强市、县、乡水资源保护监督管理体系的建设,提高监测监控水平,重点加强水功能区的监督,及时监控入河污染物的排放情况。要加强对水源地的保护监督,防止水污染事件的发生。加快水资源保护监测和管理现代化、信息化的建设进程,重点加强重点水域的水质自动监测以及水质预警预报和水环境信息系统的建设,使监督管理达到全面、快速、及时。

(8)保障污水资源化经费,加快污水资源化重点工程建设。

为了落实研究成果,实现开封市污水资源化,必须保证污水资源化所需的经费。所需经费应纳入市年度财政计划,基建部分和运行费用应分别列入基本建设和年度财政开支预算。

(9)加大宣传力度,使污水资源化工作成为社会公众的共识,各级政府高度重视,各行各业自觉遵守,人人参与,全民动手。

污水资源化不仅是政府和主管部门的大事,更要依靠全社会,各行各业,全民动员。要通过各种形式,报刊、广播、电视等新闻媒体大力宣传,做到家喻户晓,人人参与,使整个社会养成自觉遵守、爱护环境、文明健康、道德高尚的良好风气,把中原大地建设成为富饶美丽的人间天堂。

(10)加快研究成果的推广应用,使研究成果尽快转化为生产力。

综观国内外污水资源化的经验,我国要实现较高速度的城市污水处理发展目标,需要尽快推广应用有关方面的研究成果。近年来,国内城市污水资源化发展速度较慢的重要原因是技术推广不力,尽管研究项目的立项得到重视,而一大批研究成果却束之高阁,没有经济回报。加上经济条件的限制,一部分经济基础较差的城市污水资源化的力度不够,造成了大量水资源的浪费。由于缺乏较好的技术成果支持,一些二级污水处理厂建成后也未能完全正常运行。我们认为有必要更多地结合各地实际情况,进一步研究实施那些污水利用程度高、能耗低、技术比较简单的污水处理技术,以及工程投资较少、运行费用较低,用得起、用得好的新技术。同国外相比,我国大部分城市的经济实力还有相当的距离,在选择污水处理工艺与污水资源化技术时,一定要结合当地社会经济条件,更应高度重视环境、社会、经济的统一,以经济效益与环境效益最优为目标。国家建设部、国家环保局、科技部联合发布的《城市污水处理及污染防治技术政策》中提出了一级强化处理工艺、二级处理工艺、二级强化处理工艺和自然净化处理工艺等供选择实施。例如对重点城市和水源保护区的城市,强调搞二级污水处理厂为主,执行70%的污水集中处理率指标;对经济基础较差的城市,执行二级处理与一级处理相结合的处理技术;对于旱缺水地区,土地条件较充分的城市发展污水稳定塘处理技术,并结合农业回用;对贫困地区的小城市和建制镇,先实施一级处理或土地自然处理系统,然后再考虑强化一级处理或二级处理。各类污水处理厂建设规模与厂址选择要注意把处理技术与回用技术相结合,并注意与回用对象尽可能合理靠近与配套,加上采用先进的技术,就有可能加快实现大、中、小城市和不同经济基础条件的城市、乡镇都能因地制宜地建设各类污水处理厂,提高污水处理的实际效率。

实践经验证明,一部分城市建设高功能的新型污水处理厂,达到国家一级排放标准,虽然是好事,但当另一部分城市和乡镇未能建设污水处理厂而造成污水直接外排的情况下,水体污染仍然是难以改善的,全国范围内在2010年实现城市污水处理率达到50%以上仍然是不容易的。在现阶段,过分强调污水处理的深度未必是可取的,而污水经适当处理后,使其达到农田灌溉标准,可以将大量污水资源开发利用,这是当前我国污水资源化应当重视的一条重要途径。

参 考 文 献

[1] 肖锦.城市污水处理及回用技术．北京:化学工业出版社,2002

[2] 张国良.21世纪中国水供求．北京:中国水利水电出版社,1999

[3] 钱易,米祥友.现代废水处理新技术．北京:中国科学技术出版社,1993

[4] 黄明明,张蕴华.给水排水标准规范．北京:中国建筑工业出版社,1995

[5] 聂梅生.生物膜法污水处理技术．北京:中国建筑工业出版社,2000

[6] 曹风中,戴天有,等.地表水污染及其控制．北京:中国环境科学出版社,1993

[7] 黄铭荣,胡纪萃.水污染治理工程．北京:高等教育出版社,1999

[8] 高拯民.城市污水土地处理利用设计手册.北京:中国标准出版社,1991

[9] 贺延龄.废水的厌氧生物处理.北京:中国轻工业出版社,1998

[10] 卞有生.生态农业中废弃物的处理与再生利用．北京:化学工业出版社,2000

[11] 张智,阳春.城市污水回用技术．重庆大学学报,2002,22(4):103～107

[12] 籍国东,等.我国污水资源化的现状分析与对策探讨．环境科学进展,1999,7(5)

[13] 周桐.城市污水回用示范工程．城市环境与城市生态,1993,6(1):1～4

[14] 马志毅.城市污水回用概况．给水排水,1997,23(12):61～63

[15] 赵丽君.试论水资源和污水再利用．天津市政工程,2000,12(2):47～48

[16] 张智,阳春,等.城镇污水资源化技术发展状况．重庆环境科学,1999,21(4)

[17] 何江涛,等．污水土地处理技术与污水资源化．地学前沿,2001,8(1):155～162

[18] 张自杰.环境工程手册．北京:高等教育出版社,1996

[19] 王琳,王宝贞.优质饮用水净化技术．北京:中国科学技术出版社,2000

[20] 黄晓东,王占生．微污染水源水净化新技术．环境污染与防治,1998,20(3)

[21] 肖羽堂,许建华,王冠平．强化微污染原水净化效果的生产性应用研究．环境科学,1998,19(3):28～34

[22] 周杰,章永泰,杨贤智.人工曝气复氧治理黑臭河流．中国给水排水,2001,17(4)

[23] 陈荷生.太湖生态修复治理工程．长江流域资源与环境,2001,10(2):173～178

[24] 朱利中.土壤及地下水有机污染的化学与生物修复．环境科学进展,1999,7(2)

[25] 赵志强,牛军峰,全燮．环境中有害金属植物修复的生理机制及进展．环境科学研究,2000,13(5):54～57

[26] 钟哲科,高智慧．植物对环境的修复机理及其应用前景．世界林业研究,2001,14(3):23～28

[27] 王超．污水处理理论及技术．南京:河海大学出版社,1998

[28] Karl Imboff.城市排水和污水处理手册．北京:中国建筑工业出版社,1992

[29] 钱尧华．水利工程管理．北京:水利电力出版社,1991

[30] 朱元生．城市水文学．北京:中国科学技术出版社,1990

[31] 董辅祥,董欣东．城市工业节约用水理论．北京:中国建筑工业出版社,2000

[32] 袁铭道．合理利用城市水资源．北京:中国环境科学出版社,1990

[33] 刘昌明,李利娟．雨水利用与水资源研究．北京:气象出版社,2001

[34] 夏青,等．水环境保护功能划分．北京:海洋出版社,1989

[35] 张玉清．河流功能区水污染物容量总量控制的原理和方法．北京:中国环境科学出版社,2001

[36] 沈清基．城市生态与城市环境．上海:同济大学出版社,1998

[37] 彭奎,朱波 . 试论农业养分的非点源污染与管理. 环境保护,2001(1):15～17
[38] 袁铭道 . 美国水污染控制和发展概况 . 北京:化学工业出版社,2001
[39] 王礼先 . 植被生态建设与生态用水 . 水土保持研究,2000,7(3):5～7
[40] 金相灿 . 湖泊富营养化控制和管理技术 . 北京:化学工业出版社,2001
[41] 司全印,冉新权,等 . 区域水污染控制与生态环境保护研究 . 北京:中国环境科学出版社,2000
[42] 杨存信,等 . 城市水资源与水环境保护 . 南京:河海大学出版社,1996
[43] 陶思明 . 河流生态系统与河流类型自然保护区建设 . 环境保护,2000(3):35～38
[44] 沈国舫 . 生态环境建设与水资源的保护和利用 . 中国水利,2000(8):26～30
[45] 张锡辉 . 水环境修复工程学原理与应用 . 北京:化学工业出版社,2002
[46] 杨士弘,等 . 城市生态环境学 . 北京:科学出版社,1997
[47] 张行楠,等 . 水务信息管理系统开发与应用 . 河海大学学报,2001(4)
[48] Tanaka K. Prog. Biotechnology. Tokyo: 1996
[49] Drssert B W, et al. Impact of dringking water preozonation on granular activated carbon quality and performance. Proceedings of the 12th Ozone World Congress. lille. France, 1995, 1(5): 517
[50] Metcalf, Eddy. Wastewater Engineering. Third Edition. USA: MCGRAW－HILL, International Editions, 1991
[51] Takashi Asano. Wastewater Reclamation and Reuse. Water Quality Management Library Volume 10. USA: Technomic Publishing Company Inc, 1998
[52] Roger E. Kasperson, Jeanne X. Kasperson. Water Reuse and the Cities. USA: Clark University Press, 1977
[53] Smith S R. Environment aspects of land application of biosolids. Proceedings of Inter Workshop on Biosolids Management and Utilizaton in Nanjing Agricultural University, September, 2000, Nanjing
[54] Sopper W E. Utilizaton of sewage sludge in the United States for mine land reclamation, In: Hall J E, ed Alternative Uses for sewage sludge, Pergamon Press, 1989
[55] Furrier O J, Gupta S K. PhosPhate balance in long term sewage sludge and pig slurry fertiled field experiment. In: Long term effect of sewage sludge and farm slurry applications, Williams. J H, G Guide, P.L. Hermite(eds). Elsevier Applied Science Publishers, 1985
[56] John cairns Jr. Environment Costs, Confliets, Actions. New York: Giles Howard Press, 1974
[57] Frank M. D'lttri. Wastewater Renovation and Reuse. New York and Basel: Marcel Dekker, Inc, 1977
[58] Gposkitt F. Reuse of sewage effluent. Worcester: Billing and Sons Ltd, 1985
[59] Robert B. Dean, et al. Water reuse. Uew York: Academic Press, 1982
[60] George Tchobanoglous. Wastewater Engineering. 3rd ed. New York: Metcalf and Eddy, Inc, 1991
[61] Marq De Villiers. Water－the fate of our most previous resource. Boston. New York: Houghton Mifflin Co, 2000
[62] Cornella Blair M S. Water－no longer taken for granted. Wylie. Texas Press, 1997
[63] Juha I Uitto. Water for urban areas: challenges and perspectives, Tokyo. New York: United Nations University Press, 2000
[64] Friedler E. Water reuse－an integral part of water resoures management: Israel as a case study. Water Policy, 2001(3): 29～39
[65] Oron G, Campos C, Gillerman L, et al. Waste water treatment, renovation and reuse for agricultural irrigation in small communities. Agicultural Water Management, 1999(38): 223～234

[66] Haruvy N. Waste water reuse－regional and economic consideratons. Resources Conservation and Recycling, 1998(23):57～66

[67] Lawrence A W, et al. Regional assessment of produced water treatment and disposal practices and Research Needs. Exploration and Production Environmental Conferece, 1995(3)

[68] Bahri A. Agricultural reuse of wastewater and global water management. Water Science and Technology, 1999,40(4～5):339～346

[69] Stott R,Jenkins T, Bahgat M, et al. Capacity of constructed wetlands to remove parasite eggs from wastewaters in Egypt. Water Scienceand Technology, 1999,40(3):117～123

[70] Kivaisi A K M. The potential for constructed wetlands for wastewater treatment and reuse in developing countries, a review. Ecological Engineering, 2001(16):545～560

[71] Gearheart R A. The use of free surface constructed wetland as an alternative process trearment train to meer unrestricted water reclamation standards. Water Science and Technology,1999,40(3):375～382

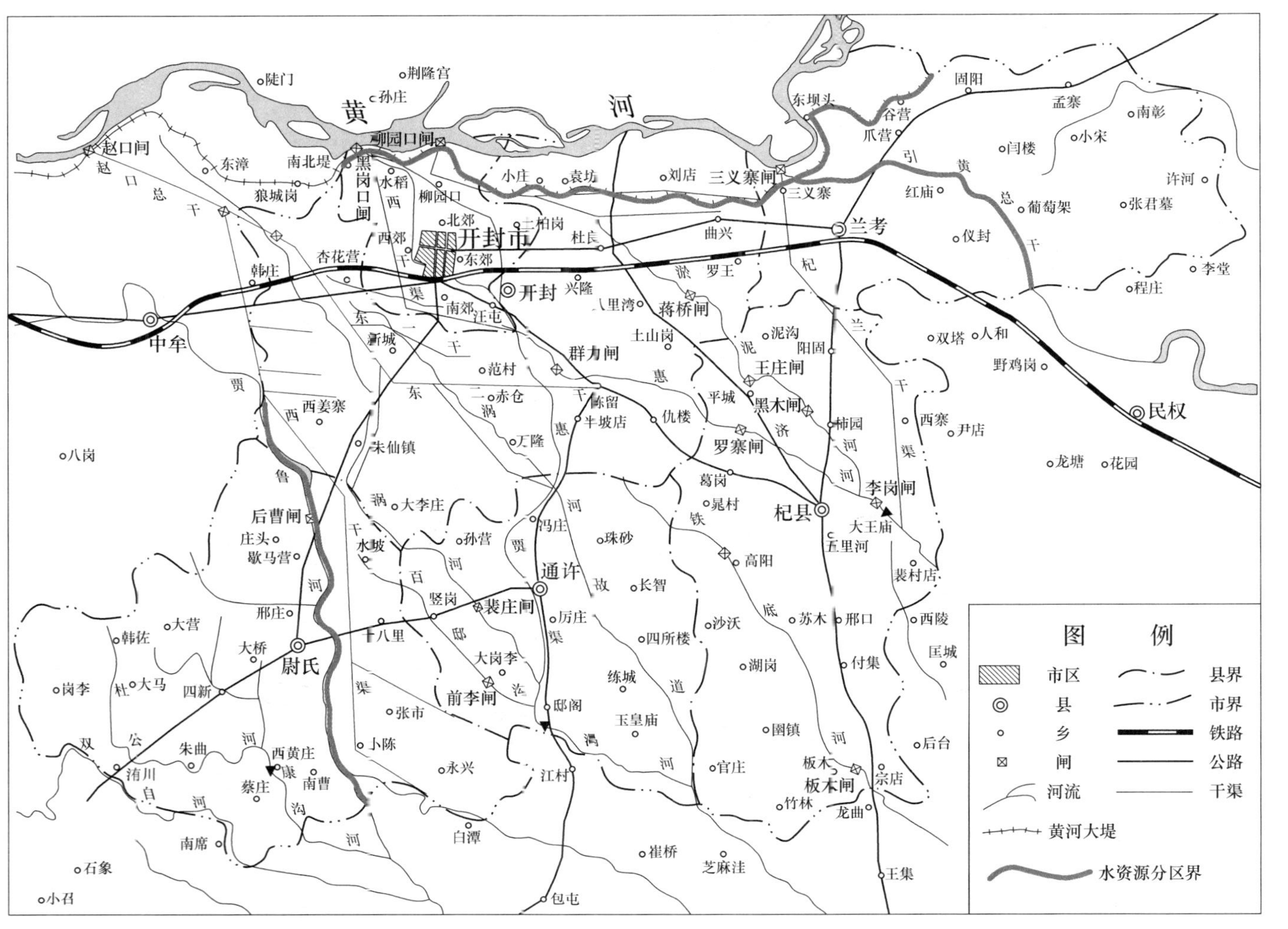

附图一　开封市水系水利工程及水资源分区图

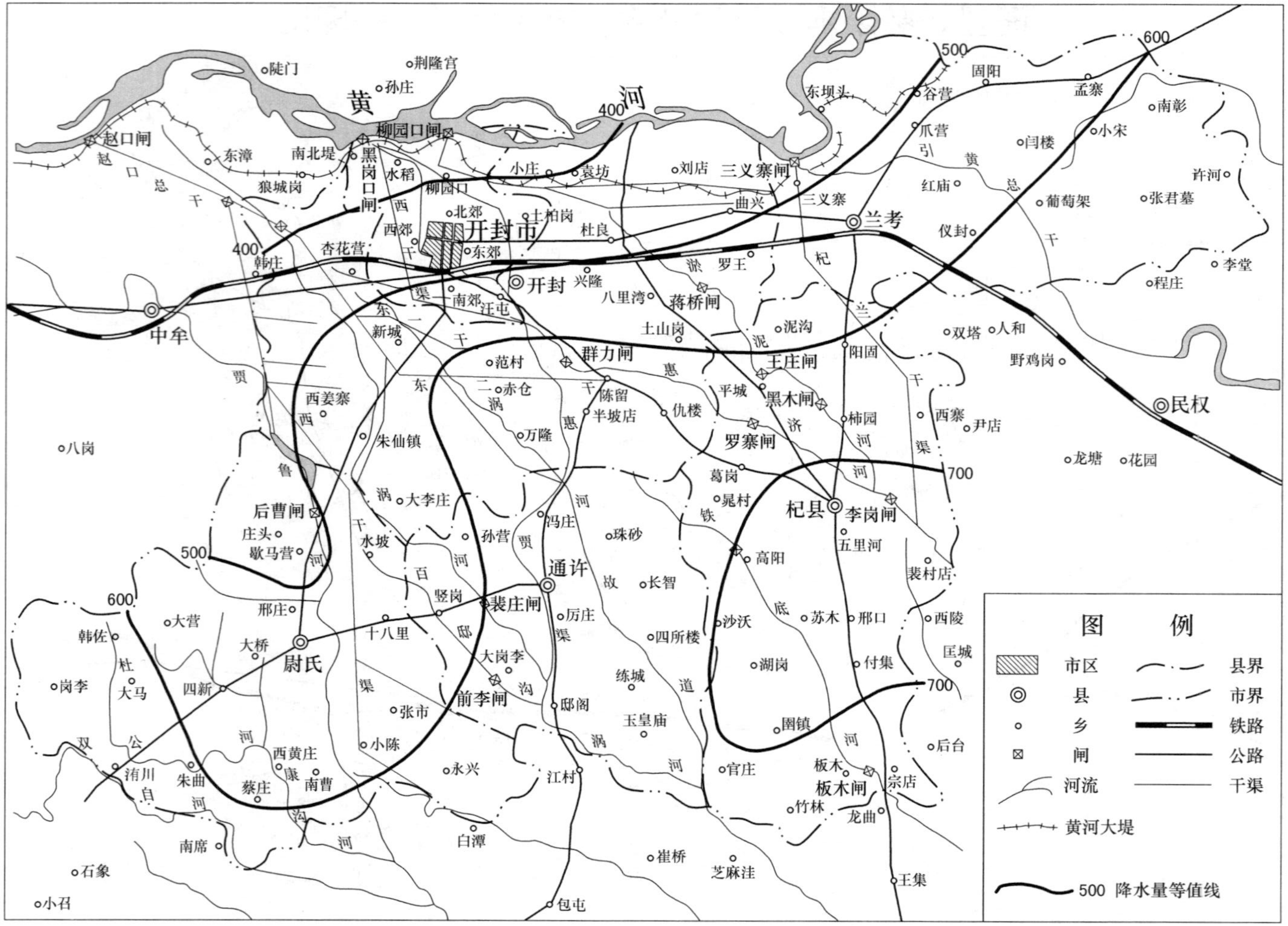

陡门
荆隆宫
孙庄
黄
河
400
赵口闸
东漳
南北堤
黑岗口闸
柳园口闸
水稻
柳园口
狼城岗
赵口总干
西郊
西
北郊
开封市
东郊
土柏岗
小庄
袁坊
刘店
三义寨闸
曲兴
杜良
三义寨
东坝头
谷营
固阳
孟寨
南彰
爪营
引
黄
闫楼
小宋
红庙
总
葡萄架
张君墓
许河
兰考
仪封
干
李堂
程庄
杞
400
韩庄
杏花营
开封
兴隆
淤
罗王
中牟
南郊
汪屯
八里湾
蒋桥闸
渠
东
一
新城
干
土山岗
泥沟
泥
兰
双塔
人和
野鸡岗
阳固
范村
群力闸
王庄闸
贾
东
二
赤仓
涡
惠
平城
黑木闸
陈留
半坡店
仇楼
济
西姜寨
西
朱仙镇
万隆
惠
罗寨闸
柿园
河
西寨
尹店
渠
八岗
鲁
民权
龙塘
花园
700
葛岗
河
晁村
杞县
李岗闸
后曹闸
涡
大李庄
铁
庄头
歇马营
干
水坡
孙营
冯庄
珠砂
五里河
高阳
500
河
贾
通许
百
河
故
长智
裴村店
600
竖岗
裴庄闸
厉庄
底
苏木
邢口
西陵
沙沃
大营
邢庄
十八里
邸
四所楼
匡城
韩佐
大桥
尉氏
大岗李
渠
练城
湖岗
付集
杜
沟
道
700
岗李
大马
四新
前李闸
邸阁
渠
张市
玉皇庙
圉镇
双
公
河
涡
河
后台
洧川
西黄庄
小陈
永兴
江村
官庄
板木
宗店
自
朱曲
康
南曹
河
板木闸
蔡庄
河
竹林
沟
河
龙曲
南席
白潭
石象
崔桥
芝麻洼
王集
小召
包屯

图例
市区
县
乡
闸
河流
黄河大堤
县界
市界
铁路
公路
干渠
500 降水量等值线

附图二　开封市1999年降水量等值线图

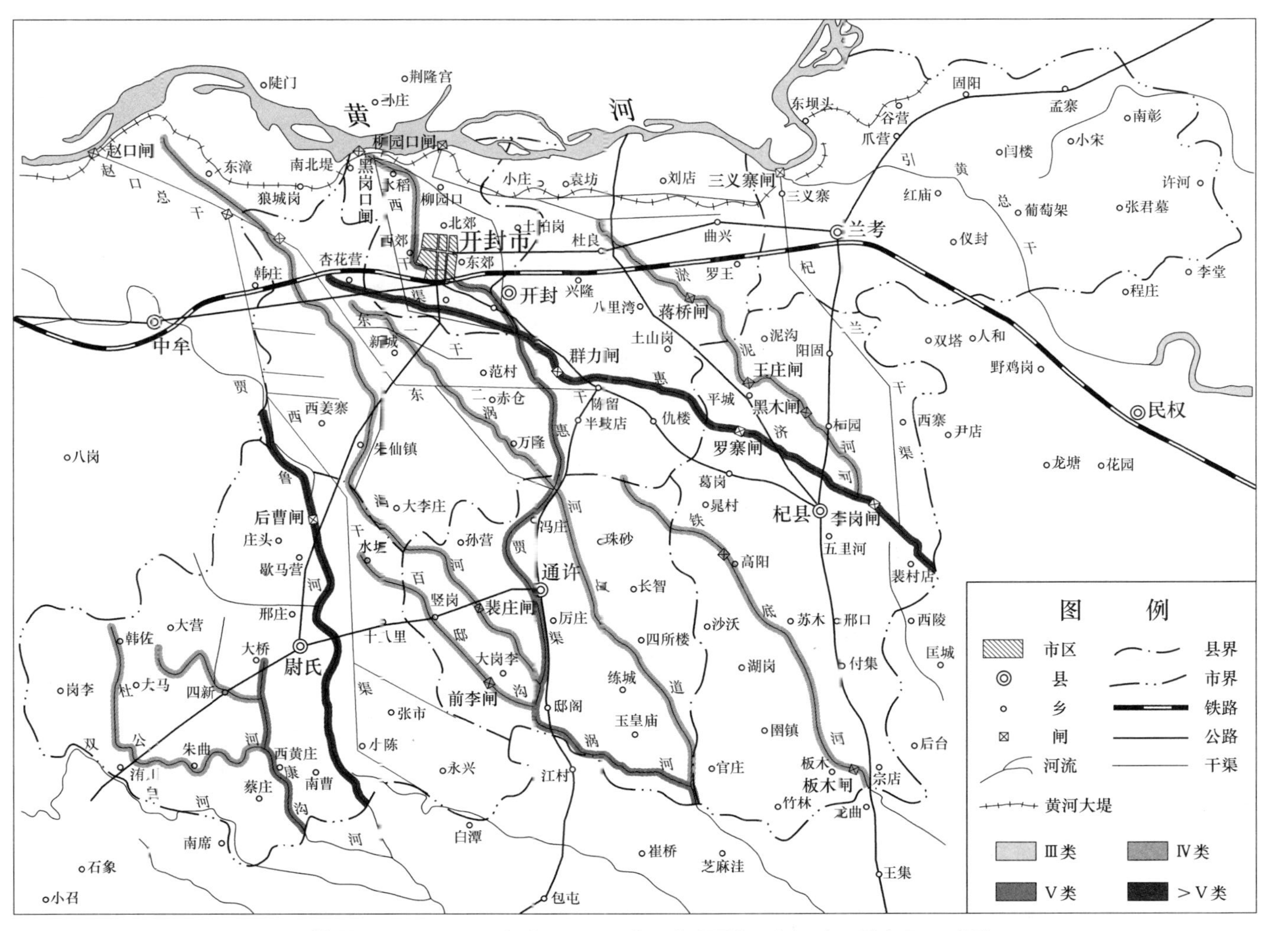

附图三　开封市1999年主要河流水质概况图